THE CHICAGO PUBLIC LIBRARY
FORM 19

PRENTICE HALL
CIENCIA

LA NATURALEZA DE LA CIENCIA

Anthea Maton
Ex coordinadora nacional de NSTA
Alcance, secuencia y coordinación del proyecto
Washington, D.C.

Jean Hopkins
Instructora de ciencias y jefa de departamento
John H. Wood Middle School
San Antonio, Texas

Susan Johnson
Profesora de biología
Ball State University
Muncie, Indiana

David LaHart
Instructor principal
Florida Solar Energy Center
Cape Canaveral, Florida

Maryanna Quon Warner
Instructora de ciencias
Del Dios Middle School
Escondido, California

Jill D. Wright
Profesora de educación científica
Directora de programas de área internacional
University of Pittsburgh
Pittsburgh, Pennsylvania

Prentice Hall
Englewood Cliffs, New Jersey
Needham, Massachusetts

Prentice Hall Science

The Nature of Science

Student Text and Annotated Teacher's Edition
Laboratory Manual
Teacher's Resource Package
Teacher's Desk Reference
Computer Test Bank
Teaching Transparencies
Product Testing Activities
Computer Courseware
Video and Interactive Video

The illustration on the cover, rendered by Keith Kasnot, depicts some of the variety of tools used in the exploration of the natural world.

Credits begin on page 124.

SECOND EDITION

ISBN 0-13-400409-4

3 4 5 6 7 8 9 10   97 96

Prentice Hall
A Division of Simon & Schuster
Englewood Cliffs, New Jersey 07632

STAFF CREDITS

Editorial:	Harry Bakalian, Pamela E. Hirschfeld, Maureen Grassi, Robert P. Letendre, Elisa Mui Eiger, Lorraine Smith-Phelan, Christine A. Caputo
Design:	AnnMarie Roselli, Carmela Pereira, Susan Walrath, Leslie Osher, Art Soares
Production:	Suse F. Bell, Joan McCulley, Elizabeth Torjussen, Christina Burghard
Photo Research:	Libby Forsyth, Emily Rose, Martha Conway
Publishing Technology:	Andrew Grey Bommarito, Deborah Jones, Monduane Harris, Michael Colucci, Gregory Myers, Cleasta Wilburn
Marketing:	Andrew Socha, Victoria Willows
Pre-Press Production:	Laura Sanderson, Kathryn Dix, Denise Herckenrath
Manufacturing:	Rhett Conklin, Gertrude Szyferblatt

Consultants

Kathy French	National Science Consultant
Jeannie Dennard	National Science Consultant

Prentice Hall Ciencia

La naturaleza de la ciencia

Student Text and Annotated Teacher's Edition
Laboratory Manual
Teacher's Resource Package
Teacher's Desk Reference
Computer Test Bank
Teaching Transparencies
Product Testing Activities
Computer Courseware
Video and Interactive Video

La ilustración de la cubierta, realizada por Keith Kasnot, representa algunos de los instrumentos usados en la exploración del mundo natural.

Procedencia de fotos e ilustraciones, página 124.

SEGUNDA EDICIÓN

ISBN 0-13-801788-3

3 4 5 6 7 8 9 10   97 96

Prentice Hall
A Division of Simon & Schuster
Englewood Cliffs, New Jersey 07632

PERSONAL

Editorial:	Harry Bakalian, Pamela E. Hirschfeld, Maureen Grassi, Robert P. Letendre, Elisa Mui Eiger, Lorraine Smith-Phelan, Christine A. Caputo
Diseño:	AnnMarie Roselli, Carmela Pereira, Susan Walrath, Leslie Osher, Art Soares
Producción:	Suse F. Bell, Joan McCulley, Elizabeth Torjussen, Christina Burghard
Fotoarchivo:	Libby Forsyth, Emily Rose, Martha Conway
Tecnología editorial:	Andrew G. Black, Deborah Jones, Monduane Harris Michael Colucci, Gregory Myers, Cleasta Wilburn
Mercado:	Andrew Socha, Victoria Willows
Producción pre-imprenta:	Laura Sanderson, Kathryn Dix, Denise Herckenrath
Manufactura:	Rhett Conklin, Gertrude Szyferblatt

Asesoras

Kathy French	National Science Consultant
Jeannie Dennard	National Science Consultant

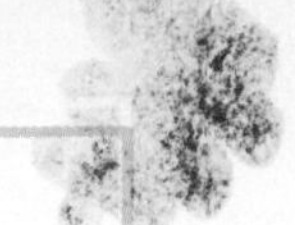

Contributing Writers

Linda Densman
Science Instructor
Hurst, TX

Linda Grant
Former Science Instructor
Weatherford, TX

Heather Hirschfeld
Science Writer
Durham, NC

Marcia Mungenast
Science Writer
Upper Montclair, NJ

Michael Ross
Science Writer
New York City, NY

Content Reviewers

Dan Anthony
Science Mentor
Rialto, CA

John Barrow
Science Instructor
Pomona, CA

Leslie Bettencourt
Science Instructor
Harrisville, RI

Carol Bishop
Science Instructor
Palm Desert, CA

Dan Bohan
Science Instructor
Palm Desert, CA

Steve M. Carlson
Science Instructor
Milwaukie, OR

Larry Flammer
Science Instructor
San Jose, CA

Steve Ferguson
Science Instructor
Lee's Summit, MO

Robin Lee Harris Freedman
Science Instructor
Fort Bragg, CA

Edith H. Gladden
Former Science Instructor
Philadelphia, PA

Vernita Marie Graves
Science Instructor
Tenafly, NJ

Jack Grube
Science Instructor
San Jose, CA

Emiel Hamberlin
Science Instructor
Chicago, IL

Dwight Kertzman
Science Instructor
Tulsa, OK

Judy Kirschbaum
Science/Computer Instructor
Tenafly, NJ

Kenneth L. Krause
Science Instructor
Milwaukie, OR

Ernest W. Kuehl, Jr.
Science Instructor
Bayside, NY

Mary Grace Lopez
Science Instructor
Corpus Christi, TX

Warren Maggard
Science Instructor
PeWee Valley, KY

Della M. McCaughan
Science Instructor
Biloxi, MS

Stanley J. Mulak
Former Science Instructor
Jensen Beach, FL

Richard Myers
Science Instructor
Portland, OR

Carol Nathanson
Science Mentor
Riverside, CA

Sylvia Neivert
Former Science Instructor
San Diego, CA

Jarvis VNC Pahl
Science Instructor
Rialto, CA

Arlene Sackman
Science Instructor
Tulare, CA

Christine Schumacher
Science Instructor
Pikesville, MD

Suzanne Steinke
Science Instructor
Towson, MD

Len Svinth
Science Instructor/
Chairperson
Petaluma, CA

Elaine M. Tadros
Science Instructor
Palm Desert, CA

Joyce K. Walsh
Science Instructor
Midlothian, VA

Steve Weinberg
Science Instructor
West Hartford, CT

Charlene West, PhD
Director of Curriculum
Rialto, CA

John Westwater
Science Instructor
Medford, MA

Glenna Wilkoff
Science Instructor
Chesterfield, OH

Edee Norman Wiziecki
Science Instructor
Urbana, IL

Teacher Advisory Panel

Beverly Brown
Science Instructor
Livonia, MI

James Burg
Science Instructor
Cincinnati, OH

Karen M. Cannon
Science Instructor
San Diego, CA

John Eby
Science Instructor
Richmond, CA

Elsie M. Jones
Science Instructor
Marietta, GA

Michael Pierre McKereghan
Science Instructor
Denver, CO

Donald C. Pace, Sr.
Science Instructor
Reisterstown, MD

Carlos Francisco Sainz
Science Instructor
National City, CA

William Reed
Science Instructor
Indianapolis, IN

Multicultural Consultant

Steven J. Rakow
Associate Professor
University of Houston—Clear Lake
Houston, TX

English as a Second Language (ESL) Consultants

Jaime Morales
Bilingual Coordinator
Huntington Park, CA

Pat Hollis Smith
Former ESL Instructor
Beaumont, TX

Reading Consultant

Larry Swinburne
Director
Swinburne Readability Laboratory

Autores contribuyentes

Linda Densman
Instructora de ciencias
Hurst, TX

Linda Grant
Ex–instructora de ciencias
Weatherford, TX

Heather Hirschfeld
Escritora de ciencias
Durham, NC

Marcia Mungenast
Escritora de ciencias
Upper Montclair, NJ

Michael Ross
Escritor de ciencias
New York City, NY

Revisores de contenido

Dan Anthony
Consejero de ciencias
Rialto, CA

John Barrow
Instructor de ciencias
Pomona, CA

Leslie Bettencourt
Instructora de ciencias
Harrisville, RI

Carol Bishop
Instructora de ciencias
Palm Desert, CA

Dan Bohan
Instructor de ciencias
Palm Desert, CA

Steve M. Carlson
Instructor de ciencias
Milwaukie, OR

Larry Flammer
Instructor de ciencias
San Jose, CA

Steve Ferguson
Instructor de ciencias
Lee's Summit, MO

Robin Lee Harris Freedman
Instructora de ciencias
Fort Bragg, CA

Edith H. Gladden
Instructora de ciencias
Philadelphia, PA

Vernita Marie Graves
Instructora de ciencias
Tenafly, NJ

Jack Grube
Instructor de ciencias
San Jose, CA

Emiel Hamberlin
Instructor de ciencias
Chicago, IL

Dwight Kertzman
Instructor de ciencias
Tulsa, OK

Judy Kirschbaum
Instructora de ciencias y computadoras
Tenafly, NJ

Kenneth L. Krause
Instructor de ciencias
Milwaukie, OR

Ernest W. Kuehl, Jr.
Instructor de ciencias
Bayside, NY

Mary Grace Lopez
Instructora de ciencias
Corpus Christi, TX

Warren Maggard
Instructor de ciencias
PeWee Valley, KY

Della M. McCaughan
Instructora de ciencias
Biloxi, MS

Stanley J. Mulak
Ex–Instructor de ciencias
Jensen Beach, FL

Richard Myers
Instructor de ciencias
Portland, OR

Carol Nathanson
Consejera de ciencias
Riverside, CA

Sylvia Neivert
Ex–Instructora de ciencias
San Diego, CA

Jarvis VNC Pahl
Instructor de ciencias
Rialto, CA

Arlene Sackman
Instructora de ciencias
Tulare, CA

Christine Schumacher
Instructora de ciencias
Pikesville, MD

Suzanne Steinke
Instructora de ciencias
Towson, MD

Len Svinth
Jefe de Instructores de ciencias
Petaluma, CA

Elaine M. Tadros
Instructora de ciencias
Palm Desert, CA

Joyce K. Walsh
Instructora de ciencias
Midlothian, VA

Steve Weinberg
Instructor de ciencias
West Hartford, CT

Charlene West, PhD
Directora de Curriculum
Rialto, CA

John Westwater
Instructor de ciencias
Medford, MA

Glenna Wilkoff
Instructora de ciencias
Chesterfield, OH

Edee Norman Wiziecki
Instructora de ciencias
Urbana, IL

Panel asesor de profesores

Beverly Brown
Instructora de ciencias
Livonia, MI

James Burg
Instructor de ciencias
Cincinnati, OH

Karen M. Cannon
Instructora de ciencias
San Diego, CA

John Eby
Instructor de ciencias
Richmond, CA

Elsie M. Jones
Instructora de ciencias
Marietta, GA

Michael Pierre McKereghan
Instructor de ciencias
Denver, CO

Donald C. Pace, Sr.
Instructor de ciencias
Reisterstown, MD

Carlos Francisco Sainz
Instructor de ciencias
National City, CA

William Reed
Instructor de ciencias
Indianapolis, IN

Asesor multicultural

Steven J. Rakow
Professor asociado
University of Houston–Clear Lake
Houston, TX

Asesores de Inglés como segunda lengua (ESL)

Jaime Morales
Coordinador Bilingüe
Huntington Park, CA

Pat Hollis Smith
Ex-instructora de ingles
Beaumont, TX

Asesor de lectura

Larry Swinburne
Director
Swinburne Readability Laboratory

Revisores del texto en español

Teresa Casal
Instructora de ciencias
Miami, FL

Victoria Delgado
Directora de programas bilingües/multiculturales
New York, NY

Delia García Menocal
Instructora bilingüe
Englewood, NJ

Consuelo Hidalgo Mondragón
Instructora de ciencias
México, D.F.

Elena Maldonado
Instructora de ciencias
Río Piedras, Puerto Rico

Estefana Martínez
Instructora de ciencias
San Antonio, TX

Euclid Méjia
Director del departamento de ciencias y matematicas
New York, NY

Alberto Ramírez
Instructor bilingüe
La Quinta, CA

CONTENTS

THE NATURE OF SCIENCE

CONTENIDO

LA NATURALEZA DE LA CIENCIA

Activity Bank/Reference Section

Features

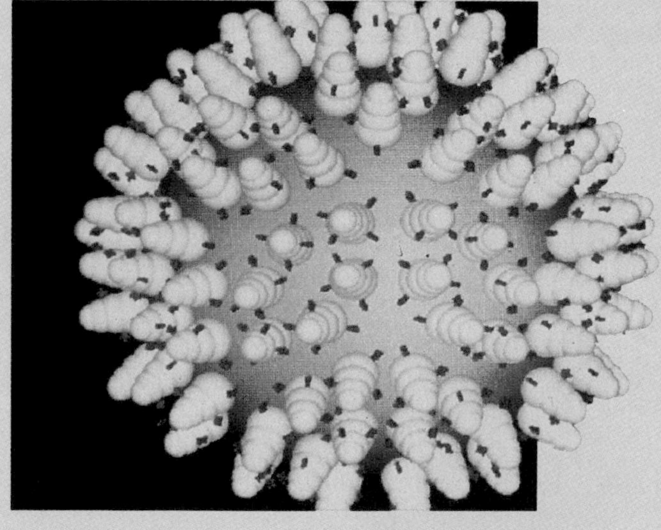

Pozo de actividades/Sección de referencia

Artículos

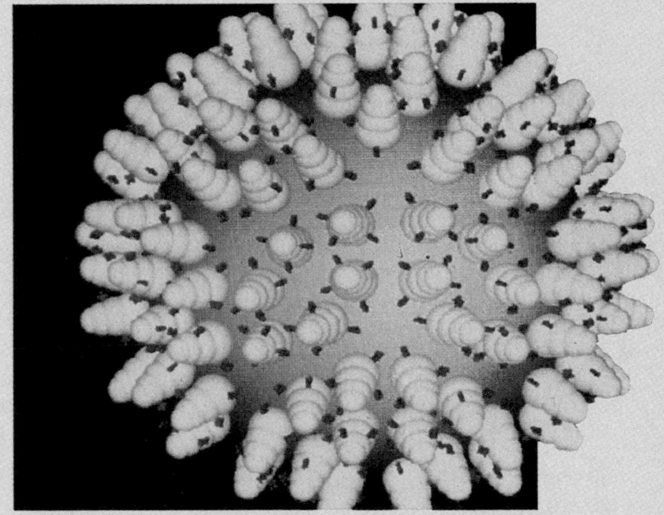

Concept Mapping

Throughout your study of science, you will learn a variety of terms, facts, figures, and concepts. Each new topic you encounter will provide its own collection of words and ideas—which, at times, you may think seem endless. But each of the ideas within a particular topic is related in some way to the others. No concept in science is isolated. Thus it will help you to understand the topic if you see the whole picture; that is, the interconnectedness of all the individual terms and ideas. This is a much more effective and satisfying way of learning than memorizing separate facts.

Actually, this should be a rather familiar process for you. Although you may not think about it in this way, you analyze many of the elements in your daily life by looking for relationships or connections. For example, when you look at a collection of flowers, you may divide them into groups: roses, carnations, and daisies. You may then associate colors with these flowers: red, pink, and white. The general topic is flowers. The subtopic is types of flowers. And the colors are specific terms that describe flowers. A topic makes more sense and is more easily understood if you understand how it is broken down into individual ideas and how these ideas are related to one another and to the entire topic.

It is often helpful to organize information visually so that you can see how it all fits together. One technique for describing related ideas is called a **concept map**. In a concept map, an idea is represented by a word or phrase enclosed in a box. There are several ideas in any concept map. A connection between two ideas is made with a line. A word or two that describes the connection is written on or near the line. The general topic is located at the top of the map. That topic is then broken down into subtopics, or more specific ideas, by branching lines. The most specific topics are located at the bottom of the map.

To construct a concept map, first identify the important ideas or key terms in the chapter or section. Do not try to include too much information. Use your judgment as to what is

really important. Write the general topic at the top of your map. Let's use an example to help illustrate this process. Suppose you decide that the key terms in a section you are reading are School, Living Things, Language Arts, Subtraction, Grammar, Mathematics, Experiments, Papers, Science, Addition, Novels. The general topic is School. Write and enclose this word in a box at the top of your map.

SCHOOL

Now choose the subtopics—Language Arts, Science, Mathematics. Figure out how they are related to the topic. Add these words to your map. Continue this procedure until you have included all the important ideas and terms. Then use lines to make the appropriate connections between ideas and terms. Don't forget to write a word or two on or near the connecting line to describe the nature of the connection.

Do not be concerned if you have to redraw your map (perhaps several times!) before you show all the important connections clearly. If, for example, you write papers for Science as well as for Language Arts, you may want to place these two subjects next to each other so that the lines do not overlap.

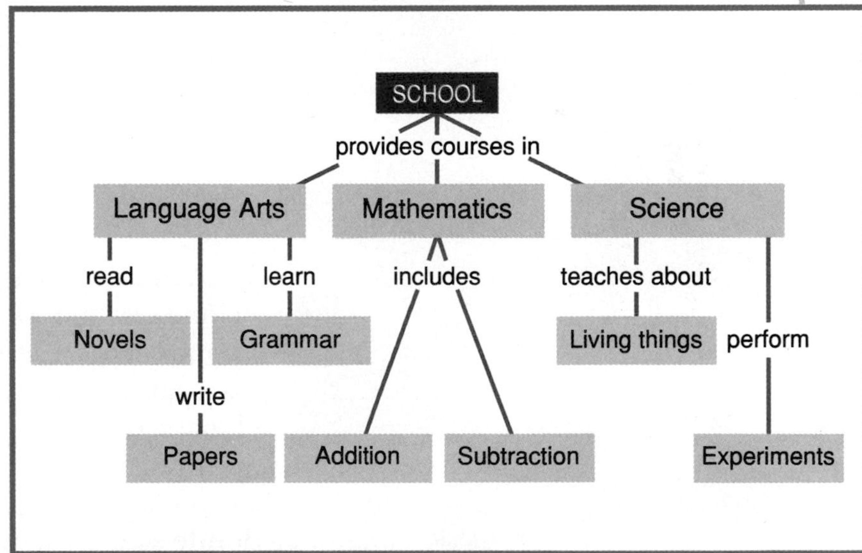

One more thing you should know about concept mapping: Concepts can be correctly mapped in many different ways. In fact, it is unlikely that any two people will draw identical concept maps for a complex topic. Thus there is no one correct concept map for any topic! Even though your concept map may not match those of your classmates, it will be correct as long as it shows the most important concepts and the clear relationships among them. Your concept map will also be correct if it has meaning to you and if it helps you understand the material you are reading. A concept map should be so clear that if some of the terms are erased, the missing terms could easily be filled in by following the logic of the concept map.

MAPA de CONCEPTOS

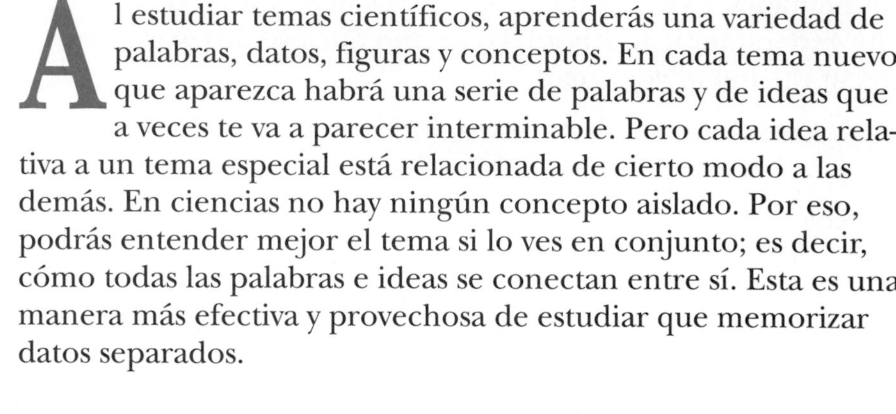

Al estudiar temas científicos, aprenderás una variedad de palabras, datos, figuras y conceptos. En cada tema nuevo que aparezca habrá una serie de palabras y de ideas que a veces te va a parecer interminable. Pero cada idea relativa a un tema especial está relacionada de cierto modo a las demás. En ciencias no hay ningún concepto aislado. Por eso, podrás entender mejor el tema si lo ves en conjunto; es decir, cómo todas las palabras e ideas se conectan entre sí. Esta es una manera más efectiva y provechosa de estudiar que memorizar datos separados.

En realidad, este proceso debe serte familiar. Aunque no te des cuenta, analizas muchos de los elementos de la vida diaria, considerando sus relaciones o conexiones. Por ejemplo, al mirar un ramo de flores, lo puedes dividir en grupos: rosas, claveles y margaritas. Después, asocias colores con las flores: rojo, rosado y blanco. Las flores serían el tema general. El subtema, tipos de flores. Un tema tiene más sentido y se puede entender mejor si comprendes cómo se divide en ideas y cómo las ideas se relacionan entre sí y con el tema en su totalidad.

A menudo, es útil organizar la información visualmente para poder ver la correspondencia entre las cosas. Una de las técnicas usadas para organizar ideas relacionadas es el mapa de conceptos. En un **mapa de conceptos**, una palabra o frase recuadrada representa una idea. La conexión entre dos ideas se describe con una línea donde se escriben una o dos palabras que explican la conexión. El tema general aparece arriba de todo. El tema se divide en subtemas, o ideas más específicas, por medio de líneas. Los temas más específicos aparecen en la parte de abajo.

Para hacer un mapa de conceptos, considera primero las ideas o palabras claves más importantes de un capítulo o sección. No trates de incluir mucha información. Usa tu juicio para decidir qué es lo realmente importante.

Un ejemplo servirá para ilustrar el proceso. Decides que las palabras claves de una sección son Escuela, Seres vivos, Artes del lenguaje, Resta, Gramática, Matemáticas, Experimentos, Informes, Ciencia, Suma, Novelas. El tema general es Escuela. Escribe esta palabra en un recuadro arriba de todo.

ESCUELA

Ahora, elige los subtemas: Artes del lenguaje, Ciencia, Matemáticas. Piensa cómo se relacionan con el tema. Agrega estas palabras al mapa. Continúa así hasta que todas las ideas y las palabras importantes estén incluídas. Luego, usa líneas para marcar las conexiones apropiadas. No dejes de escribir en la línea de conexión una o dos palabras que expliquen la naturaleza de la conexión.

No te preocupes si debes rehacer tu mapa (tal vez muchas veces), antes de que se vean bien todas las conexiones importantes. Si, por ejemplo, escribes informes para Ciencia y para Artes del lenguaje, te puede convenir colocar estos dos temas uno al lado del otro para que las líneas no se superpongan.

Algo más que debes saber sobre los mapas de conceptos: pueden construirse de diversas maneras. Es decir, dos personas pueden hacer un mapa diferente de un mismo tema. ¡No existe un único mapa de conceptos! Aunque tu mapa no sea igual al de tus compañeros, va a estar bien si muestra claramente los conceptos más importantes y las relaciones que existen entre ellos. Tu mapa también estará bien si tú le encuentras sentido y te ayuda a entender lo que estás leyendo. Un mapa de conceptos debe ser tan claro que, aunque se borraran algunas palabras se pudieran volver a escribir fácilmente siguiendo la lógica del mapa.

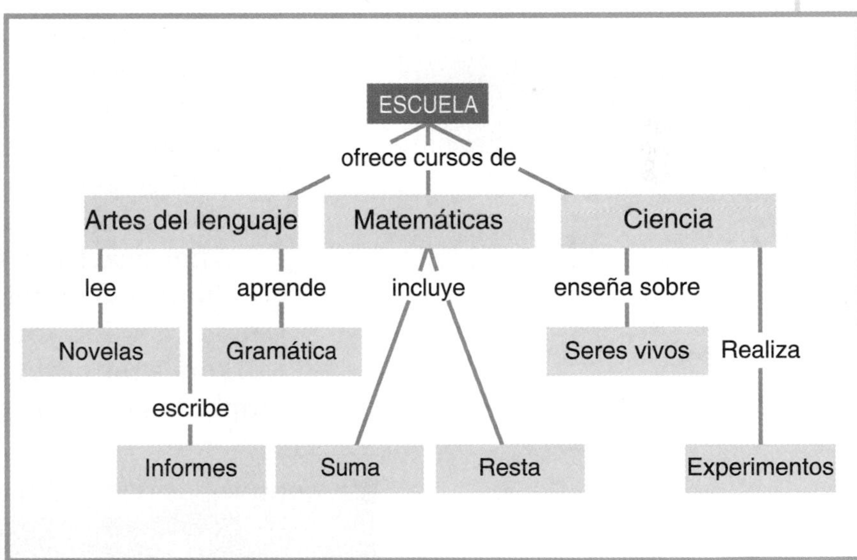

THE NATURE OF SCIENCE

Do you read the newspaper or watch the news on television? Perhaps you prefer the radio or even science magazines. Whatever your preference, you know that it's hard to escape hearing about advances in science.

Computers, CD players, microwave ovens, and even hand-held video games all became possible through discoveries in science. Science, for better or for worse, is all around us. It is through science that we have developed new sources of energy—and have found ways to make traditional sources more efficient and less polluting. Science has given us television, telephones, and other forms of communication. A list of scientific advances that have improved our lives could fill this textbook alone!

What exactly is science? How do scientists go about making discoveries? If you think that science is a job for white-coated laboratory workers who never look up from their microscope or get involved in the world around

Science has provided us with computer chips and circuits, which are used in modern electronic equipment.

Not all the effects of science are positive. Here you see two well-protected scientists carrying hazardous wastes from a chemical spill.

CHAPTERS

them, you're in for a surprise. In this textbook you will find out about the nature of science and the ways in which scientists investigate the world. You will have an opportunity to explore and discover a few things yourself. We hope you discover something that few people really understand: Science is fun. Now go to it—and enjoy!

It has been through the work of environmental scientists that people have begun to take seriously the threat to many of Earth's greatest creatures, among them the African elephant.

Discovery Activity

What Is It?

1. Examine carefully a leaf (or another part of a plant), a magnifying glass, and a rock.
2. Write down a list of characteristics you would use to describe each of these objects. Your list should include size, color, texture, shape, and any other feature you feel is important.
3. Provide your description of each object to a parent or guardian without showing the actual object. See if the parent or guardian can determine what the object is by your description alone.
   - How helpful was your description? What sort of tools or instruments would have allowed you to describe each object better?

La naturalezA DE LA CIENCIA

¿Lees el periódico o miras las noticias por televisión? ¿Escuchas la radio o lees revistas de ciencia? Hagas lo que hagas, es muy difícil no enterarse de los adelantos de la ciencia.

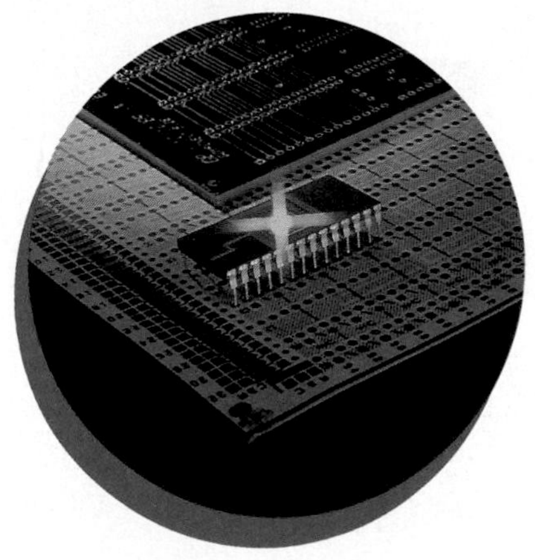

La ciencia nos ha brindado las fichas y los circuitos de computadora que se usan en modernos equipos electrónicos.

Las computadoras, los discos compactos, los hornos microonda y hasta los juegos de video manuales son todos posibles gracias a los descubrimientos científicos. La ciencia, querámoslo o no, está a todo nuestro alrededor. Es por medio de la ciencia que se han desarrollado nuevas fuentes de energía—y que se ha hecho que las fuentes tradicionales sean más eficaces y produzcan menos contaminación. La ciencia nos ha dado la televisión, los teléfonos y otras formas de comunicación. ¡Apenas habría lugar en este libro para una lista de todos los adelantos científicos que han mejorado nuestra vida!

¿Qué es la ciencia? ¿Qué hacen los científicos para realizar descubrimientos? Si piensas que la ciencia es algo de lo que se ocupan empleados de laboratorio que nunca levantan la vista del micro-

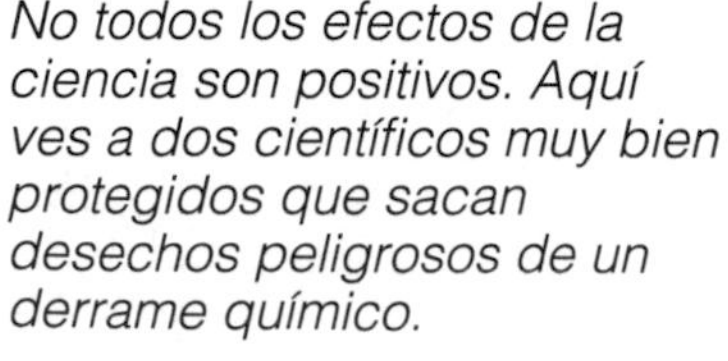

No todos los efectos de la ciencia son positivos. Aquí ves a dos científicos muy bien protegidos que sacan desechos peligrosos de un derrame químico.

CAPÍTULOS

1 ¿Qué es la ciencia?
2 Las medidas y las ciencias
3 Los instrumentos y las ciencias

scopio ni tienen en cuenta el mundo que los rodea, te vas a llevar una gran sorpresa. En este libro vas a aprender sobre la naturaleza de la ciencia y sobre cómo los científicos investigan el mundo. Vas a tener la oportunidad de explorar y descubrir bastantes cosas por tu cuenta. Esperamos que descubras algo que pocos entienden: ¡La ciencia es divertida! Vamos, ¡a divertirte!

Ha sido gracias a la labor de científicos del medio ambiente que se ha comenzado a pensar seriamente en la amenaza que enfrentan las criaturas más grandes de la Tierra, como el elefante de África.

Para averiguar *Actividad*

¿Qué es?

1. Examina com cuidado una hoja (u otra parte de una planta), una lupa de aumento y una piedra.
2. Haz una lista de las características que usarías para describir cada uno de estos objetos. Debes incluir el tamaño, el color, la textura, la forma y cualquier otra característica que consideres importante.
3. Entrega tu descripción a tu padre, madre o tutor sin mostrarle el objeto. Ve si esa persona puede adivinar cuál es el objeto siguiendo tu descripción.
   - ¿Fue de utilidad tu descripción? ¿Qué tipo de útiles o instrumentos te hubieran permitido describir mejor cada objeto?

What Is Science?

Guide for Reading

After you read the following sections, you will be able to

1–1 Science—Not Just for Scientists

- Describe the process of science and the branches of science.

1–2 The Scientific Method—A Way of Problem Solving

- Identify the steps in the scientific method.
- Compare an experimental setup and a control setup.

1–3 Science and Discovery

- Describe the importance of luck in scientific discoveries.

1–4 Safety in the Science Laboratory

- Explain the importance of safety rules in the laboratory.

Scientists, like most people, love a mystery. Recently, Dr. W. P. Coombs Jr., of Western New England College, was called upon to solve a most interesting puzzle. Strange scratches had been found on some rocks unearthed at the Connecticut State Dinosaur Park. Dr. Coombs is a dinosaur expert. He took one look at the scratches on the exposed rocks and immediately knew what they were—dinosaur footprints. The scratches appeared in groups of three, leading Dr. Coombs to conclude that the scratches were made by an animal having three toes with sharp claws. They were clearly the work of the meat-eating dinosaur called *Megalosaurus*.

There was something peculiar about the footprints. Only the tips of the dinosaur's toes seemed to have touched the rocks. But *Megalosaurus* did not run on its toes, at least not on land. Dr. Coombs quickly realized that the prints had been made under water, where most of the animal's weight would have been kept off the rocks. From scratches on rocks, Dr. Coombs had discovered the first evidence of a swimming, meat-eating dinosaur. Unearthed rocks, a sharp eye, and some smart detective work had led to an important scientific discovery.

Journal *Activity*

You and Your World Is this your first science course? Or are you an old hand at science? In either case, in your journal jot down your feelings about taking a science course. It might be interesting to go back to your entry at the end of the year and see if you still feel the same.

An artist's interpretation of the first swimming, meat-eating dinosaur

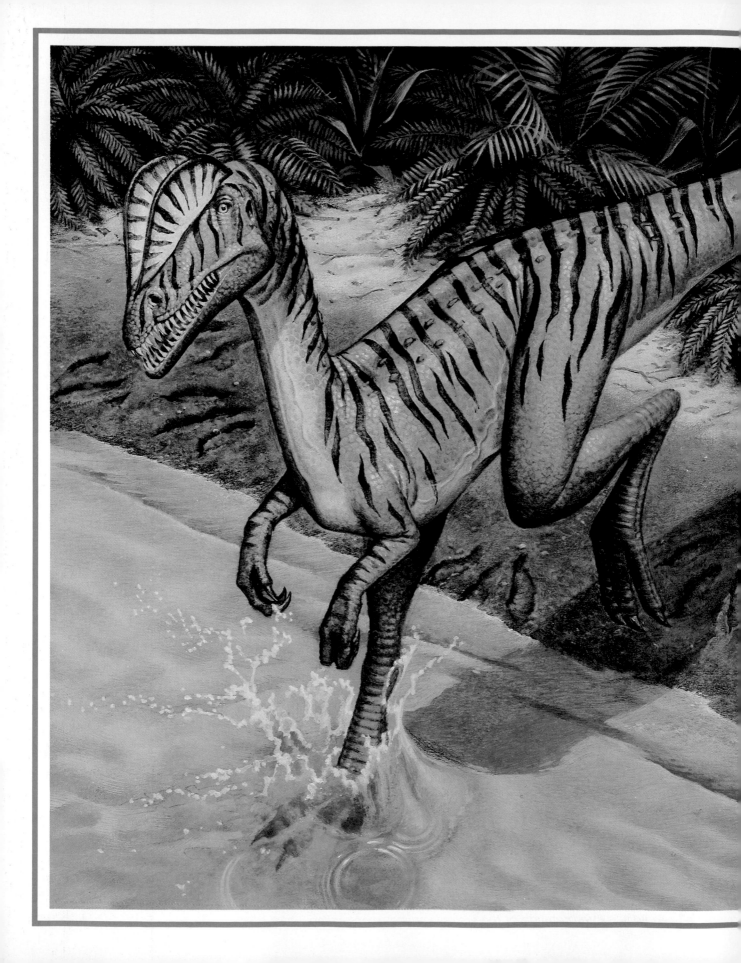

¿Qué es la ciencia?

Guía para la lectura

Después de leer las secciones siguientes, vas a poder

1–1 La ciencia—No sólo para los científicos

- Describir el proceso científico y las ramas de la ciencia.

1–2 El método científico—Una manera de resolver problemas

- Identificar los pasos del método científico.
- Comparar un montaje experimental con un montaje de control.

1–3 La ciencia y el descubrimiento

- Describir la importancia de la suerte en los descubrimientos científicos.

1–4 Tomar precauciones en el laboratorio de ciencias

- Explicar la importancia de la seguridad en el laboratorio.

A los científicos, como a la mayoría de la gente, les encantan los misterios. Recientemente, al Dr. W. P. Coombs Jr. del Western New England College le tocó resolver un enigma sumamente interesante. Se habían encontrado unas marcas muy raras en algunas rocas del Parque de Dinosaurios del Estado de Connecticut. El doctor Coombs es un experto en dinosaurios. Él supo inmediatamente lo que eran las marcas: huellas de dinosaurios. Las marcas aparecían en grupos de tres, lo que llevó al doctor Coombs a la conclusión de que las había hecho un animal con patas de tres dedos y garras afiladas. Las huellas eran obviamente producto de un dinosaurio carnívoro llamado Megalosauro.

Había algo peculiar en esas huellas. Aparentemente sólo las puntas de los dedos del dinosaurio habían tocado las rocas. Pero los Megalosauros no corrían en puntas de pie, por lo menos en tierra. El doctor Coombs se dio cuenta de que las huellas se habían hecho bajo el agua, donde la mayor parte del peso del animal no recaía sobre las rocas. A partir de las marcas en las rocas, el doctor Coombs había descubierto los primeros rastros de un dinosaurio nadador y carnívoro. Rocas al descubierto, un ojo aguzado y un poco de eficiente trabajo de detective habían resultado en un importante descubrimiento científico.

Diario *Actividad*

Tú y Tu Mundo ¿Es éste el primer curso de ciencias que tomas? ¿O tienes ya bastante experiencia en este asunto? Cualquiera que sea el caso, anota en tu diario qué es lo que sientes respecto a un curso de ciencia. Te puede resultar interesante volver a esta anotación al final del año y ver si tus sentimientos son todavía los mismos.

Interpretación hecha por un artista del primer dinosaurio nadador y carnívoro.

Guide for Reading

Focus on these questions as you read.

- *What is the goal of science?*
- *What kind of mysteries do scientists explore?*

1–1 Science—Not Just for Scientists

You are a scientist! Does that statement surprise you? If it does, it is probably because you do not understand exactly what a scientist is. But if you have ever observed the colors formed in a drop of oil in a puddle or watched a fire burn, you were acting like a scientist. You are also a scientist when you watch waves breaking on the shore or lightning bolts darting through the night sky. Or perhaps you have walked through the grass in the morning and noticed drops of dew or have screamed with delight as you watched a roller coaster dipping up and down the track. Whenever you observe the world around you, you are acting like a scientist. Does that give you a clue to the nature of science and scientists?

Scientists observe the world around them—just as you do. For that reason, whenever you make an observation you are acting like a scientist. But scientists do more than just observe. The word *science* comes from the Latin *scire,* which means "to know." So science is more than just observation. And real scientists do more than just observe. They question what they see. They wonder what makes things the way they are. And they attempt to find answers to their questions.

No doubt you also wonder about and question what you see—at least some of the time. Hopefully, you will be better able to find answers to some of your questions as a result of reading this chapter. That is, you will be better able to approach the world as a scientist does.

Figure 1–1 *Whenever you observe and question natural occurrences, such as a lightning storm, you are acting as a scientist does.*

Guía para la lectura

Piensa en estas preguntas mientras leas.

- *¿Cuál es el objetivo de la ciencia?*
- *¿Qué tipo de misterios investigan los científicos?*

1–1 La ciencia—No sólo para los científicos

¡Eres un científico! ¡Eres una científica! ¿Te sorprende esta afirmación? Si te pasa eso, se debe a que no comprendes exactamente qué es un científico. Pero si has observado los colores que se forman en una gota de aceite de un charco o has mirado arder el fuego, has actuado como un científico. También actúas como un científico si observas las olas al romperse en la costa o los rayos que surcan el cielo nocturno. O quizás hayas caminado por el pasto por la mañana y observado gotas de rocío o exclamado con deleite al ver las súbitas bajadas y subidas de una montaña rusa. Cada vez que observas el mundo a tu alrededor, actúas como un científico. ¿Te da esto una pista sobre la naturaleza de la ciencia y de los científicos?

Los científicos observan el mundo a su alrededor – como lo haces tú. Es por eso que cada vez que haces una observación, estás actuando como un científico. Pero los científicos no sólo observan. La palabra ciencia viene del latín *scire,* que significa "saber". La ciencia es más que mera observación. Y los verdaderos científicos hacen más que simplemente observar. Cuestionan lo que ven. Se preguntan qué es lo que hace que las cosas sean como son e intentan encontrar respuestas a sus preguntas.

Sin duda tú también te preguntas sobre lo que ves y lo cuestionas – por lo menos parte del tiempo. Esperamos que seas más capaz de encontrar respuestas a algunas de tus preguntas como resultado de la lectura de este capítulo. Es decir, que mejore tu capacidad para enfocar el mundo como lo hacen los científicos.

Figura 1–1 *Cada vez que observas y cuestionas acontecimientos naturales como puede ser una tormenta de rayos y relámpagos, actúas como un científico(a).*

Figure 1–2 *The goal of science is to understand events that occur in the world around us—such as this rare desert snowstorm in Arizona.*

The Nature of Science

The universe around you and inside of you is really a collection of countless mysteries. It is the job of scientists to solve those mysteries. **The goal of science is to understand the world around us.**

How do scientists go about understanding the world? Like all good detectives, scientists use special methods to determine truths about nature. Such truths are called facts. Here is an example of a fact: The sun is a source of light and heat. But science is more than a list of facts—just as studying science is more than memorizing facts. Jules Henri Poincaré, a famous nineteenth-century French scientist who charted the motions of planets, put it this way: "Science is built up with facts, as a house is with stones. But a collection of facts is no more a science than a heap of stones is a house."

So scientists go further than simply discovering facts. Scientists try to use facts to solve larger mysteries of nature. In this sense, you might think of facts as clues to scientific mysteries. An example of a larger mystery is how the sun produces the heat and light it showers upon the Earth. Another larger mystery is how the relatively few and simple organisms of 3 billion years ago gave rise to the many complex organisms that inhabit the Earth today.

Using facts they have gathered, scientists propose explanations for the events they observe. Then they perform experiments to test their explanations. In the next section of this chapter, you will learn how scientists go about performing experiments and uncovering the mysteries of nature.

ACTIVITY
DISCOVERING

Reading a Food Label

You may wonder why studying science is important in your life. If you have ever read the ingredients on a food label, then you already know one reason. A knowledge of chemistry helps you learn what ingredients are in the foods you eat!

Look at the label on a cereal box. The ingredients are listed, in order from greatest to least, by the amount present in the food.

Make a list of the ingredients that are present in the food label you are examining. Next to each ingredient indicate with a checkmark whether it is familiar to you.

- Find out what each ingredient is and how the body uses it.
- Which are preservatives?

Report your findings to your class.

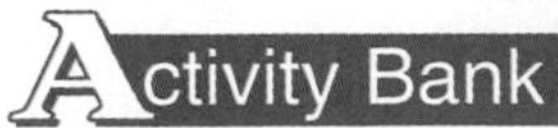

Observing a Fish, p.100

Figura 1–2 *El objetivo de la ciencia es comprender lo que ocurre en el mundo a nuestro alrededor – como, por ejemplo, esta rara tormenta de nieve en el desierto de Arizona.*

La naturaleza de la ciencia

El mundo que te rodea y el de tu interior es una colección de misterios innumerables. Los científicos tienen que resolver esos misterios. **El objetivo de la ciencia es comprender el mundo que nos rodea.**

¿Qué hacen los científicos para comprender el mundo? Como buenos detectives, usan métodos especiales para determinar las verdades de la naturaleza. Dichas verdades se llaman datos. Aquí tienes el ejemplo de un dato: el sol es una fuente de luz y calor. Pero la ciencia es más que una lista de datos, así como el estudio de la ciencia es más que la memorización de datos. Jules Henri Poincaré, un famoso hombre de ciencia francés del Siglo XIX, lo expresó así: "La ciencia está basada en datos, al igual que una casa está basada en piedras. Pero así como una pila de piedras no es una casa, tampoco una colección de datos es una ciencia."

Los científicos van más allá del simple descubrimiento de datos. Ellos intentan usar datos para resolver los misterios de la naturaleza. Se puede pensar que los datos son pistas para los misterios científicos. Un misterio es, por ejemplo, cómo produce el sol el calor y la luz que derrama sobre la Tierra. Otro es, cómo los pocos y simples organismos de hace 3 billones de años dieron origen a los múltiples y complejos organismos que viven hoy en la Tierra.

Usando datos que han reunido, los científicos proponen explicaciones para los hechos que observan. Luego, realizan experimentos para poner a prueba sus explicaciones.

ACTIVIDAD PARA AVERIGUAR

Lectura de la etiqueta de un producto

Tal vez te preguntes qué importancia tiene el estudio de la ciencia en tu vida. Si has leído los nombres de los ingredientes de un producto comestible, ya sabes cuál es una de esas razones. Saber un poco de química es útil para aprender cuáles son los ingredientes de lo que comemos.

Mira la etiqueta de una caja de cereal. Tiene una lista de ingredientes, ordenada, de mayor a menor, según la cantidad de cada uno.

Haz una lista de esos ingredientes. Al lado de cada uno indica con una marca si te resulta familiar.

- Averigua qué es cada ingrediente y cómo lo emplea el cuerpo.
- ¿Cuáles son agentes preservadores?

Comunica tus hallazgos a la clase.

Pozo de actividades

Observando un pez, p. 100

Figure 1–3 *It had long been a theory that a liquid did not retain its shape when removed from its container. However, scientists were forced to change that theory after observing the photographs shown here. The photographs show that the water in the balloon retained its balloon shape for 12 to 13 millionths of a second after the balloon had been burst by a dart.*

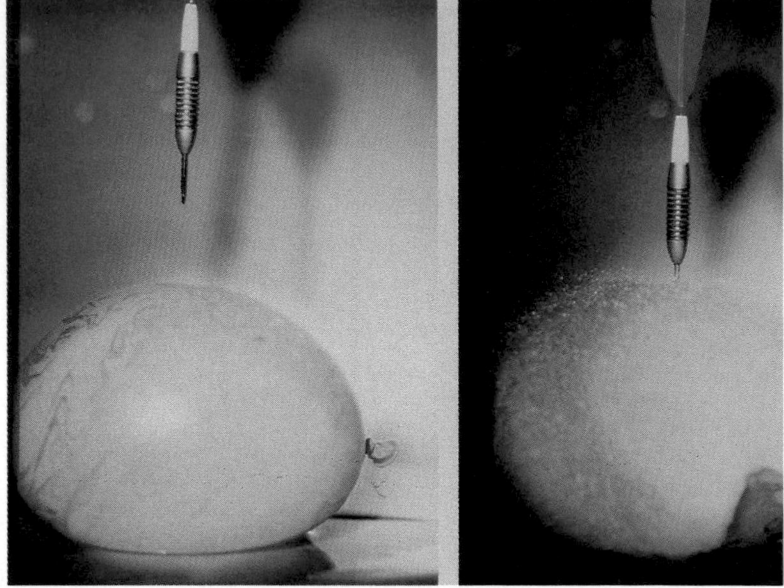

After studying facts, making observations, and performing experiments, scientists may develop a **theory.** A theory is the most logical explanation for events that occur in nature. Keep in mind that scientists do not use the word theory as you do. For example, you may have a theory about why your favorite soccer team is not winning. Your theory may or may not make sense. But it is not a scientific theory. A scientific theory is not just a guess or a hunch. A scientific theory is a powerful, time-tested concept that makes useful and dependable predictions about the natural world.

When a scientist proposes a theory, that theory must be tested over and over again. If it survives the

Figure 1–4 *Life science includes the study of animals such as the diamondback rattlesnake.*

Figura 1– 3 *Según una teoría mantenida durante mucho tiempo, un líquido no retenía su forma si se lo sacaba del recipiente que lo contenía. Sin embargo, los científicos se vieron obligados a cambiar esa teoría después de observar las fotografías de la derecha. En ellas se ve que el agua contenida en el globo mantuvo su forma de 12 a 13 millonésimos de segundo después de haber sido reventado el globo por un dardo.*

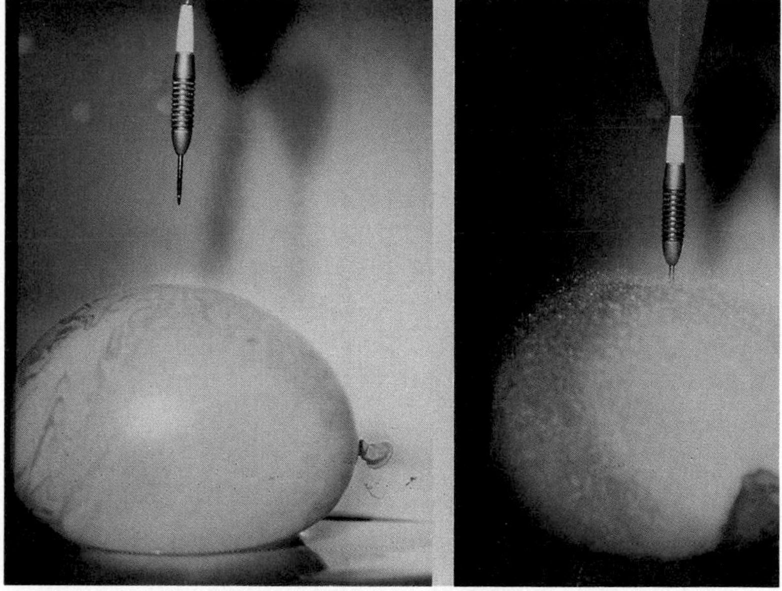

Después de estudiar los datos, hacer observaciones y realizar experimentos, puede que los científicos desarrollen una **teoría**. Una teoría es la explicación más lógica de los hechos de la naturaleza. Recuerda que los científicos no usan la palabra teoría como tú. Por ejemplo, tú puedes tener una teoría sobre por qué tu equipo de fútbol favorito no está ganando. Tu teoría puede tener sentido o no. Pero no es una teoría científica. Una teoría científica no es sólo una suposición o un presentimiento. Es un concepto sólido y comprobado que hace predicciones útiles y seguras sobre el mundo natural.

Cuando se propone una teoría, esa teoría debe ser comprobada una y otra vez. Si sobrevive las pruebas,

Figura 1–4 *Las ciencias de la vida abarcan el estudio de animales tales como la serpiente de cascabel de dorso con rombos.*

tests, the theory may be accepted by the scientific community. However, theories can be wrong and may be changed after additional tests and/or observations.

If a theory survives many tests and is generally accepted as true, scientists may call it a **law.** However, as with theories, even scientific laws may change as new information is provided or new experiments are performed. This points out the spirit at the heart of science: Always allow questions to be asked and new scientific explanations to be considered.

Figure 1–5 *What branch of science includes the study of planet Saturn?*

Branches of Science

One of the skills you will develop as you continue to study science is the ability to organize things in a logical, orderly way—that is, to classify things. Classification systems are an important part of science. For example, biologists classify all life on Earth into five broad kingdoms of living things. Astronomers classify stars into five main types according to their size. And chemists classify the 109 known elements according to their properties, or characteristics.

Even the study of science can be classified into groups or, in this case, what we call branches of science. There can be many branches of science, each determined by the subject matter being studied. For our purposes, however, we will consider only the three main (overarching) branches of science: life science, earth science, and physical science.

LIFE SCIENCE Life science deals with living things and their parts and actions. Smaller branches of life science include zoology (the study of animals) and botany (the study of plants).

EARTH SCIENCE Earth science is the study of the Earth and its rocks, oceans, volcanoes, earthquakes, atmosphere, and other features. Usually earth science also includes astronomy. Astronomers explore nature beyond the Earth. They study such objects as stars, planets, and moons.

PHYSICAL SCIENCE Physical science is the study of matter and energy. Some physical scientists explore what substances are made of and how they change

Figure 1–6 *Physics is the branch of physical science that studies the heat and light given off by a campfire. What branch of physical science would study the chemical changes that occur when wood burns?*

puede que la comunidad científica la acepte. Sin embargo, puede que las teorías no sean correctas y se las cambie después de pruebas y/u observaciones adicionales.

Si una teoría sobrevive muchas pruebas y resulta aceptada, los científicos pueden darle el nombre de **ley**. Sin embargo, como sucede con las teorías, también las leyes científicas pueden cambiar a medida que se obtiene nueva información o que se realizan otros experimentos.

Figura 1–5 *¿A qué rama de la ciencia pertenece el estudio del planeta Saturno?*

Las ramas de la ciencia

Una de las destrezas que vas a desarrollar al estudiar ciencia es la habilidad para organizar cosas de una manera lógica y ordenada – es decir, para clasificar. Los sistemas de clasificación son una parte importante de la ciencia. Por ejemplo, los biólogos clasifican toda la vida sobre la Tierra en cinco extensos reinos de seres vivientes. Los astrónomos clasifican las estrellas en cinco tipos principales de acuerdo a su tamaño. Y los químicos clasifican los 109 elementos conocidos de acuerdo a sus propiedades o características.

Aun el estudio de la ciencia puede ser clasificado en grupos o, en este caso, lo que llamamos ramas de la ciencia. Puede haber muchas ramas de la ciencia, cada una de ellas determinada según el tema que estudia. Para nuestros propósitos, sin embargo, consideraremos sólo las tres ramas principales de la ciencia (que abarcan todas las demás): las ciencias de la vida, las ciencias de la Tierra y las ciencias físicas.

CIENCIAS DE LA VIDA Las ciencias de la vida estudian los seres vivos, sus partes y sus acciones. Entre las ramas internas de las ciencias naturales están la zoología (el estudio de los animales) y la botánica (el estudio de las plantas).

CIENCIAS DE LA TIERRA Las ciencias de la Tierra son el estudio de la Tierra y de sus rocas, océanos, volcanes, terremotos, atmósfera y demás. Generalmente abarcan también la astronomía. Los astrónomos investigan la naturaleza más allá de la Tierra. Estudian objetos tales como las estrellas, los planetas y las lunas.

CIENCIAS FÍSICAS Las ciencias físicas son el estudio de la materia y la energía. Algunos físicos investigan de qué están hechas las sustancias y cómo cambian y se combinan. Esta rama de las ciencas físicas se llama

Figura 1–6 *La física es la rama de las ciencias físicas que estudia el calor y la luz que emite una fogata. ¿Qué rama de las ciencias físicas estudiará los cambios químicos que se producen cuando se quema la madera?*

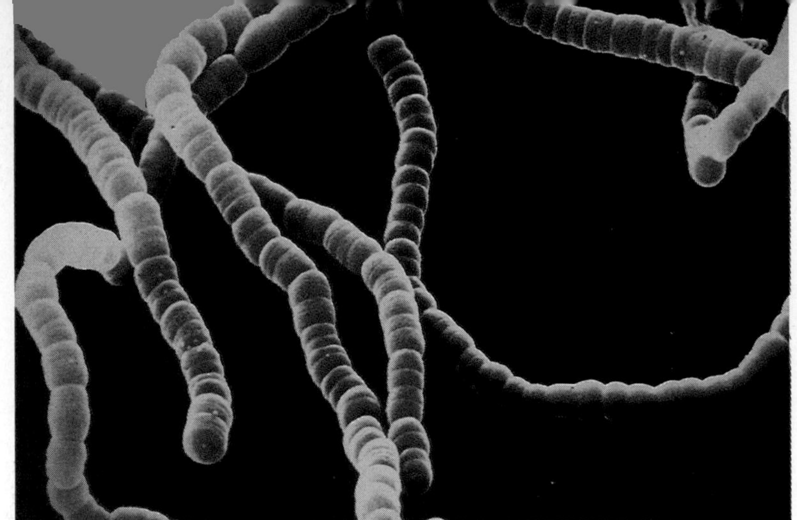

Figure 1–7 *Bacteria are among the living things examined by scientists who explore the microscopic world.*

and combine. This branch of physical science is called chemistry. Other physical scientists study forms of energy such as heat and light. This is the science of physics.

It is important for you to remember that the branches of science are a handy way to classify the subject matter scientists study. But it would be a mistake to think that any branch works independently of the others. To the contrary, the branches of science actually interweave and overlap most of the time. Science does not happen in a vacuum, and the great discoveries of science do not usually occur unless scientists from many branches work together.

Homestyle Classification

Is classification only for scientists? Not at all. Choose a room in your home and take a careful look around. Make a list of the various ways in which objects are classified. (For example, all of your socks are probably grouped together in one drawer.)

■ Does this activity suggest ways in which you might classify objects in order to organize them better?

Questions Scientists Ask

Even within a particular branch of science, the subjects studied are often quite specialized. Such specialization is usually based on the types of questions scientists might ask about their world. Let's see how this works.

QUESTIONS AT THE MICROSCOPIC LEVEL Many scientists seek truths about the microscopic world around them. Life scientists, for example, might ask how tiny bacteria invade the body and cause disease. Or they may try to determine how each cell in your body performs all of the functions necessary for life. Physical scientists may question how parts of an atom interact or why some chemical compounds are harmless while others are poisonous (toxic). Earth scientists examine the internal structure of rocks to determine why some rocks last for millions of years while others are worn away by wind and water in a matter of decades.

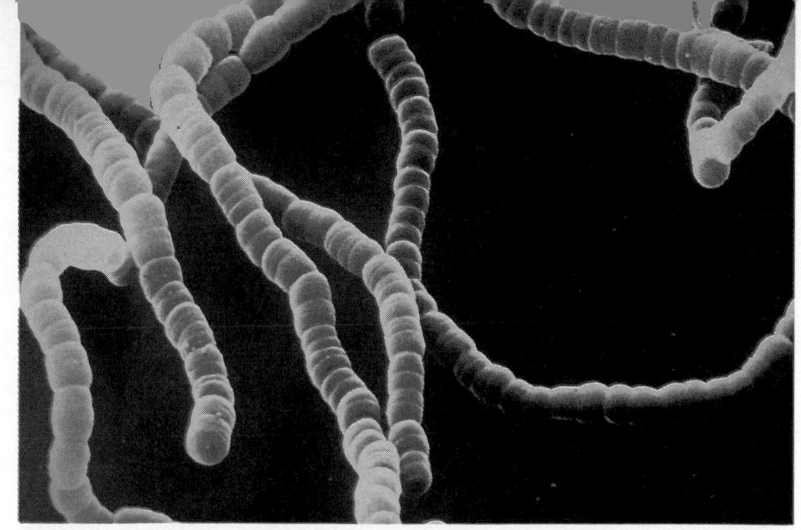

Figura 1–7 *Las bacterias están entre los seres vivos examinados por los científicos que investigan el mundo microscópico.*

química. Otros físicos estudian formas de energía como el calor y la luz. Esta es la ciencia de la física.

Es importante que recuerdes que las ramas de la ciencia son una manera práctica de clasificar los temas que estudian los científicos. Pero sería un error considerar que cualquiera de las ramas es independiente de las demás. Al contrario, las ramas de la ciencia se entrecruzan y se superponen la mayor parte del tiempo. La ciencia no tiene lugar en un vacío, y los grandes descubrimientos de la ciencia no se dan por lo común a menos que los científicos dedicados a las diversas ramas trabajen juntos.

Las preguntas que se hacen los científicos

Aun en una rama particular de las ciencias, los temas de estudio son sumamente especializados. Dicha especialización se basa en los tipos de preguntas que los científicos se hacen acerca del mundo.

PREGUNTAS A NIVEL MICROSCÓPICO Muchos científicos investigan el mundo microscópico. Los que se dedican a las ciencias de la vida, pueden preguntarse cómo las bacterias pequeñas invaden el cuerpo y causan enfermedades. O puede que traten de determinar cómo cada célula lleva a cabo todas las funciones vitales. Los físicos pueden cuestionar cómo interactúan las partes de un átomo o por qué algunos compuestos químicos son inofensivos mientras otros son venenosos (tóxicos). Los científicos que investigan la Tierra examinan la estructura interna de las rocas para determinar por qué algunas rocas duran millones de años mientras otras son erosionadas por el viento y el agua en cuestión de décadas.

ACTIVIDAD PARA AVERIGUAR

Clasificación casera

¿Es la clasificación sólo para los científicos? De ninguna manera. Mira bien tu cuarto. Haz una lista de las diversas maneras en las que están clasificados los objetos. (Por ejemplo, todos tus calcetines están juntos en un cajón.)

■ ¿Te sugiere esta actividad otras formas de clasificar los objetos para organizarlos mejor?

Figure 1–8 *Scientists who study volcanoes want to know not only why a volcano erupts but also how such eruptions can be predicted. Why is the ability to predict an eruption of great importance?*

QUESTIONS AT THE MACROSCOPIC LEVEL Other scientists search for answers to questions that involve the macroscopic world, or the world of objects visible to the unaided eye. Macroscopic questions usually involve large groups of objects. Earth scientists, for example, may want to determine the forces that caused a particular volcano to erupt or the causes of an earthquake in a certain area. Physical scientists may question why it takes longer to stop a heavy car than a light one. And life scientists might examine the populations of organisms in an area to determine how each organism interacts with other organisms and with the surrounding environment.

Figure 1–9 *Much of science deals with global issues. One such issue is the worldwide effects of pollution on our environment.*

QUESTIONS AT THE GLOBAL LEVEL Some of the questions scientists seek to answer have a more global or world viewpoint. Earth scientists, for example, may study wind patterns throughout the atmosphere in order to determine how weather can be more accurately predicted. Life scientists may seek to determine how pollutants poured into the air or water in one part of the world affect living things far off in another part of the world. And physical scientists may search for the fundamental forces in nature that govern all events in the universe.

As you can see, there are many types of questions to be answered and many areas of science you may wish to pursue in future years. But whether or not you want to become a scientist, you can still ask questions about your world and seek answers to those questions. The study of science is not restricted to scientists! Anyone with the curiosity to ask questions and the energy to seek answers can call a small part of science his or her own. Any takers?

Figura 1–8 *Los científicos que estudian los volcanes no sólo quieren saber por qué hace erupción un volcán sino también cómo pueden predecirse esas erupciones. ¿Por qué es tan importante el poder predecir una erupción?*

PREGUNTAS A NIVEL MACROSCÓPICO Otros científicos buscan respuestas a preguntas que tienen que ver con el mundo macroscópico, o sea el mundo de objetos visibles a simple vista. Las preguntas macroscópicas generalmente abarcan grandes grupos de objetos. Los científicos que estudian la Tierra, por ejemplo, pueden querer determinar las fuerzas que provocaron la erupción de un volcán o las causas de un terremoto en una zona determinada.

Los físicos pueden cuestionar por qué toma más tiempo detener un automóvil pesado que uno liviano. Y los científicos que estudian la vida pueden examinar las poblaciones de organismos en un área para determinar cómo cada organismo interactúa con los demás y con el ambiente que lo rodea.

PREGUNTAS A NIVEL GLOBAL Algunas de las preguntas que los científicos se hacen parten de un punto de vista más global. Los científicos que se dedican a la Tierra, por ejemplo, estudian las configuraciones del viento en la atmósfera para determinar cómo se puede predecir el clima con más exactitud. Los científicos de la vida determinan cómo los contaminantes que llegaron al aire o al agua afectan a los seres vivos de otra parte alejada del mundo. Y los físicos pueden buscar las fuerzas fundamentales de la naturaleza que gobiernan todo lo que pasa en el universo.

Como puedes ver, hay muchos tipos de preguntas que requieren respuesta y muchas áreas de la ciencia que tal vez quieras explorar en el futuro. Pero, no tienes que ser científico para hacerte preguntas sobre el mundo y para buscar sus respuestas. ¡El estudio de la ciencia no es sólo para científicos! Cualquiera que tenga la curiosidad de hacerse preguntas y la energía de buscar respuestas puede reclamar como propia una pequeña parte de la ciencia. ¿Algún interesado?

Figura 1–9 *Una gran parte de la ciencia trata de asuntos globales. Uno de esos asuntos es el efecto de la contaminación mundial en nuestro medio ambiente.*

1–1 Section Review

1. What is the goal of science?
2. Describe the three main branches of science. Give an example of a question that might be asked by scientists in each branch.

Critical Thinking—*Applying Concepts*

3. How might advances in technology affect the kinds of questions scientists ask about the world?

Guide for Reading

Focus on these questions as you read.

- *What is the scientific method?*
- *How does it help scientists to discover truths about nature?*

1–2 The Scientific Method—A Way of Problem Solving

You have read about the goal of science, the branches of science, and the types of questions scientists ask. By now you may be wondering just what separates science from other subject areas. After all, historians ask questions about the causes of conflicts between nations, philosophers ask questions about the nature of existence, and experts on literature seek the hidden meaning and symbolism in great novels. In fact, just about every area of study asks questions about the world. So what's so special about science?

What distinguishes science from other fields of study is the way in which science seeks answers to questions. In other words, what separates science is an approach called the **scientific method.** The scientific method is a systematic approach to problem solving. **The basic steps in the scientific method are**

Stating the problem
Gathering information on the problem
Forming a hypothesis
Performing experiments to test the hypothesis
Recording and analyzing data
Stating a conclusion
Repeating the work

1–1 Repaso de la sección

1. ¿Cuál es el objetivo de la ciencia?
2. Describe las tres ramas principales de la ciencia. Para cada rama, da una pregunta como ejemplo de lo que pueden preguntarse los científicos.

Pensamiento crítico—*Aplicación de conceptos*

3. ¿Cómo pueden afectar los adelantos tecnológicos el tipo de preguntas que se hacen los científicos acerca del mundo?

Guía para la lectura

Piensa en estas preguntas mientras leas.

- ▶ *¿Qué es el método científico?*
- ▶ *¿Cómo beneficia a los científicos descubrir verdades acerca de la naturaleza?*

1–2 El método científico — Una manera de resolver problemas

Ya has leído sobre el objetivo de la ciencia, sus ramas y los tipos de preguntas que hacen los científicos. Puede ser que te estés preguntando ahora qué es lo que distingue a la ciencia de las otras materias. Después de todo, los historiadores hacen preguntas sobre las causas de los conflictos entre las naciones, los filósofos se hacen preguntas sobre la naturaleza de la vida y los expertos en literatura buscan el significado oculto y el simbolismo de las grandes novelas. En realidad, casi todas las áreas de estudio hacen preguntas acerca del mundo. Entonces, ¿qué hace que la ciencia sea tan especial?

Lo que distingue a la ciencia de otras áreas de estudio es la manera en que la ciencia busca respuestas. En otras palabras, lo que separa a la ciencia es un enfoque llamado **método científico**. El método científico es una aproximación sistemática a la resolución de problemas. **Los pasos básicos del método científico son:**

El enunciado del problema

La recopilación de información sobre el problema

La formulación de una hipótesis

La realización de experimentos para comprobar la hipótesis

El registro y el análisis de datos

El enunciado de una conclusión

La repetición del trabajo

The following example shows how the scientific method was used to solve a problem. As you will see, the steps of the scientific method often overlap.

Stating the Problem

Bundled up in warm clothing, heads bent into the wind, two friends walked along the beach. Drifts of snow rose against the slats of a fence that in the summer held back dunes of sand. Beyond the fence, a row of beach houses drew the attention of the friends.

There, from the roofs of the houses, hung glistening strips of ice. Only yesterday these beautiful icicles had been a mass of melting snow. Throughout the night, the melted snow had continued to drip, freezing into lovely shapes.

Near the ocean's edge, the friends spied a small pool of sea water. Surprisingly, it was not frozen as were the icicles on the roofs. What could be the reason for this curious observation, the friends wondered?

Without realizing it, the friends had taken an important step in the scientific method. They had recognized a scientific problem. A scientist might state this problem in another way: What causes fresh water to freeze at a higher temperature than sea water?

ACTIVITY WRITING

Changing Theories

Albert Einstein once stated that he would consider his work a failure if new and better theories did not replace his own. Using the following words, write an essay describing how new evidence can change an existing theory.

data
variable
hypothesis
scientific method
control
experiment
conclusions

Figure 1–10 *What causes fresh water to freeze at a higher temperature than sea water? How might you find an answer to this question?*

El ejemplo siguiente demuestra el empleo del método científico para resolver un problema. Como verás, a menudo los pasos del método científico se superponen.

El enunciado del problema

Envueltos en ropas abrigadas, con las cabezas inclinadas por el viento, dos amigos caminaban a lo largo de la playa. La nieve se amontonaba contra las maderas de un cerco que en el verano servía para proteger las dunas. Más allá del cerco, una fila de casas de verano llamó la atención de los chicos.

De los techos de las casas colgaban brillantes tiras de hielo. Sólo el día anterior esos atractivos carámbanos habían sido una masa de nieve derritiéndose. Durante toda la noche, la nieve derretida había estado goteando y se había congelado en formas fascinantes.

Cerca del borde del océano, los amigos vieron un charco de agua de mar. Para su sorpresa, no estaba congelada como los carámbanos de los techos. ¿Cuál sería la razón para qué pasara esto, se preguntaron los chicos?

Sin darse cuenta, ellos habían dado un paso importante en el método científico. Habían reconocido un problema científico. Un científico podría enunciar este problema de otra manera: ¿Cuál es la causa de que el agua común se congele a una temperatura más alta que el agua del mar?

ACTIVIDAD PARA ESCRIBIR

Cambio de teorías

Albert Einstein dijo que consideraría que su trabajo había fracasado si sus teorías no eran reemplazadas por otras nuevas y mejores. Usando las palabras siguientes, escribe una composición sobre cómo nuevas evidencias pueden cambiar una teoría existente.

datos
variable
hipotésis
método científico
control
experimento
conclusiones

Figura 1–10 *¿Cuál es la causa de que el agua común se congele a una temperatura más alta que el agua de mar? ¿Cómo podrías encontrar una respuesta para esta pregunta?*

CAREERS

Oceanographer

The oceans, which cover about 71 percent of the Earth's surface, are fascinating and often mysterious worlds to explore. And their properties, topography, and motions are the subject matter for ocean explorers known as **oceanographers.**

Some oceanographers study the ocean floor. Others study the ways in which ocean water moves. Oceanographers also study the substances in ocean water. The information gathered by oceanographers may be used to find oil or mineral deposits, to manage water pollution, to help underwater crafts navigate, or to learn more about the Earth's past and possibly its future.

A college degree and usually an advanced degree in oceanography or geology is required. If you would like to find out more about this field, write to International Oceanographic Foundation, 4600 Rickenbacker Causeway, Virginia Key, Miami, FL 33149.

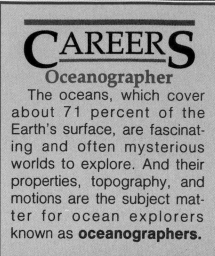

Gathering Information on the Problem

A scientist might begin to solve the problem by gathering information. The scientist would first find out how the sea water in the pool differs from the fresh water on the roof. This information might include the following facts: The pool of sea water rests on sand, while the fresh water drips along a tar roof. The sea water is exposed to the cold air for less time than the fresh water. The sea water is saltier than the fresh water.

Forming a Hypothesis

Using all of the information that has been gathered, the scientist might be prepared to suggest a possible solution to the problem. A proposed solution to a scientific problem is called a **hypothesis** (high-PAHTH-uh-sihs). A hypothesis almost always follows the gathering of information about a problem. But sometimes a hypothesis is a sudden idea that springs from a new and original way of looking at a problem.

Among the hypotheses that might be suggested as solutions to our problem is this: Because fresh water does not contain salt, it freezes at a higher temperature than sea water.

Performing Experiments to Test the Hypothesis

A scientist does not stop once a hypothesis has been suggested. In science, evidence that either supports a hypothesis or does not support it must be found. This means that a hypothesis must be tested to show whether or not it is correct. Such testing is usually done by performing experiments.

Experiments are performed according to specific rules. By following these rules, scientists can be confident that the evidence they uncover will clearly support or not support a hypothesis. For the problem of the sea water and fresh water, a scientist would have to design an experiment that ruled out every factor but salt as the cause of the different freezing temperatures.

CARRERAS

Oceanógrafo(a)

Los océanos, que cubren cerca del 71 por ciento de la superficie de la Tierra, son mundos fascinantes y misteriosos. Y sus cualidades, topografía y movimiento son tema de estudio para los **oceanógrafos**, investigadores que exploran los océanos.

Algunos oceanógrafos se ocupan del lecho oceánico. Otros estudian cómo se mueve el agua de los océanos. Los oceanógrafos también estudian las sustancias de las aguas oceánicas. La información recogida por los oceanógrafos puede usarse para encontrar petróleo o depósitos minerales, para controlar la contaminación del agua, para facilitar la navegación submarina o para aprender más del pasado de la Tierra y posiblemente también de su futuro.

Si te interesa obtener más información sobre este tema, escribe a la International Oceanographic Foundation, 4600 Rickenbacker Causeway, Virginia Key, Miami, FL. 33149.

La recopilación de información sobre el problema

Un científico puede comenzar a resolver el problema por medio de la recopilación de información. El científico(a) averiguaría primero cómo difiere el agua de mar del charco de agua del techo. Esta información podría contener los datos siguientes: el charco de agua de mar se halla sobre la arena mientras el agua común se desliza sobre un techo de alquitrán. El agua de mar está expuesta al aire frío menos tiempo que el agua común. El agua de mar es más salada que el agua común.

La formulación de una hipótesis

Usando toda la información que se ha reunido, el científico puede estar preparado para sugerir una posible solución al problema. La solución que se propone al problema científico se llama **hipótesis**. Una hipótesis casi siempre se presenta después de la recopilación de información sobre un problema. Pero a veces una hipótesis es una idea repentina que surge a partir de una forma nueva y original de considerar un problema.

Entre las hipótesis que pueden sugerirse para resolver este problema está la siguiente: como el agua dulce no contiene sal se congela a una temperatura más alta que el agua de mar.

La realización de experimentos para comprobar la hipótesis

Un científico no se detiene después de sugerir una hipótesis. En las ciencias, se debe encontrar evidencia para apoyar la hipótesis o para invalidarla. Esto significa que la hipótesis debe comprobarse para demostrar si es o no correcta. Esa comprobación se hace usualmente mediante la realización de experimentos.

Los experimentos se realizan de acuerdo a reglas determinadas. Al seguirlas, los científicos pueden estar seguros de que la evidencia que descubran va a estar claramente a favor o en contra de una hipótesis. Para el problema del agua de mar y el agua dulce, un científico tendría que diseñar un experimento que eliminara cualquier otro factor que no fuera la sal como causa de las diferentes temperaturas de congelación.

Let's see how a scientist would actually do this. First, the scientist would put equal amounts of fresh water into two identical containers. Then the scientist would add salt to only one of the containers. The salt is the **variable,** or the factor being tested. In any experiment, only one variable should be tested at a time. In this way, the scientist can be fairly certain that the results of the experiment are caused by one and only one factor—in this case the variable of salt. To eliminate the possibility of hidden or unknown variables, the scientist must run a **control** experiment. A control experiment is set up exactly like the one that contains the variable. The only difference is that the control experiment does not contain the variable.

In this experiment, the scientist uses two containers of the same size with equal amounts of water. The water in both containers is at the same starting temperature. The containers are placed side by side in the freezing compartment of a refrigerator and checked every five minutes. *But only one container has salt in it.* In this way, the scientist can be fairly sure that any differences that occur in the two containers are due to the single variable of salt. In such experiments, the part of the experiment with the variable is called the experimental setup. The part of the experiment with the control is called the control setup.

ACTIVITY
DISCOVERING

To Grow or Not to Grow?

Your friend tells you that plants grow more slowly when salt is added to their soil.

1. Design and conduct an experiment to find out if this is true. Make sure your experiment has both a control and a variable.

2. Record all data and make a graph of your results.

■ What conclusion can you draw from the graph?

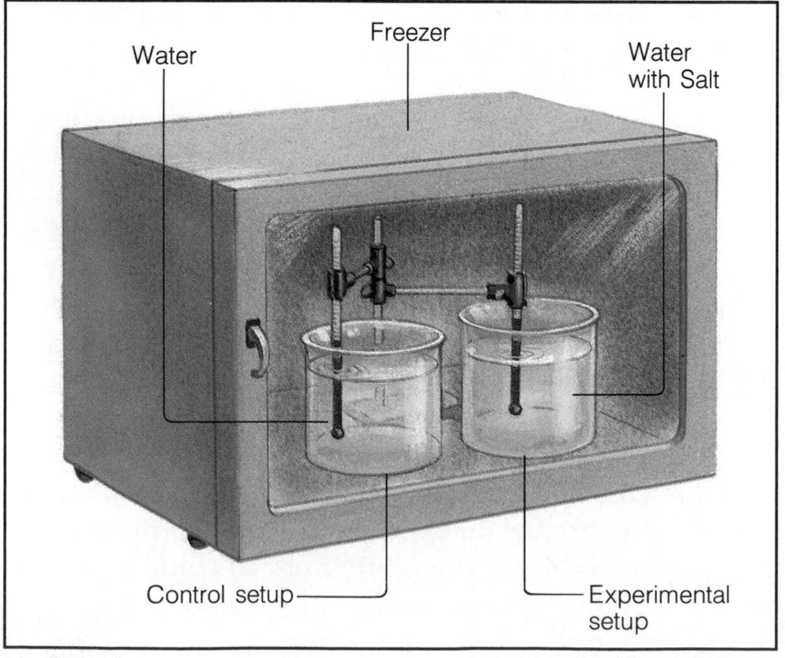

Figure 1–11 *What is the variable in this experiment? Explain your answer.*

Vamos a ver ahora como procedería un científico en la realidad. Primero, el científico pondría cantidades iguales de agua común en dos recipientes idénticos. Después agregaría sal en uno sólo de los recipientes. La sal es la **variable**, o el factor que se está comprobando. En cualquier experimento, sólo se debe comprobar una variable a la vez. De esta forma, el científico puede estar casi seguro de que los resultados del experimento son causados por un solo factor – en este caso la variable de la sal. Para eliminar la posibilidad de variables ocultas o desconocidas, el científico debe hacer un experimento de **control**. Un experimento de control se realiza exactamente como el que contiene la variable. La única diferencia es que el experimento de control no la contiene.

En este experimento, el científico usa dos recipientes del mismo tamaño que contienen la misma cantidad de agua. El agua de los dos recipientes tiene la misma temperatura inicial. Los recipientes se colocan uno junto al otro en el congelador de un refrigerador y se los controla cada cinco minutos. *Pero sólo uno de los recipientes tiene sal.* De esta manera, el científico puede estar casi seguro de que cualquier diferencia que ocurra en los recipientes se deberá solamente a la variable de la sal. En dichos experimentos, la parte del experimento con la variable se llama montaje experimental. La parte del experimento con el control se llama montaje de control.

ACTIVIDAD PARA AVERIGUAR

¿Crece o no?

Un amigo o amiga te dice que las plantas crecen más lentamente si se agrega sal a la tierra.

1. Diseña y realiza un experimento para averiguar si es verdad. Asegúrate de que tu experimento tenga un control y una variable.

2. Registra todos los datos y haz una gráfica con los resultados.

■ ¿Qué conclusión puedes sacar de la gráfica?

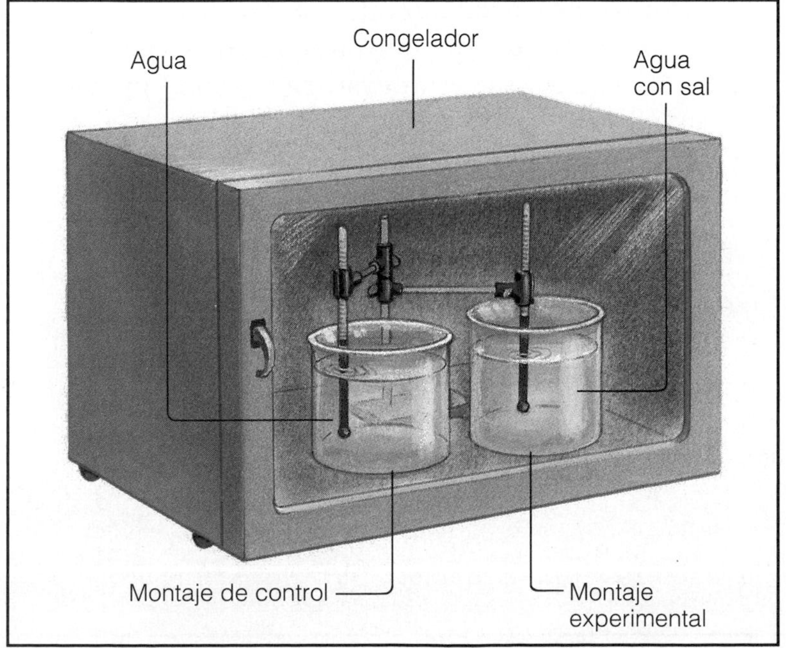

Figura 1–11 *¿Cuál es la variable en este experimento? Explica tu respuesta.*

Recording and Analyzing Data

To determine whether salt affects the freezing temperature of water, a scientist must observe the experiment and write down important information. Recorded observations and measurements are called **data.** In this experiment, the data would include the time intervals at which the containers were observed, the temperatures of the water at each interval, and whether the water in either container was frozen or not. In most cases the data would be recorded in data tables such as those shown in Figure 1–12.

Data tables are a simple, organized way of recording information from an experiment. Sometimes, however, it is useful to visually compare the data. To do so, a scientist might construct a graph on which to plot the data. Because the data tables have two different types of measurements (time and temperature), the graph would have two axes. See Figure 1–13.

The horizontal axis of the graph would stand for the time measurements in the data tables. Time measurements were made every 5 minutes. So the horizontal axis would be marked with intervals of 5 minutes. The space between equal intervals would have to be equal. For example, the space between 10 minutes and 15 minutes would be the same as the space between 20 minutes and 25 minutes.

The vertical axis of the graph would stand for the temperature measurements in the data tables. The starting temperature of the water in the experiment was 25°C. The lowest temperature reached in the

Figure 1–12 *Scientists often record their observations in data tables. According to these data tables, at what temperature did the experiment begin? At what time intervals were the temperature measurements taken?*

WATER (Control setup)							
Time (min)	0	5	10	15	20	25	30
Temperature (°C)	25	20	15	10	5	0*	–10
* Asterisk means liquid has frozen.							
WATER WITH SALT (experimental setup)							
Time (min)	0	5	10	15	20	25	30
Temperature (°C)	25	20	15	10	5	0	–10*

El registro y el análisis de datos

Para determinar si la sal afecta la temperatura de congelación del agua, un científico debe observar el experimento y anotar la información importante. Las observaciones y medidas registradas se llaman **datos**. En este experimento, los datos deberían incluir los intervalos de tiempo transcurrido entre una observación y otra de los recipientes, las temperaturas del agua en cada una de esas observaciones y si el agua de cada recipente estaba o no congelada.

En la mayoría de los casos los datos se registran en tablas de datos como las que se ven en la Figura 1-12.

Las tablas de datos son una forma simple y organizada de registrar la información de un experimento. Algunas veces, sin embargo, es útil comparar los datos visualmente. Para hacer esto un científico puede hacer una gráfica para anotar los datos. Como las tablas de datos tienen dos tipos distintos de medidas en este caso (tiempo y temperatura), la gráfica va a tener dos ejes. Véase la Figura 1-13.

En la gráfica, el eje horizontal va a representar los intervalos de tiempo de la tabla de datos. Las mediciones se hicieron cada 5 minutos. Por eso el eje horizontal de la gráfica está marcado a intervalos de 5 minutos. El espacio que hay entre intervalos iguales debe ser el mismo. Por ejemplo, el espacio entre 10 minutos y 15 minutos es el mismo que el espacio entre 20 y 25 minutos.

En la gráfica el eje vertical va a representar las medidas de temperatura. La temperatura inicial del agua era de 25°C. La temperatura más baja a la que se llegó en el

Figura 1–12 *Los científicos registran a menudo sus observaciones en tablas de datos. De acuerdo a las tablas que se ven aquí, ¿cuál fue la temperatura inicial del experimento? ¿Qué intervalos de tiempo transcurrieron entre una y otra medición de temperatura?*

AGUA (Montaje de control)

Tiempo (min.)	0	5	10	15	20	25	30
Temperatura (°C)	25	20	15	10	5	0*	–10

* El asterisco significa que el líquido se ha congelado.

AGUA CON SAL (Montaje experimental)

Tiempo (min.)	0	5	10	15	20	25	30
Temperatura (°C)	25	20	15	10	5	0	–10*

experiment was −10°C. So the vertical axis would begin with 25°C and end at −10°C. Each interval of temperature would have to be equal to every other interval of temperature.

After the axes of the graph were set up, the scientist would first graph the data from the experimental setup. Each pair of data points from the data table would be marked on the graph. At 0 minutes, for example, the temperature was 25°C. So the scientist would place a dot where 0 minutes and 25°C intersect—in the lower left corner of the graph. The next pair of data points was for 5 minutes and 20°C. So the scientist would lightly draw a vertical line from the 5-minute interval of the horizontal axis and then a horizontal line from the 20°C interval of the vertical axis. The scientist would then put a dot at the place where the two lines intersected. This dot would represent the data points 5 minutes and 20°C. The scientist would continue to plot all of the data pairs from the data table in this manner.

When all of the data pairs were plotted, the scientist would draw a line through all the dots. This line would represent the graph of the experimental setup data. Then the scientist would follow the same procedure to graph the data pairs from the control setup. Figure 1–13 shows what the two lines would look like.

Graphing Temperatures

1. Over a ten-day period, read the weather section of a newspaper.

2. Each day, record in a chart the day's date and the high and low temperatures for the town nearest where you live.

3. After ten days, plot your data in a graph. Use the vertical axis for temperature and the horizontal axis for day. Use red pencil for daily high temperatures and blue pencil for daily low temperatures.

4. Draw lines connecting the points for both the daily highs and lows.

■ Based on your graph, write a short essay describing the temperature patterns you observed.

Figure 1–13 *The information in data tables can be visually presented in graphs. What conclusions can you draw from these graphs about the effect of salt on the freezing point of water?*

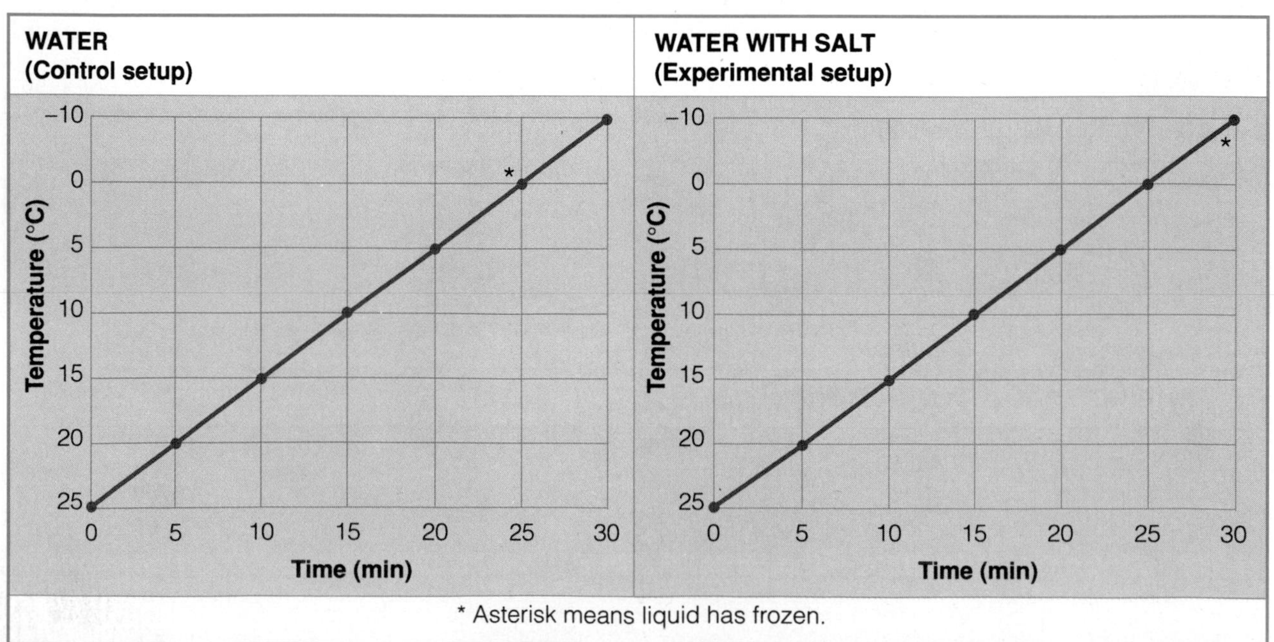

experimento fue de –10°C. Por eso, el eje vertical de la gráfica comienza a los 25°C y termina a los –10°C. Todos los intervalos de temperatura deben ser iguales entre sí.

Después de trazar los ejes de la gráfica, el científico va a registrar los datos del montaje experimental. Cada par de datos de la tabla de datos debe marcarse en la gráfica. A los 0 minutos, por ejemplo, la temperatura era de 25°C. Así que el científico pondría un punto en la intersección de 0 minutos y 25°C – en la esquina inferior izquierda de la gráfica. El próximo par de datos corresponde a 5 minutos y 20°C. Entonces el científico trazaría una línea vertical desde el intervalo de 5 minutos del eje horizontal y una línea horizontal desde el intervalo de 20°C del eje vertical. Después pondría un punto en la intersección de las dos líneas. Este punto representaría el par de datos de 5 minutos y de 20°C. El científico continuaría marcando todos los pares de datos de la tabla de este modo.

Después de marcar todos los pares de datos, el científico trazaría una línea para unir todos los puntos. Esta línea representaría la gráfica de los datos del montaje experimental. Luego el científico seguiría el mismo procedimiento para los pares de datos del montaje de control. La Figura 1-13 muestra como se verían las dos líneas.

ACTIVIDAD PARA AVERIGUAR

Una gráfica de temperaturas

1. Lee la sección del tiempo de un periódico durante diez días.

2. Cada día, registra en una tabla la fecha y la temperatura máxima y mínima.

3. Después de diez días, registra tus datos en una gráfica. Usa el eje vertical para las temperaturas y el horizontal para las fechas. Usa un lápiz rojo para las temperaturas máximas y uno azul para las mínimas.

4.Traza líneas que conecten los puntos de las temperaturas más altas y los de las más bajas.

■ Basándote en tu gráfica, escribe una composición corta que indique los registros de temperatura que hayas observado.

Figura 1–13 *La información de las tablas de datos puede presentarse visualmente en forma de gráficas. ¿Qué conclusiones sacarías de estas gráficas sobre el efecto de la sal en el punto de congelación del agua?*

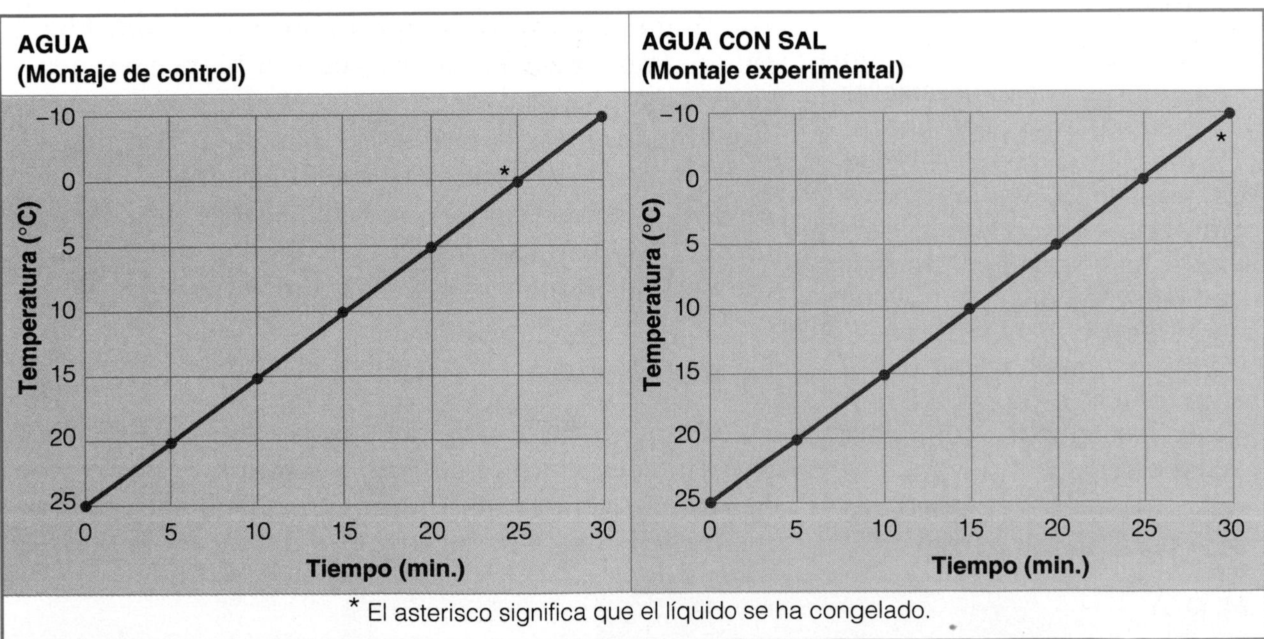

Figure 1–14 *Based on what you have learned, can you explain why mountain roads are often salted before a snowfall? What evidence do you have that this road was salted?*

The results from a single experiment are not enough to reach a conclusion. A scientist must run an experiment over and over again before the data can be considered accurate. From the data in this experiment, the scientist would quickly find that the temperatures in both containers fall at the same rate. But the fresh water freezes at a higher temperature than the salt water.

Stating a Conclusion

If the two friends walking along the beach had followed the same steps as a scientist, they would now be ready to state a conclusion. Their conclusion would be this: When salt is dissolved in water, the freezing temperature of the water goes down. For this reason, fresh water freezes at a higher temperature than does sea water.

Why does this happen, you may ask? This question sounds very much like the beginning of a new puzzle. It often happens in science that the solution of one problem leads to yet another problem. Thus the cycle of discovery goes on and on.

Repeating the Work

Although the two friends might be satisfied with their conclusion, not so with a scientist. As you read before, a scientist would want to repeat the experiment many times to be sure the data were accurate.

ACTIVITY DOING

Expanding Water?

Most substances on Earth contract, or become smaller in volume, when they freeze. Is water an exception? Using a small pan, water, and a freezing compartment, perform an experiment to discover whether or not water contracts when it freezes. Write down what you did in the form of a procedure and your results in the form of a conclusion.

Figura 1–14 *Basándote en lo que has aprendido, ¿puedes decir por qué se esparce sal en los caminos de las montañas antes de una tormenta de nieve? ¿Qué evidencia tienes de que se ha echado sal en este camino?*

Los resultados de un solo experimento no son suficientes para llegar a una conclusión. Un científico debe hacer un experimento una y otra vez antes de que los datos puedan considerarse adecuados. Considerando los datos de este experimento, el científico sabría inmediatamente que las temperaturas de ambos recipientes bajan en la misma proporción pero que el agua común se congela a una temperatura más alta que el agua salada.

El enunciado de una conclusión

Si los dos amigos que caminaban por la playa hubieran seguido los mismos pasos que un científico, no estarían listos para enunciar una conclusión. La conclusión a la que llegarían sería: cuando hay sal disuelta en el agua, la temperatura de congelamiento del agua es más baja. Por esta razón, el agua común se congela a una temperatura más alta que el agua de mar.

¿Y por qué pasa esto?, te puedes preguntar. Es como si esta pregunta diera paso a otro enigma. Sucede a menudo en ciencia que la solución de un problema lleva a otro problema más. Así, el ciclo de descubrimientos continúa sin cesar.

La repetición del trabajo

Aunque tal vez los dos amigos estarían satisfechos con su conclusión, no pasaría lo mismo con un científico. Como has leído antes, un científico repetiría muchas veces el experimento para asegurarse de que los datos fueran precisos. Un experimento científico debe

ACTIVIDAD PARA HACER

¿Agua que se expande?

La mayoría de las sustancias de la Tierra se contraen, o su volumen se vuelve más pequeño, cuando se congelan. ¿Es el agua una excepción? Usando una olla pequeña, agua y un congelador, haz un experimento para comprobar si el agua se contrae o no cuando se congela. Escribe lo que hayas hecho en términos de procedimiento y los resultados como si fueran una conclusión.

So a scientific experiment must be able to be repeated. And before the conclusion of a scientist can be accepted by the scientific community, other scientists must repeat the experiment and check the results. So when a scientist writes a report on his or her experiment, that report must be detailed enough so that scientists throughout the world can repeat the experiment for themselves. In most cases, it is only when an experiment has been repeated by scientists worldwide is it considered to be accurate and worthy of being included in new scientific research.

Fact or Fiction?

Perhaps one of the most interesting aspects of life science is the amazing variety of plants and animals living on planet Earth. Some of these organisms are so unusual that it is often difficult to determine if a statement is true or a figment of someone's imagination. Read the following hypothesis to see what we mean.

Hypothesis: Turtle eggs develop into male turtles in cold temperatures and into female turtles in warm temperatures.

Predict whether this hypothesis is fact or fiction. Then design a simple experiment to show if the hypothesis is or is not correct. Make sure your experiment has an experimental setup and a control setup.

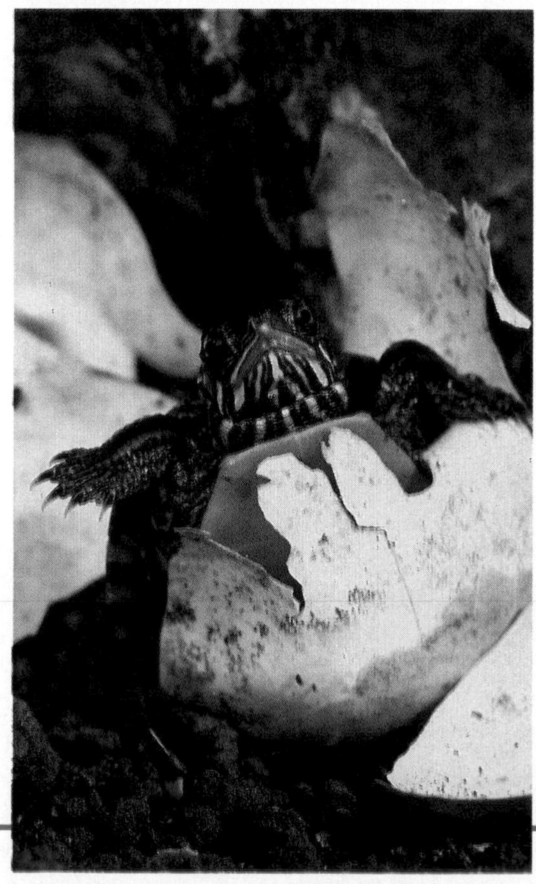

poderse repetir. Y antes de que la conclusión de un científico pueda ser aceptada por la comunidad científica, otros científicos deben repetir el experimento y verificar los resultados. Por eso cuando un científico escribe un informe sobre su experimento, ese informe debe ser lo suficientemente detallado como para que los demás científicos de todo el mundo puedan repetirlo por su cuenta. En la mayoría de los casos, sólo cuando un experimento ha sido repetido por los científicos de todo el mundo se lo considera apropiado y digno de incluirse entre las nuevas investigaciones científicas.

PROBLEMA a Resolver

¿Realidad o ficción?

Tal vez uno de los aspectos más interesantes de las ciencias naturales sea la increíble variedad de plantas y animales que viven sobre el planeta Tierra. Algunos de estos organismos son tan poco comunes que a menudo resulta difícil determinar si una afirmación es verdadera o producto de la imaginación. Lee la hipótesis siguiente para darte cuenta de lo que queremos decir.

Hipótesis: De los huevos de tortuga nacen tortugas macho en temperaturas frías y tortugas hembras en temperaturas cálidas.

Predice si esta hipótesis es verdadera o no. Luego, diseña un experimento simple para demostrar si la hipótesis es o no correcta. Asegúrate de que tu experimento tenga un montaje experimental y otro de control.

The Scientific Method—Not Always So Orderly

By now it must seem as if science is a fairly predictable way of studying the world. After all, you state a problem, gather information, form a hypothesis, run an experiment, and determine a conclusion. It certainly sounds all neat and tidy. Well, sometimes it is—and sometimes it isn't!

Activity Bank

What Do Seeds Need to Grow?, p.102

In practice, scientists do not always follow all the steps in the scientific method. Nor do the steps always follow the same order. For example, while doing an experiment a scientist might observe something unusual or unexpected. That unexpected event might cause the scientist to discard the original hypothesis and suggest a new one. In this case, the hypothesis actually followed the experiment. In other cases, the problem to be studied might not be where the scientist begins. Let's go back to those unexpected results. Those results might cause the scientist to rethink the way she or he looks at the world. They might suggest new problems that need to be considered. In this case, the problem followed the experiment.

As you already learned, a good rule to follow is that all experiments should have only one variable. Sometimes, however, scientists run experiments with

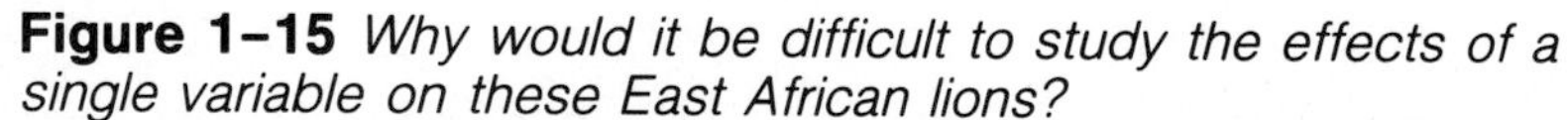

Figure 1–15 *Why would it be difficult to study the effects of a single variable on these East African lions?*

El método científico — no siempre tan ordenado

A esta altura te debe parecer que la ciencia es una manera bastante predecible de estudiar el mundo. Después de todo, se enuncia un problema, se recoge información, se formula una hipótesis, se realiza un experimento y se llega a una conclusión. Por cierto, parece muy ordenado y prolijo. Bueno, a veces es así, ¡y a veces no!

Pozo de actividades

¿Qué necesitan las semillas para crecer?, p.102

En la práctica, los científicos no siempre siguen el método científico. Y tampoco los pasos siguen siempre el mismo orden. Por ejemplo, al hacer un experimento un científico puede observar algo inesperado o inusual. Ese hecho inesperado puede que haga que el científico descarte su hipótesis original y sugiera otra. En este caso, la hipótesis se formuló en realidad después del experimento. En otros casos, el científico puede no comenzar por el problema a estudiarse. Volvamos a los resultados inesperados. Esos resultados pueden hacer que el científico vuelva a pensar sobre su percepción del mundo. Pueden sugerirle nuevos problemas que necesitan ser considerados. En este caso el problema surgió después del experimento.

Como ya sabes, una regla dice que todos los experimentos deben tener sólo una variable. A veces, sin embargo, los científicos realizan experimentos con

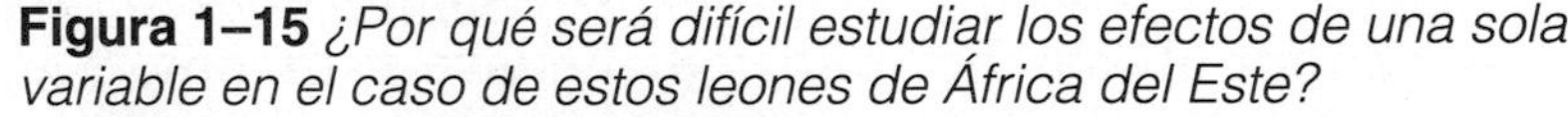

Figura 1–15 *¿Por qué será difícil estudiar los efectos de una sola variable en el caso de estos leones de África del Este?*

Prefix	Meaning	Prefix	Meaning	Suffix	Meaning
anti-	against	herb-	pertaining to plants	-cyst	pouch
arth-	joint, jointed	hetero-	different	-derm	skin, layer
auto-	self	homeo-	same	-gen	producing
bio-	related to life	macro-	large	-itis	inflammation
chloro-	green	micro-	small	-logy	study
cyto-	cell	multi-	consisting of many units	-meter	measurement
di-	double	osteo-	bone	-osis	condition, disease
epi-	above	photo-	pertaining to light	-phage	eater
exo-	outer, external	plasm-	forming substance	-phase	stage
gastro-	stomach	proto-	first	-pod	foot
hemo-	blood	syn-	together	-stasis	stationary condition

Figure 1–16 *A working knowledge of prefixes and suffixes used in science vocabulary will be of great help to you. According to this chart, what is the meaning of the term arthropod?*

several variables. Naturally, the data in such experiments are much more difficult to analyze. For example, suppose scientists want to study lions in their natural environment in Africa. It is not likely they will be able to eliminate all the variables in the environment and concentrate on just a single one. So although a single variable is a good rule—and one that you will follow in almost all of the experiments you design or perform—it is not always practical in the real world.

There is yet another step in the scientific method that cannot always be followed. Believe it or not, many scientists search for the truths of nature without ever performing experiments. Sometimes the best they can rely on are observations and natural curiosity. Here's an example. Charles Darwin is considered the father of the theory of evolution (how living things change over time). Much of what we know about evolution is based on Darwin's work. Yet Darwin did not perform a single experiment! He based his hypotheses and theories on his observations of the natural world. Certainly it would have been better had Darwin performed experiments to prove his theory of evolution. But as the process of evolution generally takes thousands, even millions of years, performing an experiment would be a bit too time consuming!

What's the Word?

Use the prefixes and suffixes in Figure 1–16 to determine the meanings of the following words:

biology	gastritis
gastropod	exoskeleton
photometer	epidermis
homeostasis	cytology

Prefijo	Significado	Prefijo	Significado	Sufijo	Significado
anti-	contra	**hemo-**	sangre	**-cisto**	bolsa
artr(o)-	articulación	**herb-**	de las plantas	**-dermo(a)**	piel, capa
auto-	uno mismo	**hetero-**	diferente, otro	**-estasis**	condición estacionaria
bio-	vida	**homo(eo)-**	el mismo	**-fago**	que come
cito-	célula	**macro-**	grande	**-fase**	etapa
cloro-	verde	**micro-**	pequeño	**-geno**	que produce
di-	doble	**multi-**	numeroso	**-itis**	inflamación
epi-	sobre	**oste(o)-**	hueso	**-logía**	estudio
exo-	fuera de	**plasm-**	que da forma	**-metro**	medida
foto-	de la luz	**proto-**	primero	**-osis**	condición
gastro-	estómago	**sim(n)-**	junto	**-podo**	pie

Figura 1–16 *Un conocimiento activo de los prefijos y sufijos usados en el vocabulario científico te será muy útil. Según esta tabla, ¿qué significará la palabra artrópodo?*

diversas variables. Naturalmente, los datos de esos experimentos son mucho más difíciles de analizar. Por ejemplo, supongamos que los científicos quieren estudiar los leones de África en su medio ambiente natural. No es probable que puedan eliminar todas las variables del medio y concentrarse sólo en una. Así que, aunque una sola variable es una buena norma – que tú vas a seguir en casi todos los experimentos que diseñes o realices – no es siempre práctica en la realidad.

Hay otro paso más del método científico que algunas veces no se sigue. Créase o no, muchos científicos buscan las verdades de la naturaleza sin realizar experimentos. En el mejor de los casos dependen sólo de sus observaciones y de la curiosidad natural. Un ejemplo: se considera a Charles Darwin el padre de la teoría de la evolución (el cambio de los seres con el correr del tiempo). Gran parte de lo que sabemos sobre la evolución se lo debemos al trabajo de Darwin. ¡Pero Darwin no realizó ni un solo experimento! Sus hipótesis y sus teorías estaban basadas en sus observaciones del mundo natural. Por cierto hubiera sido mejor si Darwin hubiera realizado experimentos para probar su teoría de la evolución. Pero como el proceso de la evolución toma miles y millones de años, ¡la realización de un experimento hubiera tardado un poco más de lo necesario!

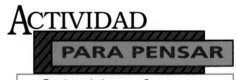

ACTIVIDAD PARA PENSAR

¿Qué palabra es?

Usa los prefijos y los sufijos de la Figura 1-16 para determinar el significado de las siguientes palabras:

biología | gastritis
gastrópodo | dermatosqueleto
fotómetro | epidermis
homeostasis | citología

Activity

Discovering

A Rocky Observation

To be useful, one person's observations must give meaningful information to another person.

1. Obtain four rocks of about equal size.

2. Place a small piece of masking tape on each rock and number the rocks 1 through 4.

3. On a sheet of paper, write down as many observations as you can about each rock next to its number.

4. Rewrite your observations without numbers on another sheet of paper. Give this sheet of paper and the rocks to a classmate.

5. Ask your classmate to match the observations to the rocks.

■ Did your classmate make correct matches? Why or why not?

The Scientific Method in Your World

A common question often asked by students is "Why are we studying science? What does it have to do with my world?" The answer is—plenty! Perhaps you have no real interest in the reason why fresh water freezes at a higher temperature than sea water. Maybe you live in a city or in a part of the country far removed from a beach. But regardless of where you live, people probably drive cars. And that means they may worry about the water in the car's radiator freezing in the winter and boiling over in the summer. How do we prevent these events from occurring? You probably know the answer—we add antifreeze to the radiator.

The principles behind the actions of antifreeze are exactly the same as the principles behind the fresh and salt water experiment. Adding antifreeze lowers the temperature at which the water freezes—an important point to know during the cold winter months. And, strangely enough, in much the same way antifreeze increases the boiling temperature of water so that cars are not as likely to overheat during the hot summer months.

You should keep this example in mind whenever you study science. For very often the concepts you are learning about have very practical applications in your world. When possible, we will point out the relevance of the material you are studying. But that may not always be practical. So it's up to you to remember that science is not just for laboratory workers in white coats. Science affects all of us—each and every day of our lives.

1–2 Section Review

1. List and describe the steps in the scientific method.
2. Explain the importance of running both an experimental setup and a control setup.

Connection—*You and Your World*

3. One morning you wake up and discover that your radio no longer works. How might you apply the steps of the scientific method to determine the cause of the problem?

Actividad para averiguar

Correspondencias

Para ser útiles, las observaciones de una persona deben poder trasmitirse con claridad a otra.

1. Obtiene cuatro piedras de casi el mismo tamaño.

2. Coloca un trozo pequeño de cinta adhesiva en las piedras y numéralas de 1 a 4.

3. En una hoja de papel escribe tus observaciones sobre cada piedra al lado de su número.

4. En otra hoja, reescribe esas observaciones sin numerarlas. Dale a un compañero o compañera esta hoja junto con las piedras.

5. Pídele a tu compañero o compañera que haga que cada piedra corresponda a una observación.

■ ¿Estaban bien las correspondencias que hizo tu compañero o compañera? ¿Por qué sí o por qué no?

El método científico y tu mundo

Una pregunta usual que a menudo hacen los estudiantes es: "¿Por qué estudiamos ciencia? ¿Qué tiene que ver con nuestro mundo?" La respuesta es: ¡muchísimo! Tal vez no quieras saber por qué el agua común se congela a una temperatura más alta que el agua de mar. Quizás vivas en una ciudad o en algún lugar que esté muy lejos de la playa. Pero, no importa donde vivas, los automóviles se usan en todas partes. Y eso quiere decir que todos se preocupan cuando el agua de los radiadores del carro se congela en invierno y se recalienta en verano. ¿Cómo se puede prevenir esto? Casi seguramente sabes la respuesta: se agrega anticongelante al radiador.

Los principios que guían cómo actúa el anticongelante son exactamente los mismos que los que guían el experimento del agua común y el agua salada. Si se agrega anticongelante la temperatura a la que el agua se congela es más baja – algo que es muy importante saber durante los fríos meses del invierno. Y, aunque parezca extraño, también el anticongelante aumenta la temperatura a la que hierve el agua lo que hace más difícil que los automóviles se recalienten durante el verano.

Deberías recordar este ejemplo siempre que estudies ciencia. Porque muy a menudo los conceptos que estás aprendiendo tienen aplicaciones sumamente prácticas. Cuando sea posible, vamos a señalar la aplicación que tiene lo que estés estudiando. Pero a veces eso no es práctico. Por eso, eres tú quien debe recordar que la ciencia no es sólo para los empleados de laboratorio de delantal blanco. La ciencia nos afecta a todos – día a día y todos los días de nuestra vida.

1–2 Repaso de la sección

1. Haz una lista de los pasos del método científico.
2. Explica la importancia de hacer tanto un montaje experimental como uno de control.

Conexión—*Tú y tu mundo*

3. Te despiertas una mañana y descubres que tu radio no funciona. ¿Cómo aplicarías los pasos del método científico para determinar la causa del problema?

CONNECTIONS

Messages From Outer Space?

Have we been receiving radio messages from outer space? In 1933, people believed we were. They were wrong, but their mistake is an interesting example of how luck, or serendipity, plays a role in science and, in this case, can shake up society for a little while.

Here's how it all happened. In 1931, Bell Telephone scientists wanted to find out what was causing static on some radio telephone lines. The scientists suspected (hypothesized) that the static might be caused by thunderstorms. They asked a young scientist named Karl Jansky to see if he could find out whether this was true. Jansky built a special antenna to try to solve the problem. He mounted his antenna on some wheels from an old car so that he could aim the antenna at any part of the sky. Because it could be turned around, Jansky's invention was nicknamed "the merry-go-round."

Jansky found that almost all of the static was indeed caused by radio waves from thunderstorms. But his antenna had also picked up a faint hissing sound that he could not explain. Jansky could have shrugged his shoulders and ignored this hissing sound, but his curiosity got the best of him. So he decided to investigate. He would try to track down the hissing sounds.

Jansky carried on observations for two years. Eventually, he found that the hiss moved across the sky, as did the stars. In 1933, Jansky announced that the radio waves producing the hissing sound were actually coming to Earth from outer space! Jansky's discovery that radio waves were coming from space became an overnight sensation. Newspaper headlines throughout the world reported the finding. But after only a few weeks, most people seemed to forget Jansky's discovery.

Then, in 1937, an amateur radio operator named Grote Reber had a hunch that Jansky's discovery was important. So Reber built a 10-meter dish antenna in his backyard to capture the radio waves from space. This instrument became the world's first radio telescope. Jansky's unexpected discovery and Reber's hunch gave astronomers a new way of exploring the sky. The science of *radio astronomy,* which would produce many exciting discoveries of its own, had been born.

CONEXIONES

¿Mensajes del espacio?

¿Nos han estado mandando mensajes por radio del espacio? En 1933 parecía que sí. No era cierto, pero ese error es un ejemplo interesante de cómo la suerte, o la pura casualidad, juegan un papel importante en la ciencia y de cómo pueden perturbar a la sociedad.

En 1931, los investigadores de Bell Telephone querían saber qué es lo que causaba estática en algunas líneas de teléfono radiofónicas. Los científicos sospechaban (tenían la hipótesis) que la estática podía deberse a tormentas de truenos. Le pidieron a un joven científico llamado Karl Jansky que averiguara si esto era cierto. Jansky construyó una antena especial. La instaló sobre las ruedas de un viejo automóvil para poder enfocarla en cualquier parte del cielo. Como se la podía hacer girar, se le dio a la invención el sobrenombre de "carrusel".

Jansky descubrió que casi toda la estática se debía a ondas radioeléctricas producidas por tormentas de truenos. Pero la antena había recogido también un débil silbido. Jansky podría haberse simplemente encogido de hombros e ignorado el silbido, pero se dejó llevar por la curiosidad. Y se puso a investigar su origen.

Jansky hizo observaciones durante dos años. Eventualmente, se dio cuenta de que el silbido había ido moviéndose por el cielo, tal como las estrellas. En 1933, anunció que ¡las ondas radioeléctricas que producían el silbido llegaban a la Tierra desde el espacio! Ese descubrimiento tuvo gran repercusión. La información ocupó los titulares de los periódicos de todo el mundo. Pero, después de apenas unas semanas, el descubrimiento de Jansky cayó aparentemente en el olvido.

Unos años después, en 1937, Grote Reber, un operador de radio aficionado se dio cuenta de que el descubrimiento de Jansky era importante. Reber construyó una antena de radar de 10 metros de diámetro para captar las ondas radioeléctricas del espacio. Ese fue el primer radiotelescopio. Los astronómos tenían ahora una nueva manera de explorar el cielo. Había nacido la *radioastronomía,* que iba a dar lugar a muchos descubrimientos fascinantes.

Guide for Reading

Focus on this question as you read.

- *In what ways does luck play a role in scientific discoveries?*

1–3 Science and Discovery

Scientific discoveries are not always made by following the scientific method. **Sometimes a discovery is made because of luck, a hunch, or a new way of looking at (observing) the world.** Remember, the most important trait of any scientist is curiosity. And some of the greatest sparks of curiosity have been experienced when they were least expected.

Recently, two American biologists, Dr. Patricia Bonamo and Dr. James Grierson, discovered a special group of fossils. Fossils are the remains of organisms that lived in the past. While looking for extinct plant specimens in rocks from northern New York, these scientists found something different and unexpected. Instead of plant fossils, the scientists discovered fossils of some of the first land animals. Fossilized centipedes, shells and claws of spiderlike creatures, and a single mite were discovered.

There was much that was amazing about this discovery. The centipede, only 2.54 centimeters long, had its many pairs of legs well preserved. The sense organs of several of the spiderlike creatures were easily recognizable.

Scientists described the fossils as looking as though "they might have died yesterday." But these organisms had not died "yesterday," and that was the most amazing discovery of all. Tests showed that the animals had died about 380 million years ago! Until this discovery, the earliest totally land-living

Figure 1–17 *An artist's concept of what Earth's forests looked like some 350 million years ago.*

Guía para la lectura

Piensa en esta pregunta mientras leas.

▶ *¿De qué manera actúa la suerte en los descubrimientos científicos?*

1–3 La ciencia y el descubrimiento

Los descubrimientos científicos no se hacen siempre siguiendo el método científico. **A veces se realiza un descubrimiento debido a la suerte, un presentimiento o una nueva manera de mirar (u observar) el mundo.**

Recuerda que la característica más importante de un científico es la curiosidad. Y algunos de los chispazos más grandes de la curiosidad han tenido lugar cuando menos se los esperaba.

Recientemente, dos biológos de los Estados Unidos, la Dra. Patricia Bonomo y el Dr. James Grierson descubrieron un grupo particular de fósiles.

Los fósiles son restos de organismos que vivieron en el pasado. Al buscar muestras de plantas extintas los científicos encontraron algo diferente e inesperado: fósiles de algunos de los primeros animales terrestres. Había ciempiés fosilizados, caparazones y garras de seres tipo araña y una garrapata. Los múltiples pares de patas del ciempiés estaban muy bien conservados. Los órganos sensoriales de varios de los seres tipo araña se podían reconocer sin dificultad.

Los científicos describieron la apariencia de los fósiles como "si se hubieran muerto ayer". Pero estos organismos no se habían muerto "ayer", y ese fue el descubrimiento más asombroso de todos. Las pruebas demostraron que los animales se habían muerto ¡hacía aproximadamente 380 millones de años! Hasta este descubrimiento, los primeros animales totalmente

Figura 1–17 *La idea de un artista de la apariencia que tenían las selvas de la Tierra hace unos 350 millones de años.*

animals ever discovered had been 300 million years old. Drs. Bonamo and Grierson had turned back the birthday of such animals by 80 million years.

"When we first saw the animals in our samples, we thought they might have fallen in by accident, from the light fixtures or cracks in the wall. But one spiderlike animal had its legs still embedded in the rock." This statement by Drs. Bonamo and Grierson shows how their fossil discovery was an exciting piece of good luck. But it is also an example of scientists recognizing something special when they see it.

An Unexpected World

You would be amazed at the microscopic creatures that share your home with you. If you are interested in these strange organisms, read *The Secret House*, by David Bodanis. You will never look at your room in quite the same way again!

1–3 Section Review

1. The term serendipity means making a fortunate discovery through an accident. What role does serendipity play in science?

Critical Thinking—*Making Generalizations*

2. What does this fossil discovery indicate about the appearance of land-living animals?

1–4 Safety in the Science Laboratory

Guide for Reading

Focus on this question as you read.

- *What important safety rules must you follow when working in the laboratory?*

The scientific laboratory is a place of adventure and discovery. Some of the most exciting events in scientific history have happened in the laboratory. For example, the structure of DNA, the blueprint of life, was discovered by scientists in the laboratory. The plastics used today for clothing and other products were first made by scientists in a laboratory. And the laboratory was where scientists discovered the relationship between electricity and magnetism. The list goes on and on.

To better understand the concepts you will read about in science, it is likely you will work in the laboratory too. If you follow instructions and are as careful as a scientist would be, the laboratory will turn out to be an exciting experience for you.

Scientists know that when working in the laboratory, it is very important to follow safety procedures.

terrestres que se habían descubierto tenían 300 millones de años. Los doctores Bonamo y Grierson habían hecho retroceder 80 millones de años la aparición de esos animales.

"Cuando vimos primero a los animales en nuestras muestras, creímos que se habían caído accidentalmente de las lámparas o de las grietas de la pared. Pero las patas de uno de los animales tipo araña estaban todavía incrustadas en la piedra". Esta afirmación de los doctores Bonamo y Grierson demuestra cómo su descubrimiento de fósiles fue una oportuna cuestión de suerte. Pero también es un ejemplo de cómo los científicos reconocen que algo es especial con sólo verlo.

Un mundo inesperado

Te quedarías con la boca abierta al ver todos los seres microscópicos que se hospedan en tu casa. Si estás interesado en estos extraños organismos, lee *The Secret House* de David Bodanis. ¡No vas a mirar más tu cuarto de la misma forma!

1–3 Repaso de la sección

1. La expresión "pura casualidad" significa hacer un descubrimiento valioso en forma accidental. ¿Qué papel tiene la pura casualidad en la ciencia?

Pensamiento crítico—*Hacer generalizaciones*

2. ¿Qué indica este descubrimiento acerca de la aparición de los animales que viven en la tierra?

1–4 La seguridad en el laboratorio de ciencias

Guía para la lectura

Piensa en esta pregunta mientras leas.

- *¿Qué medidas de seguridad importantes se deben tomar cuando se trabaja en el laboratorio?*

El laboratorio de ciencias es un lugar para la aventura y el descubrimiento. Algunos de los acontecimientos más apasionantes de la historia científica han tenido lugar en el laboratorio. Por ejemplo, la estructura del ácido desoxiribonucleico (DNA), la matriz de la vida, fue descubierta en el laboratorio. Los plásticos que se usan actualmente para los tejidos y para otros productos se hicieron por primera vez en un laboratorio. Y el laboratorio fue el lugar donde los científicos descubrieron la relación que hay entre la energía y el magnetismo. La lista nunca termina.

Es probable que tú también trabajes en un laboratorio para entender mejor los conceptos científicos sobre los que vas a leer. Si tú sigues las instrucciones y eres tan cuidadoso como un científico, el laboratorio será también para ti una experiencia sin igual.

Los científicos saben que cuando trabajan en el laboratorio, es muy importante tomar medidas de seguridad.

Figure 1–18 *It is important to always point a test tube that is being heated away from yourself and your classmates (right). What two safety precautions is this student taking before picking up a hot beaker (left)?*

The most important safety rule is to always follow your teacher's directions or the directions in your textbook exactly as stated. You should never try anything on your own without asking your teacher first. And when you are not sure what you should do, always ask first.

As you read the laboratory investigations in your textbook, you will see safety alert symbols. These symbols indicate that special safety precautions must be taken. Look at Figure 1–19 to learn the meanings of these safety symbols and the important safety procedures you should take.

In addition to the safety procedures listed in Figure 1–19, there is a more detailed list of safety procedures in Appendix C on page 101 at the back of this textbook. Before you enter the laboratory for the first time, make sure you have read each rule carefully. Then read all the rules over again, making sure you understand each rule. If you do not understand a rule, ask your teacher to explain it. You may even want to suggest further rules that apply to your particular classroom.

1–4 Section Review

1. What is the most important general rule to follow when working in the laboratory?
2. Suppose your teacher asks you to boil some water in a test tube. What precautions should you take to make sure this activity is done safely?

Connection—*You and Your World*

3. How can you apply the safety rules in Figure 1–19 to rules that should be followed when working in a kitchen? In a machine shop?

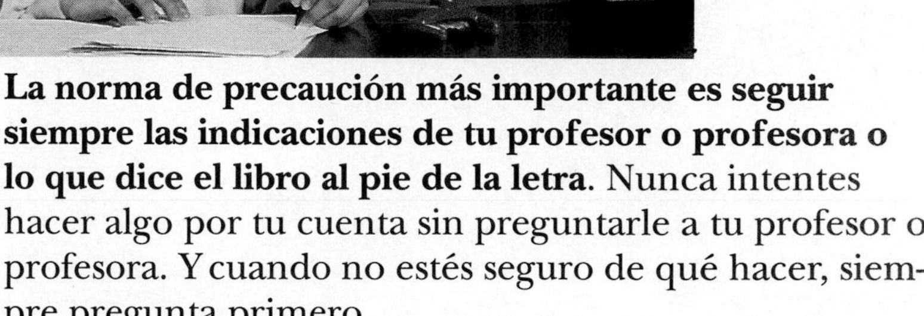

Figura 1–18 *Es siempre importante que la boca de un tubo de ensayo que se esté calentando no apunte ni a ti ni a tus compañeros (derecha). ¿Qué dos medidas de seguridad toma el estudiante de arriba antes de tocar la cubeta (izquierda)?*

La norma de precaución más importante es seguir siempre las indicaciones de tu profesor o profesora o lo que dice el libro al pie de la letra. Nunca intentes hacer algo por tu cuenta sin preguntarle a tu profesor o profesora. Y cuando no estés seguro de qué hacer, siempre pregunta primero.

Cuando leas los experimentos de laboratorio en el libro, vas a ver señales de alerta. Estos símbolos indican que se deben tomar determinadas medidas de precaución. En la Figura 1-19 se explica el significado de estos símbolos de seguridad y las importantes medidas de precaución que se deben tomar.

Además de la lista de los procedimientos que aparece en la Figura 1-19, hay una lista de procedimientos de seguridad más detallada en el Apéndice C de la página 112, en la parte de atrás del libro. Por favor, lee cada norma cuidadosamente antes de ir al laboratorio por primera vez. Después, lee todas las normas de nuevo y aségurate de comprenderlas bien a todas. Si no entiendes alguna, pídele a tu profesor o profesora que te la explique. Tal vez hasta puedas sugerir otras normas más que puedan aplicarse en especial a tu clase.

1–4 Repaso de la sección

1. ¿Cuál es la norma de precaución más importante cuando se trabaja en el laboratorio?
2. Si tu profesor o profesora te ha pedido que hiervas un poco de agua en un tubo de ensayo, ¿qué precauciones deberías tomar para llevar a cabo esta actividad sin peligro?

Conexión—*Tú y tu mundo*

3. ¿Cómo puedes aplicar las normas de seguridad de la Figura 1-19 a las que deben seguirse cuando se trabaja en una cocina? ¿En un taller mecánico?

LABORATORY SAFETY: RULES AND SYMBOLS

Glassware Safety

1. Whenever you see this symbol, you will know that you are working with glassware that can easily be broken. Take particular care to handle such glassware safely. And never use broken or chipped glassware.
2. Never heat glassware that is not thoroughly dry. Never pick up any glassware unless you are sure it is not hot. If it is hot, use heat-resistant gloves.
3. Always clean glassware thoroughly before putting it away.

Fire Safety

1. Whenever you see this symbol, you will know that you are working with fire. Never use any source of fire without wearing safety goggles.
2. Never heat anything—particularly chemicals—unless instructed to do so.
3. Never heat anything in a closed container.
4. Never reach across a flame.
5. Always use a clamp, tongs, or heat-resistant gloves to handle hot objects.
6. Always maintain a clean work area, particularly when using a flame.

Heat Safety

Whenever you see this symbol, you will know that you should put on heat-resistant gloves to avoid burning your hands.

Chemical Safety

1. Whenever you see this symbol, you will know that you are working with chemicals that could be hazardous.
2. Never smell any chemical directly from its container. Always use your hand to waft some of the odors from the top of the container toward your nose—and only when instructed to do so.
3. Never mix chemicals unless instructed to do so.
4. Never touch or taste any chemical unless instructed to do so.
5. Keep all lids closed when chemicals are not in use. Dispose of all chemicals as instructed by your teacher.
6. Immediately rinse with water any chemicals, particularly acids, that get on your skin and clothes. Then notify your teacher.

Eye and Face Safety

1. Whenever you see this symbol, you will know that you are performing an experiment in which you must take precautions to protect your eyes and face by wearing safety goggles.
2. When you are heating a test tube or bottle, always point it away from you and others. Chemicals can splash or boil out of a heated test tube.

Sharp Instrument Safety

1. Whenever you see this symbol, you will know that you are working with a sharp instrument.
2. Always use single-edged razors; double-edged razors are too dangerous.
3. Handle any sharp instrument with extreme care. Never cut any material toward you; always cut away from you.
4. Immediately notify your teacher if your skin is cut.

Electrical Safety

1. Whenever you see this symbol, you will know that you are using electricity in the laboratory.
2. Never use long extension cords to plug in any electrical device. Do not plug too many appliances into one socket or you may overload the socket and cause a fire.
3. Never touch an electrical appliance or outlet with wet hands.

Animal Safety

1. Whenever you see this symbol, you will know that you are working with live animals.
2. Do not cause pain, discomfort, or injury to an animal.
3. Follow your teacher's directions when handling animals. Wash your hands thoroughly after handling animals or their cages.

Figure 1–19 *You should become familiar with these safety symbols because you will see them in the laboratory investigations in this textbook.*

¡Cuidado con los recipientes de vidrio!

1. Este símbolo te indicará que estás trabajando con recipientes de vidrio que pueden romperse. Procede con mucho cuidado al manejar esos recipientes. Y nunca uses vasos rotos ni cascados.
2. Nunca pongas al calor recipientes húmedos. Nunca tomes ningún recipiente si está caliente. Si lo está, usa guantes resistentes al calor.
3. Siempre limpia bien un recipiente de vidrio antes de guardarlo.

¡Cuidado con el fuego!

1. Este símbolo te indicará que estás trabajando con fuego. Nunca uses algo que produzca llama sin ponerte gafas protectoras.
2. Nunca calientes nada a menos que te digan que lo hagas.
3. Nunca calientes nada en un recipiente cerrado.
4. Nunca extiendas el brazo por encima de una llama.
5. Usa siempre una grapa, pinzas o guantes resistentes al calor para manipular algo caliente.
6. Procura tener un área de trabajo vacía y limpia, especialmente si estás usando una llama.

¡Cuidado con el calor!

Este símbolo te indicará que debes ponerte guantes resistentes al calor para no quemarte las manos.

¡Cuidado con los productos químicos!

1. Este símbolo te indicará que vas a trabajar con productos químicos que pueden ser peligrosos.
2. Nunca huelas un producto químico directamente. Usa siempre las manos para llevar las emanaciones a la nariz y hazlo solo si te lo dicen.
3. Nunca mezcles productos químicos a menos que te lo indiquen.
4. Nunca toques ni pruebes ningún producto químico a menos que te lo indiquen.
5. Mantén todas las tapas de los productos químicos cerradas cuando no los uses. Deséchalos según te lo indiquen.
6. Enjuaga con agua cualquier producto químico, en especial un ácido. Si se pone en contacto con tu piel o tus ropas, comunícaselo a tu profesor o profesora.

¡Cuidado con los ojos y la cara!

1. Este símbolo te indicará que estás haciendo un experimento en el que debes protegerte los ojos y la cara con gafas protectoras.
2. Cuando estés calentando un tubo de ensayo, pon la boca en dirección contraria a los demás. Los productos químicos pueden salpicar o derramarse de un tubo de ensayo caliente.

¡Cuidado con los instrumentos afilados!

1. Este símbolo te indicará que vas a trabajar con un instrumento afilado.
2. Usa siempre hojas de afeitar de un solo filo. Las hojas de doble filo son muy peligrosas.
3. Maneja un instrumento afilado con sumo cuidado. Nunca cortes nada hacia ti sino en dirección contraria.
4. Notifica inmediatamente a tu profesor o profesora si te cortas.

¡Cuidado con la electricidad!

1. Este símbolo te indicará que vas a usar electricidad en el laboratorio.
2. Nunca uses cables de prolongación para enchufar un aparato eléctrico. No enchufes muchos aparatos en un enchufe porque puedes recargarlo y provocar un incendio.
3. Nunca toques un aparato eléctrico o un enchufe con las manos húmedas.

¡Cuidado con los animales!

1. Este símbolo, te indicará que vas a trabajar con animales vivos.
2. No causes dolor, molestias o heridas a un animal.
3. Sigue las instrucciones de tu profesor o profesora al tratar a los animales. Lávate las manos bien después de tocar los animales o sus jaulas.

Figura 1–19 *Familiarízate con estos símbolos de seguridad ya que aparecen en todas las investigaciones de laboratorio del libro.*

Laboratory Investigation

A Moldy Question

Problem

What variables affect the growth of bread mold?

Materials *(per group)*

2 jars with lids
2 slices of bread
1 medicine dropper

Procedure

1. Put half a slice of bread into each jar. Moisten each half slice with ten drops of water. Cap the jars tightly. Keep one jar in sunlight and place the other in a dark closet.
2. Observe the jars every few days for about two weeks. Record your observations. Does light seem to influence mold growth? Include your answer to this question (your conclusion) with your observations.
3. Ask your teacher what scientists know about the effect of light on mold growth. Was your conclusion correct? Think again: What other variables might have affected mold growth? Did you think of temperature? How about moisture? Light, temperature, and moisture are all possible variables in this investigation.
4. Design a second experiment to retest the effect of light on mold growth. Record your procedure, observations, and conclusions.
5. Design another experiment to test one of the other variables. Test only one variable at a time. Work with other groups of students in your class so that each group tests one of the other two variables. Share your results and draw your conclusions together.

Observations

Study the class data for this experiment. What variables seem to affect mold growth?

Analysis and Conclusions

1. In each of your additional experiments, what variable were you testing? Did you have a control setup for each experiment? If so, describe it.
2. Juanita set up the following experiment: She placed a piece of orange peel in each of two jars. She added 3 milliliters of water to jar 1 and placed it in the refrigerator. She added no water to jar 2 and placed it on a windowsill in the kitchen. At the end of a week, she noticed more mold growth in jar 2. Juanita concluded that light, a warm temperature, and no moisture are ideal conditions for mold growth. Discuss the accuracy of Juanita's conclusion.

Investigación de laboratorio

Un asunto mohoso

Problema

¿Qué variables afectan el crecimiento de moho en el pan?

Materiales *(para cada grupo)*

2 frascos con tapa
2 rebanadas de pan
1 gotero medicinal

Procedimiento

1. Pon media rebanada de pan en cada frasco. Humedece cada trozo con diez gotas de agua. Cierra los frascos bien. Pon un frasco al sol y el otro en un armario oscuro.
2. Observa los frascos cada dos o tres días por unas dos semanas. Anota tus observaciones. ¿Te parece que la luz influye en el crecimiento del moho? Incluye tu respuesta a esta pregunta (tu conclusión) en las observaciones.
3. Pregunta a tu profesor o profesora qué es lo que se sabe sobre el efecto de la luz en el crecimiento del moho. ¿Estaba bien tu conclusión? Piensa de nuevo: ¿qué otras variables pueden haber afectado el crecimiento del moho? ¿Pensaste en la temperatura? ¿Y en la humedad? La luz, la temperatura y la humedad son todas posibles variables.
4. Diseña un segundo experimento para comprobar el efecto de la luz en el crecimiento de moho. Anota el procedimiento que has seguido, tus observaciones y tus conclusiones.
5. Diseña otro experimento más para comprobar otra variable. Intenta sólo con una variable por vez. Trabaja con otros grupos de estudiantes. Cada grupo comprobará una variable. Luego, compartan los resultados y saquen conclusiones.

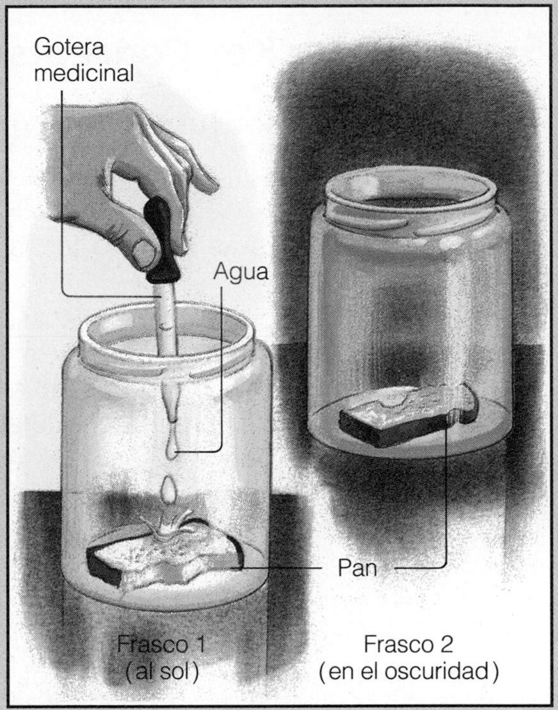

Observaciones

Estudia los datos de clase para este experimento. ¿Cuáles son las variables que parecen afectar el crecimiento de moho?

Análisis y conclusiones

1. ¿Cuáles eran las variables que trataste de comprobar en cada uno de los experimentos adicionales? ¿Tenías un montaje de control en cada experimento? En caso de ser así, descríbelo.
2. Juanita hizo este experimento: colocó un trozo de cáscara de naranja en dos frascos diferentes. Le agregó 3 mililitros de agua al frasco 1 y lo puso en el refrigerador. Al frasco 2 no le agregó agua y lo puso en la ventana de la cocina. Después de una semana, observó que había crecido más moho en el frasco 2. Ella dedujo que la luz, la temperatura cálida y la falta de humedad eran condiciones ideales para el crecimiento de moho. Di si su conclusión era o no correcta.

Study Guide

Summarizing Key Concepts

1–1 Science—Not Just for Scientists

▲ The goal of science is to understand the world around us.

▲ Scientists use facts as clues to the large mysteries of nature.

▲ A theory is the most logical explanation for events that occur in nature. A theory is a time-tested concept that makes useful and dependable predictions about the natural world.

▲ The three main branches of science are life science, earth science, and physical science.

▲ Life scientists study living things and their parts and actions.

▲ Earth scientists study the features of the Earth, which include rocks, oceans, volcanoes, earthquakes, and the atmosphere. Astronomy, which is a part of earth science, is the study of objects such as stars, planets, and moons.

▲ Physical scientists study matter and energy. Physical science can be further divided into chemistry and physics. The study of substances and how they change and combine is the focus of chemistry. The study of energy is the focus of physics.

▲ Within any branch of science, most scientists specialize in a particular area of study.

1–2 The Scientific Method—A Way of Problem Solving

▲ The scientific method is the systematic way of problem solving used by scientists.

▲ The basic steps in the scientific method are stating the problem, gathering information, forming a hypothesis, experimenting, recording and analyzing data, stating a conclusion, and repeating the work.

▲ A hypothesis is a proposed solution to a scientific problem.

▲ A variable is the one factor that is being tested in an experiment.

▲ Scientists run an experimental setup and a control setup, or experiment without the variable, to make sure the results of the experiment were caused by the variable and not some hidden factor.

1–3 Science and Discovery

▲ Not all scientific discoveries are made through the scientific method. Sometimes luck or a hunch leads to an important discovery.

1–4 Safety in the Science Laboratory

▲ When working in the laboratory, it is important to heed all necessary safety precautions. These include using safety equipment and following all instructions carefully.

Reviewing Key Terms

Define each term in a complete sentence.

1–1 Science—Not Just for Scientists

theory
law

1–2 The Scientific Method—A Way of Problem Solving

scientific method
hypothesis
variable
control
data

Guía para el estudio

Resumen de conceptos claves

1–1 La ciencia—No sólo para los científicos

▲ El objetivo de la ciencia es comprender el mundo que nos rodea.

▲ Los datos les proporcionan a los científicos pistas sobre los grandes misterios de la naturaleza.

▲ Una teoría es la explicación más lógica de los hechos que tienen lugar en la naturaleza. Una teoría es un concepto comprobado que hace predicciones sobre el mundo natural.

▲ Las tres principales ramas de la ciencia son las ciencias de la vida, las ciencias de la tierra y las ciencias físicas.

▲ Los científicos que se dedican a estudiar la vida estudian los seres vivos, sus partes y acciones.

▲ Los científicos que estudian la Tierra estudian las características de la Tierra entre las que se incluyen las rocas, los océanos, los volcanes, los terremotos y la atmósfera. La astronomía es el estudio de objetos tales como estrellas, planetas y lunas.

▲ Los físicos estudian la materia y la energía. Las ciencias físicas se puede dividir en física y química. La química es el estudio de las sustancias y de cómo cambian y se combinan. La física es el estudio de la energía.

▲ En cualquier rama de una ciencia, la mayoría de los científicos se especializan en un área de estudio determinada.

1–2 El método científico—Una manera de resolver problemas

▲ El método científico es la forma sistemática de resolver problemas que usan los científicos.

▲ Los pasos básicos del método científico son: enunciar el problema, recopilar información, formular una hipótesis, experimentar, registrar y analizar los datos, enunciar una conclusión y repetir el trabajo.

▲ Una hipótesis es la solución que se propone para un problema científico.

▲ Una variable es el factor principal a comprobar en un experimento.

▲ Los científicos trabajan con un montaje experimental y un montaje de control para asegurarse de que los resultados del experimento sean producto de la variable y no de ningún otro factor.

1–3 La ciencia y el descubrimiento

▲ No todos los descubrimientos científicos se realizan siguiendo el método científico. A veces la suerte o un presentimiento llevan a un descubrimiento importante.

1–4 La seguridad en el laboratorio de ciencias

▲ Cuando se trabaja en el laboratorio, es importante prestar atención a todas las medidas de precaución tales como usar el equipo de seguridad y seguir con cuidado las indicaciones.

Repaso de palabras claves

Define cada palabra o palabras con una oración completa.

1–1 La ciencia—No sólo para los científicos

teoría
ley

1–2 El método científico—Una manera de resolver problemas

método científico
hipótesis
variable
control
datos

Chapter Review

Content Review

Multiple Choice

Choose the letter of the answer that best completes each statement.

1. An orderly, systematic approach to problem solving is called the
   a. experiment.
   b. conclusion.
   c. hypothesis.
   d. scientific method.

2. The factor being tested in an experiment is the
   a. hypothesis. c. control.
   b. variable. d. problem.

3. Recorded observations and measurements are called
   a. data. c. conclusions.
   b. graphs. d. variables.

4. The most important laboratory safety rule is to
   a. have a partner.
   b. wear a lab coat.
   c. wear safety goggles.
   d. always follow directions.

5. The branch of science that deals with the study of ocean currents is
   a. life science. c. earth science.
   b. chemistry. d. physics.

6. Scientists must analyze the results of an experiment before they form a
   a. hypothesis. c. data table.
   b. conclusion. d. variable.

7. A time-tested concept that makes useful and dependable predictions about the world is called a(an)
   a. hypothesis. c. theory.
   b. discovery. d. investigation.

8. A safety symbol in the shape of a flask alerts you to
   a. be careful with lab animals.
   b. be careful with glassware.
   c. wear safety goggles.
   d. wear heat-resistant gloves.

True or False

If the statement is true, write "true." If it is false, change the underlined word or words to make the statement true.

1. Never heat anything in an <u>open</u> container.

2. Recorded observations that often involve measurements are called <u>conclusions</u>.

3. The part of the experiment with the variable is called the <u>experimental setup</u>.

4. The <u>scientific method</u> is a proposed solution to a scientific problem.

5. Most experiments must have <u>two variables</u> to be accurate.

6. The study of heat and light is part of <u>physics</u>.

7. The symbol of a <u>razor blade</u> means you are working with a sharp instrument.

Concept Mapping

Complete the following concept map for Section 1–1. Refer to pages A6–A7 to construct a concept map for the entire chapter.

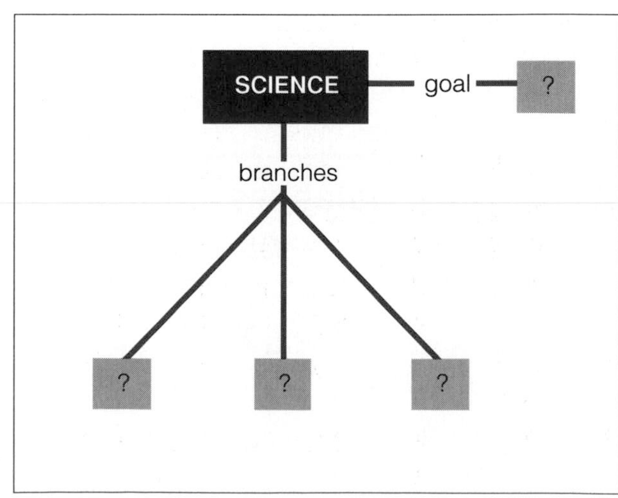

Repaso del capítulo

Repaso del contenido

Elección múltiple

Escoge la letra de la respuesta correcta.

1. El intento ordenado y sistemático de resolver un problema se llama
   a. experimento.
   b. conclusión.
   c. hipótesis.
   d. método científico.
2. El factor a comprobarse es
   a. la hipótesis.
   b. la variable.
   c. el control.
   d. el problema.
3. Las observaciones y las medidas registradas se llaman
   a. datos.
   b. gráficas.
   c. conclusiones.
   d. variables.
4. La medida de precaución más importante en el laboratorio es
   a. trabajar con alguien.
   b. usar un delantal.
   c. ponerse gafas protectoras.
   d. seguir siempre las indicaciones.
5. Las corrientes oceánicas son estudiadas por
   a. las ciencias de la vida.
   b. la química.
   c. las ciencias de la tierra
   d. la física.
6. Los científicos deben analizar los resultados de un experimento antes de formular
   a. una hipótesis.
   b. una conclusión.
   c. una tabla de datos.
   d. una variable.
7. Un concepto comprobado que hace predicciones útiles y seguras acerca del mundo es
   a. una hipótesis.
   b. un descubrimiento.
   c. una teoría.
   d. una investigación.
8. Un símbolo en forma de frasco indica
   a. tener cuidado con los animales del laboratorio.
   b. tener cuidado con los recipientes de vidrio.
   c. ponerse gafas protectoras.
   d. usar guantes resistentes al calor.

Verdadero o falso

Si la afirmación es verdadera, escribe "verdad". Si es falsa, cambia las palabras subrayadas para que sea verdadera.

1. Nunca calientes nada en un recipiente <u>abierto.</u>
2. Las observaciones que se registran e incluyen medidas se llaman <u>conclusiones</u>.
3. La parte del experimento que contiene la variable se llama <u>montaje experimental</u>.
4. El <u>método científico</u> es una solución que se propone para un problema científico.
5. La mayoría de los experimentos deben tener <u>dos variables</u> para ser correctos.
6. El estudio del calor y la luz es parte de <u>la física</u>.
7. El símbolo de <u>una hoja de afeitar</u> indica un instrumento afilado.

Mapa de conceptos

Completa el mapa de conceptos siguiente para la Sección 1-1.

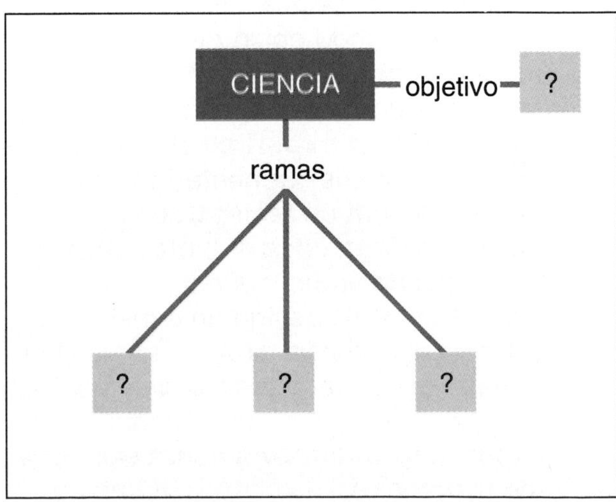

Concept Mastery

Discuss each of the following in a brief paragraph.

1. Why should an experiment contain only one variable? What is the purpose of the control in an experiment?
2. List and describe at least three examples of how you act like a scientist.
3. Why are some problems in science impossible to study through laboratory experimentation?
4. Describe the basic steps of the scientific method.
5. What role can luck or chance play in the advancement of science?
6. Describe three science questions that you have an interest in finding an answer to.

Critical Thinking and Problem Solving

Use the skills you have developed in this chapter to answer each of the following.

1. **Following safety rules** Explain the potential danger involved in each of the following situations. Describe the safety precautions that should be used to avoid injury to you or your classmates.
   a. Pushing a rubber stopper far down into a test tube
   b. Pouring acid into a beaker while sitting at your lab table
   c. Tasting a white powder to see if it is salty
   d. Heating a stoppered test tube of water
   e. Deciding on your own to mix two chemicals together
2. **Applying concepts** Explain how the scientific method could be used by a mechanic to determine why a car won't start on a cold morning.
3. **Designing an experiment** The following hypothesis is suggested to you: Water will heat up faster when placed under the direct rays of the sun than when placed under indirect, or angled, rays of the sun. Design an experiment to test this hypothesis. Make sure you have both a variable and a control setup. With your teacher's permission, conduct the experiment and draw a conclusion about the hypothesis.
4. **Making predictions** Develop a time line in which you predict some of the major advances in science during the twenty-first century.
5. **Making charts** Construct a picture chart that shows the fields of study included in the three main branches of science.
6. **Designing an experiment** Design an experiment to determine the best place to grow flowers in your classroom. With your teacher's permission, conduct the experiment and draw a conclusion.
7. **Using the writing process** Write a short story that begins, "It was a dark and eerie night. As the lost hikers knocked on the door of the scientist's laboratory, they suddenly realized . . ."

Dominio de conceptos

Comenta cada uno de los puntos siguientes en un párrafo breve.

1. ¿Por qué debe haber sólo una variable en un experimento? ¿Qué finalidad tiene el control en un experimento?
2. Haz una lista y escribe por lo menos tres ejemplos de cómo actúas tú como un científico o una científica.
3. ¿Por qué es imposible estudiar algunos problemas de la ciencia por medio de la experimentación en el laboratorio?
4. Describe los pasos básicos del método científico.
5. ¿Qué papel puede jugar la suerte o la casualidad en el adelanto de la ciencia?
6. Describe tres preguntas científicas cuyas respuestas te interese averiguar.

Pensamiento crítico y solución de problemas

Usa las destrezas que has desarrollado en este capítulo para resolver lo siguiente.

1. **Obedecer las normas de seguridad** Explica el posible peligro de cada una de las siguientes situaciones. Describe las medidas de seguridad que se deberían usar para evitar hacerse daño.
   a. Empujar un tapón de goma dentro de un tubo de ensayo.
   b. Vertir ácido en una cubeta cuando estás sentado trabajando en el laboratorio.
   c. Probar un polvo blanco para ver si es salado.
   d. Calentar un tubo de ensayo lleno de agua que esté tapado.
   e. Decidir mezclar dos productos químicos por tu cuenta.
2. **Aplicar conceptos** Explica cómo podría usar el método científico un mecánico para saber por qué un carro no arranca en una mañana fría.
3. **Diseñar un experimento** Se te sugiere la hipótesis siguiente: el agua se va a calentar más rápido si se la pone directamente bajo el sol que si recibe el sol de manera indirecta u oblicua. Diseña un experimento para comprobar esta hipótesis. Asegúrate de tener un montaje experimental y uno de control. Pídele permiso a tu profesor o profesora, realiza el experimento y saca una conclusión acerca de la hipótesis.
4. **Hacer predicciones** Dibuja una línea de tiempo en la que puedas predecir algunos de los avances más importantes de la ciencia durante el siglo veintiuno.
5. **Construir tablas** Haz una tabla ilustrada que muestre las áreas de estudio de las tres ramas principales de la ciencia.
6. **Diseñar un experimento** Diseña un experimento para determinar cuál es el mejor lugar para cultivar flores en tu sala de clase. Pide permiso para realizar el experimento y saca una conclusión.
7. **Usar el proceso de la escritura** Escribe un cuento corto que comience: "Érase una noche oscura y misteriosa. Cuando los caminantes perdidos golpearon la puerta del laboratorio del científico, se dieron cuenta de que..."

Canada

Measurement and the *Sciences*

Guide for Reading

After you read the following sections, you will be able to

2–1 The Metric System

- Discuss the importance of a universal language of measurement.
- Identify the metric units used in scientific measurements.
- Use dimensional analysis to convert one metric unit to another.

2–2 Measurement Tools

- Identify the common laboratory tools used to measure length, volume, mass, and temperature.

Slowly, ever so carefully, the robot arm of the Space Shuttle *Discovery* released the *Hubble Space Telescope* into orbit above the Earth on April 25, 1990. The *Hubble Space Telescope* had been more than a decade in the making at a cost of several billion dollars. The 2.4-meter primary mirror was the most carefully constructed and most expensive mirror ever built. The development of the primary mirror was a monumental scientific achievement—or was it?

Soon after its launch, scientists discovered a problem with the primary mirror. Light striking the outer edge of the mirror was brought to a focus about 4 centimeters behind light striking the center of the mirror. As a result, the images produced by the telescope were fuzzy and not as clear as expected. A slight miscalculation in measurement had been built into the mirror's design.

The *Hubble Space Telescope* has been repaired. Now it can bring us pictures of the universe we once could only dream about. But even so, it stands as a reminder to all scientists—and those who would be scientists—that careful and precise measurements can be the difference between scientific success and failure.

Journal *Activity*

You and Your World Pick a type of measurement. Perhaps length is your favorite. Or you may prefer temperature or volume. Whatever type of measurement you choose, make an entry in your journal each time you use that type of measurement on a particular day.

The Hubble Space Telescope *being released by the robot arm on the Space Shuttle* Discovery.

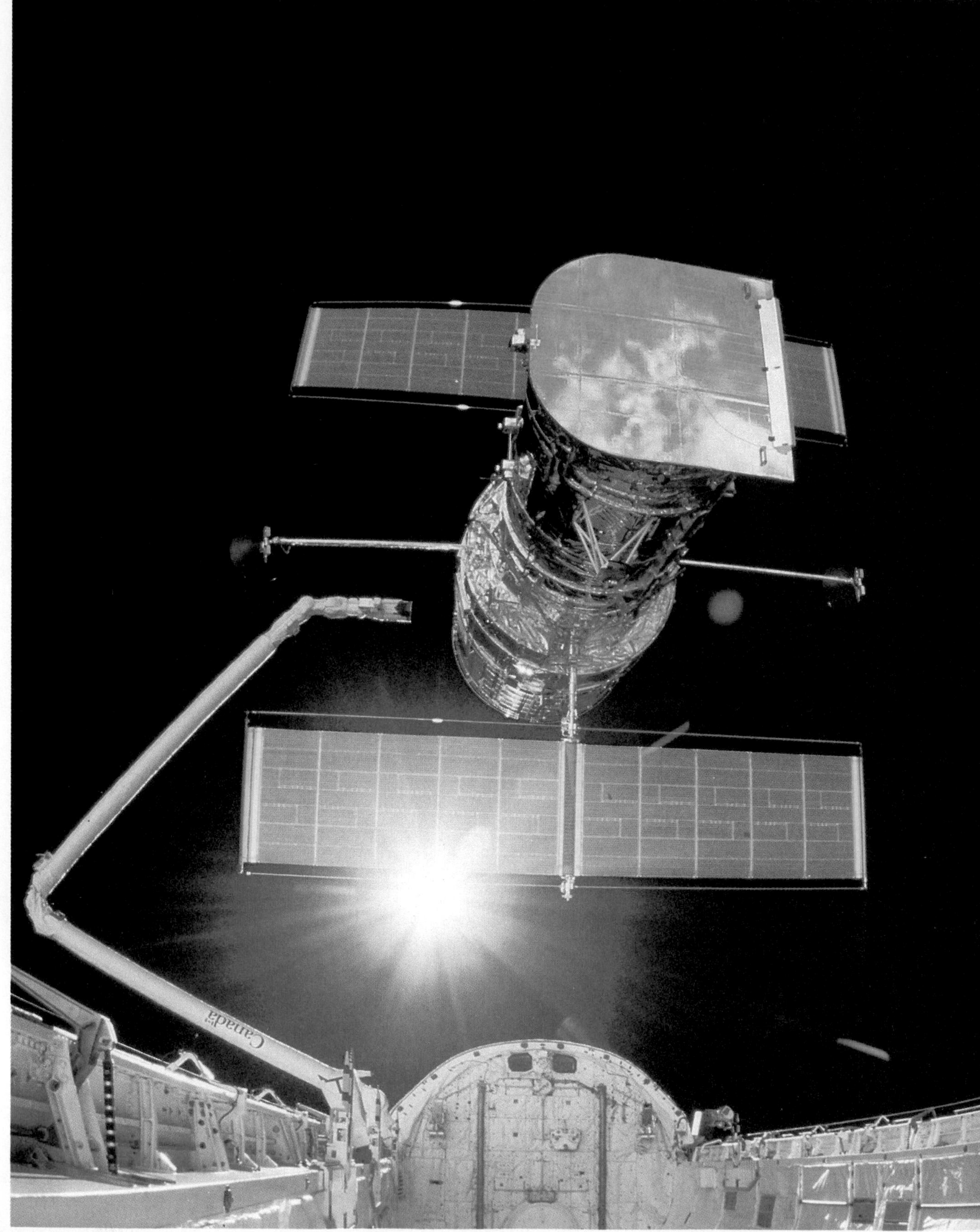
Canada

Las medidas y las ciencias

Guía para la lectura

Después de leer las secciones siguientes, vas a poder

2–1 El sistema métrico

- Entender la importancia de un idioma de medidas internacional.
- Reconocer las unidades métricas que se usan en las medidas científicas.
- Usar el análisis dimensional en la conversión de unidades métricas.

2–2 Los instrumentos de medición

- Reconocer instrumentos de laboratorio que se usan para medir la longitud, el volumen, la masa y la temperatura.

Lenta y cuidadosamente, el brazo automático del transbordador espacial *Discovery* puso en órbita el *telescopio espacial Hubble.* Era el 25 de abril de 1990. Se había estado construyendo el telescopio durante más de una década y a un costo de varios millones de dólares. Nunca se había hecho un espejo con tanto cuidado ni tan caro como su espejo principal de 2.4 metros. Su desarrollo había sido un logro científico impresionante—o eso parecía.

Poco después del lanzamiento, los científicos descubrieron que había un problema con el espejo. La luz que llegaba a su borde externo se enfocaba a unos 4 centímetros detrás de la luz que llegaba al centro y las imágenes que producía el telescopio resultaban borrosas. Un minúsculo error en las medidas del diseño era la causa del problema.

El *Hubble* ya fué reparado. Ahora nos puede traer fotos del universo con las que sólo podíamos soñar. Pero aun asi es una advertencia para los científicos, y para aquellos que aspiran a serlo, que mediciones precisas y cuidadosas pueden ser la diferencia entre el éxito y la derrota científica.

Diario *Actividad*

Tú y tu mundo Escoge un tipo de medida. ¿Prefieres la longitud? ¿O te gusta más la temperatura o el volumen? Cualquiera que sea tu decisión, anota en tu diario cada vez que uses ese tipo de medida en un día determinado.

El telescopio espacial Hubble *se desprende del brazo mecánico del transbordador espacial* Discovery.

Guide for Reading

Focus on this question as you read.

- ▶ *What are the basic units of measurement in the metric system?*

Create a Measurement System

Using objects found in your classroom as standards, create your own measurement system for length, mass, and volume. For each type of measurement, try to include units of several different sizes. Keep in mind that your "standards" must be things that will remain constant over time. Also keep in mind that you should be able to convert easily from one unit to another.

Once your measurement system is established, create a display of your standard objects and the units they represent. Then challenge members of your class to use your system to make measurements of various objects and distances.

2–1 The Metric System

Magnum est ut inter sese colloqui possint periti in scientiae rebus.

Having trouble reading the sentence written above? Don't worry, it's not a string of new vocabulary words you have to memorize. Actually, it is a very clear and concise sentence. It just happens to be written in a language you probably don't understand. And it's been included to make a simple but important point. Science is a worldwide topic, and scientists come from every country on Earth. If they are to work together and know what each other is doing, scientists must be able to communicate—in a sense, to speak the same language. In case you're wondering, the sentence above is in Latin. Its translation is:

It is important that scientists can communicate with each other.

Metrics—The Universal Language of Measurement

In Chapter 1 you learned that experiments are an important part of the scientific method. You also learned that most experiments require data in the form of measurements. It is important that measurements be accurate and easily communicated to other people. So a universal system of measurement having standard units must be used. You can imagine the confusion that would result if measurements were made without standard units. For example, suppose you ask a friend how far it is to his house, and his response is five. You do not know if he means five blocks, five kilometers, or that it takes about five minutes to get there. Obviously, such a response would be of little help to you—and you probably would not accept the answer.

Scientists are ordinary people just like you. In order to make sure there is little confusion about their work, all scientists use the same standard system of measurement. The scientific system of measurement is called the **metric system.** The metric system is often referred to as the International System

Guía para la lectura

Piensa en esta pregunta mientras leas.

▶ *¿Cuáles son las unidades básicas del sistema métrico?*

2–1 El sistema métrico

Magnum est ut inter sense colloqui possint periti in scientiae rebus.

¿Te cuesta trabajo leer estas líneas? No te preocupes, no es una lista de palabras que debas memorizar. Se trata de una oración clara y concisa aunque probablemente no entiendas el idioma en el que está escrita. Expresa algo simple pero importante. La ciencia es un tema mundial y los científicos provienen de todos los rincones de la tierra. Para trabajar juntos y poder entender lo que hacen, deben poder comunicarse—en cierto sentido, hablar el mismo lenguaje. Y eso lo dicen las líneas de arriba, que están en latín:

Es importante que los científicos puedan comunicarse entre sí.

El metro—El idioma internacional de las medidas

Ya aprendiste en el Capítulo 1 que la mayoría de los experimentos requieren datos, y que muchos de esos datos son medidas. Es importante que las medidas sean concisas y que se puedan comunicar fácilmente. Por eso es que se debe usar un sistema universal de medidas con unidades estándar para evitar la confusión. Imáginate que le preguntes a alguien dónde vive y que te conteste cinco. ¿Qué quiere decir? ¿Cinco manzanas, cinco kilómetros o que tarda cinco minutos para llegar a su casa? Es obvio que su respuesta no te comunicaría nada—y que tú no la entenderías.

Los científicos son gente como tú. Para asegurarse de que las cosas queden claras, todos los científicos usan el mismo sistema estándar de medidas. Ese sistema es el **sistema métrico**. También se lo llama el Sistema de unidades internacional, o SI.

ACTIVIDAD PARA HACER

Crear un sistema de medidas

Usando como patrones objetos de la clase, crea tu propio sistema de medidas de longitud, masa y volumen. Incluye unidades de diferentes tamaños para cada tipo de medida. Es importante que tus "patrones" sean constantes y que puedas pasar con facilidad de una unidad a otra.

Después de determinar tu sistema, exhibe los objetos que has usado como patrones y las unidades que representan. Ve si tus compañeros pueden usar tu sistema para medir diversos objetos y distancias.

COMMON METRIC UNITS	
Length	**Mass**
1 meter (m) = 100 centimeters (cm) 1 meter = 1000 millimeters (mm) 1 meter = 1,000,000 micrometers (μm) 1 meter = 1,000,000,000 nanometers (nm) 1 meter = 10,000,000,000 angstroms (Å) 1000 meters = 1 kilometer (km)	1 kilogram (kg) = 1000 grams (g) 1 gram = 1000 milligrams (mg) 1000 kilograms = 1 metric ton (t)
Volume	**Temperature**
1 liter (L) = 1000 milliliters (mL) or 1000 cubic centimeters (cm^3)	0°C = freezing point of water 100°C = boiling point of water
kilo- = one thousand centi- = one hundredth milli- = one thousandth	micro- = one millionth nano- = one billionth

Figure 2–1 *The metric system is easy to use because it is based on units of ten. How many centimeters are there in 10 meters?*

of Units, or SI. Using the metric system, scientists all over the world can compare and analyze their data.

The metric system is a simple system to use. Like our money system, the metric system is a decimal system; that is, it is based on the number ten and multiples of ten. (There are ten pennies in a dime, ten dimes in a dollar, and so on.) In much the same way, each unit in the metric system is ten times larger or ten times smaller than the next smaller or larger unit. So calculations with metric units are relatively easy.

Scientists use metric units to measure length, volume, mass, weight, density, and temperature. Some frequently used metric units and their abbreviations are listed in Figure 2–1.

Length

The basic unit of length in the metric system is the **meter** (m). A meter is equal to 39.4 inches, or a little more than a yard. Your height would be measured in meters. Most students your age are between 1.5 and 2 meters tall.

To measure the length of an object smaller than a meter, scientists use the metric unit called the **centimeter** (cm). The prefix *centi-* means one-hundredth. As you might guess, there are 100 centimeters in a meter. The height of this book is about 26 centimeters.

Charting Growth

Make a height recorder in your classroom. Place a meterstick vertically 1 meter above the floor. Use transparent tape to secure the meterstick to the wall. Measure your height using the meterstick. Measure the heights of your classmates in the same way. Do not forget to add 100 cm (1 m) to every measurement you take! Keep growth records for each member of the class for the duration of the school year. Keep in mind that everyone grows at a different rate.

■ At the end of the year, calculate the growth of each student. Add up the total growth of the class in centimeters. Are you impressed?

LAS UNIDADES MÉTRICAS MÁS USADAS	
Longitud	**Masa**
1 metro (m) = 100 centímetros (cm) 1 metro = 1000 milímetros (mm) 1 metro = 1,000,000 micrómetros (µm) 1 metro = 1,000,000,000 nanómetros (nm) 1 metro = 10,000,000,000 angstroms (Å) 1000 metros = 1 kilómetro (km)	1 kilogramo (kg) = 1000 gramos (g) 1 gramo = 1000 miligramos (mg) 1000 kilogramos = 1 tonelada métrica(t)
Volumen	**Temperatura**
1 litro (L) = 1000 mililitros (mL) o/ 1000 centímetros cúbicos (cm^3)	0°C = punto de congelación del agua 100°C= punto de ebullición del agua
kilo- = mil centi- = un centésimo mili- = un milésimo	micro- = un millonésimo nano- = un billonésimo

Figura 2–1 *Es fácil usar el sistema métrico porque se basa en unidades de diez. ¿Cuántos centímetros hay en 10 metros?*

Los científicos del mundo entero comparan y analizan sus datos usando el sistema métrico. El sistema métrico es muy simple de usar. Como nuestro sistema monetario, es un sistema decimal; es decir que está basado en el número diez y en múltiplos de diez. (Diez peniques en una moneda de diez, diez monedas de diez en un dólar, y así sucesivamente.) Del mismo modo, cada unidad del sistema métrico es diez veces más grande o más pequeña que la que la antecede o que la sigue. Calcular con unidades métricas es bastante fácil.

Los científicos usan unidades métricas para medir la longitud, el volumen, la masa, el peso, la densidad y la temperatura. La lista de las unidades métricas más usadas y sus abreviaciones aparecen en la Figura 2–1.

Tabla de crecimiento

Haz un registro de altura para la clase. Coloca verticalmente una regla de un metro a un metro del piso. Asegura la regla a la pared con cinta transparente. Mide tu altura y la de tus compañeros con este sistema. No te olvides de agregar 100 cm (1 m) a todas las medidas. Lleva un registro de la altura de tus compañeros durante el año. Recuerda que el ritmo de crecimiento es diferente para cada uno.

■ Al final del año, calcula el crecimiento de cada estudiante. Suma el crecimiento total de la clase en centímetros. ¿No es impresionante?

La longitud

La unidad básica de longitud en el sistema métrico es el **metro** (m). Un metro es igual a 39.4 pulgadas, o sea un poco más que una yarda. La mayoría de los estudiantes de tu edad miden entre 1.5 y 2 metros de altura.

Para medir la longitud de un objeto más corto que un metro, se usa el **centímetro** (cm). El prefijo *centi-* significa un centésimo. Como puedes ver, hay 100 centímetros en un metro. Este libro tiene unos 26 centímetros de altura.

Figure 2–2 *Which metric unit of length would be most appropriate when measuring the height of the Matterhorn in Switzerland or giraffes in Kenya?*

To measure even smaller objects, the metric unit called the **millimeter** (mm) is used. The prefix *milli-* means one-thousandth. So there are 1000 millimeters in a meter. In bright light, the diameter of the pupil of your eye is about 1 millimeter. How many millimeters are there in a centimeter?

Even millimeters are too large to use when describing the sizes of microscopic organisms such as bacteria. Bacteria are measured in micrometers, or millionths of a meter, and nanometers, or billionths of a meter. That may seem small enough for any measurement, but it's not. To describe the size of

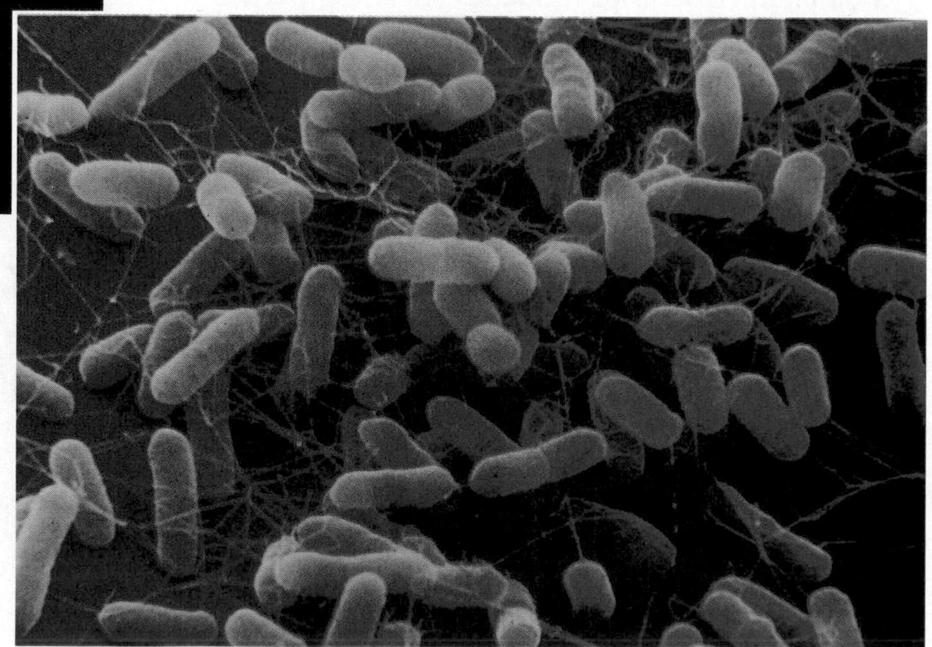

Figure 2–3 *The length of bacteria (right) are measured in micrometers or nanometers. What unit of length is used when measuring atoms such as these silicon atoms (left)?*

Figura 2–2 *¿Qué unidad métrica de longitud se podría usar para medir la altura del Monte Cervino de Suiza o de las jirafas de Kenia?*

Para medir objetos aún más pequeños se usa el **milímetro** (mm). El prefijo *mili-* significa un milésimo. Así que hay 1000 milímetros en un metro. A la luz del sol, el diámetro de la pupila del ojo mide cerca de 1 milímetro. ¿Cuántos milímetros hay en un centímetro?

Pero hasta los milímetros resultan grandes cuando se trata de organismos microscópicos como las bacterias. Las bacterias se miden en micrómetros, o millonésimos de metro, y nanómetros, o billonésimos de metro. Aunque no se pueda creer, estas medidas pequeñísimas no son suficientes. Para describir

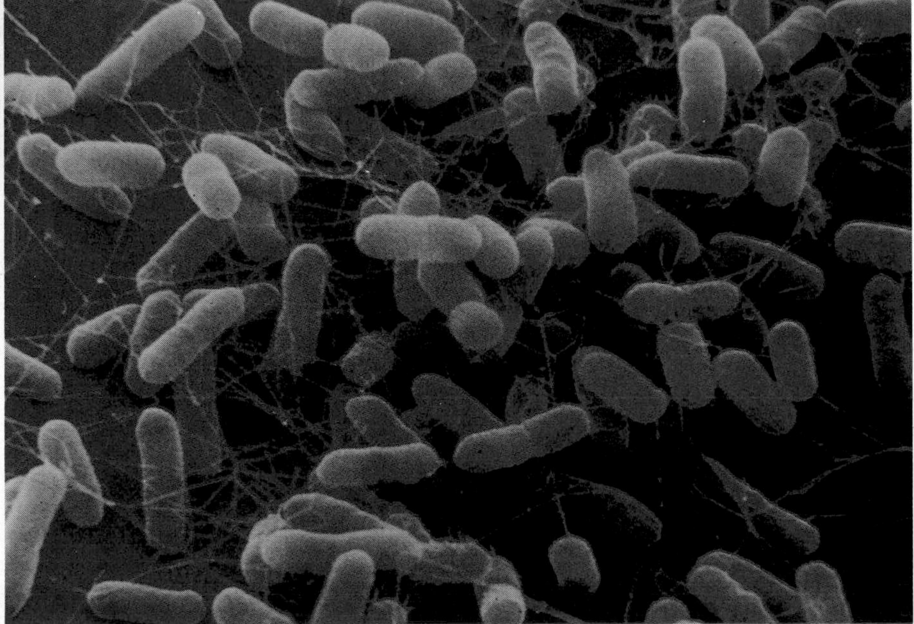

Figura 2–3 *La longitud de las bacterias (derecha) se mide en micrómetros o nanómetros.¿Qué unidad de longitud se usará para medir los átomos de silicio de la izquierda?*

Figure 2-4 *To measure the length of long rivers, scientists would choose the unit of length called the kilometer.*

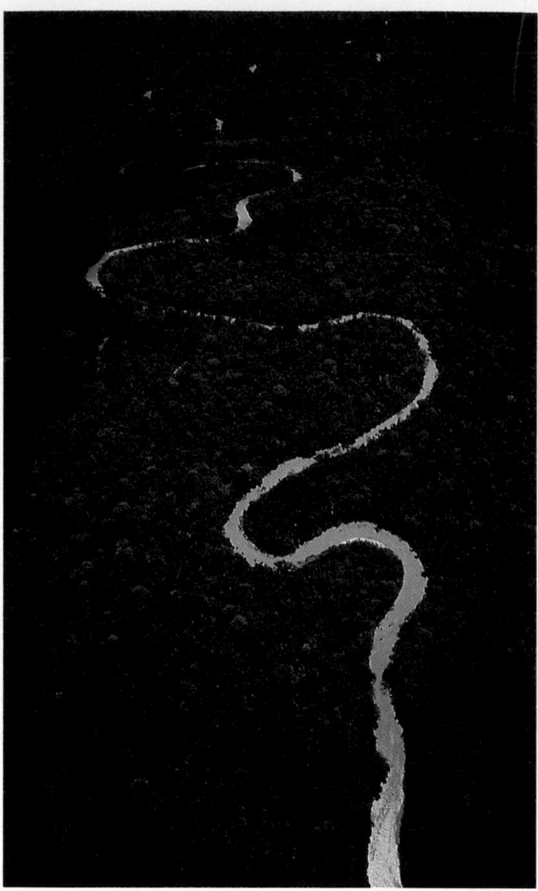

atoms, the building blocks of matter, scientists use the metric unit called the angstrom. An angstrom is equal to one ten-billionth of a meter!

Sometimes scientists need to measure large distances, such as the length of the Nile River in Africa. Such lengths can be measured in meters, centimeters, or even millimeters. But when measuring large distances with small units, the numbers become very difficult to work with. For example, the length of the Nile River is about 6,649,000,000 millimeters—not an easy number to use! To avoid such large numbers, scientists use the metric unit called the **kilometer** (km). The prefix *kilo-* means one thousand. So there are 1000 meters in a kilometer. The length of the Nile River is about 6649 kilometers. How many meters is this?

On Earth, meters and kilometers are very useful units of measurement. But in space, distances are often too great to be measured in kilometers. (Again, the numbers start getting very large.) To measure long distances in space, astronomers use a unit of distance called the **light-year.** A light-year is the distance light travels in one year. As you probably know, light travels mighty fast—about 300,000 kilometers per second. A light-year, then, is about 9.5 trillion kilometers. No, we won't ask you how many millimeters are in a light-year, but you might have fun figuring it out on your own. You can think of a light-year as a ruler made of light. But keep in mind that a light-year measures distance, not time.

A light-year may seem like an enormous distance, but in space, it is not very far at all. The closest star system to the Earth is over 4 light-years away. It takes the light from that star system over four years to reach the Earth. Yet even that distance seems quite short when compared to the distance of the farthest known star system, which is about 13 billion light-years away. The light from these most distant stars may take more than 13 billion years to reach Earth. Unbelieveable as it may seem, the light began its long journey toward Earth before the Earth had even formed.

Figura 2–4 *El kilómetro es la unidad de longitud que se usa para medir el largo de extensos ríos.*

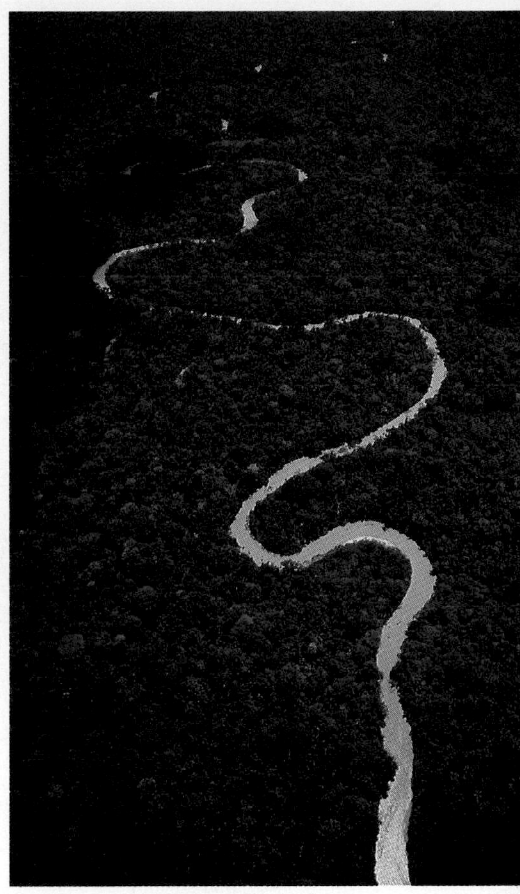

el tamaño de los átomos, los elementos básicos de la materia, los científicos usan una unidad métrica llamada angstrom. ¡Un angstrom es un diez billonésimo de un metro!

A veces se necesita medir largas distancias, por ejemplo la longitud del río Nilo del África. Una longitud tal se puede medir en metros, centímetros, incluso milímetros. Pero es muy difícil trabajar con números que resultan de la medición de distancias grandes con unidades pequeñas. ¡No es muy fácil hablar de 6,649,000,000!—que sería la longitud del río Nilo expresada en milímetros. Para evitar números tan grandes, se usa la unidad métrica llamada **kilómetro** (km). El prefijo *kilo-* significa mil. Así que hay 1000 metros en un kilómetro. La longitud del Nilo es de aproximadamente 6649 kilómetros. ¿Cuántos metros son?

En la Tierra, los metros y los kilómetros son unidades de medida muy útiles. Pero en el espacio, las distancias son demasiado grandes como para medirse en kilómetros. (Otra vez, los números serían demasiado grandes.) Para medir grandes distancias en el espacio, los astrónomos usan una unidad de distancia llamada **año luz**. Un año luz es la distancia que recorre la luz en un año. Es probable que sepas que la luz viaja muy rápidamente—cerca de 300,000 kilómetros por segundo. Un año luz tiene cerca de 9.5 trillones de kilómetros. ¿Puedes imaginar cuántos milímetros hay en un año luz? ¡Trata de calcularlo! Piensa en un año luz como si fuera una regla hecha de luz, pero recuerda que un año luz mide la distancia, no el tiempo.

Aunque te parezca que un año luz es una distancia inmensa, no es tan inmensa en el espacio. El sistema estelar más próximo a la Tierra está a más de 4 años luz de distancia. La luz de ese sistema tarda más de cuatro años en llegar a la Tierra. Aún esa distancia es corta si la comparamos con la distancia del sistema estelar más alejado: ¡cerca de 13 billones de años luz! Eso significa que la luz comenzo su largo viaje de casi 13 billones de años ¡antes de que existiera la Tierra!

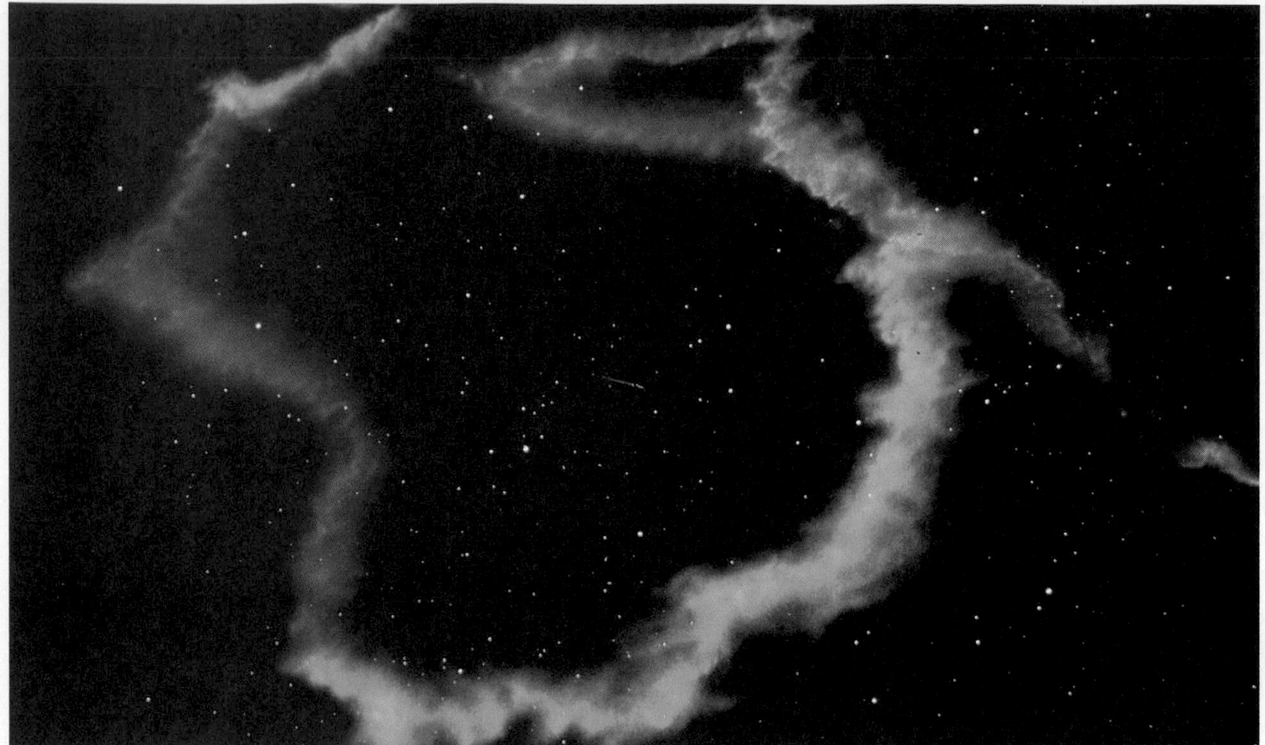

Figure 2–5 *What unit of length is used to measure distant objects in space, such as this nebula?*

Volume

Volume is the amount of space an object takes up. In the metric system, the basic unit of volume is the **liter** (L). A liter is slightly larger than a quart. To measure volumes smaller than a liter, scientists use the **milliliter** (mL). Recall that the prefix *milli-* means one-thousandth. So there are 1000 milliliters in a liter. An ordinary drinking glass holds about 200 milliliters of liquid. How many milliliters are there in 10 liters?

Figure 2–6 *A cubic centimeter (cm^3 or cc) is the volume of a cube that measures 1 cm by 1 cm by 1 cm. How many milliliters are in a cubic centimeter?*

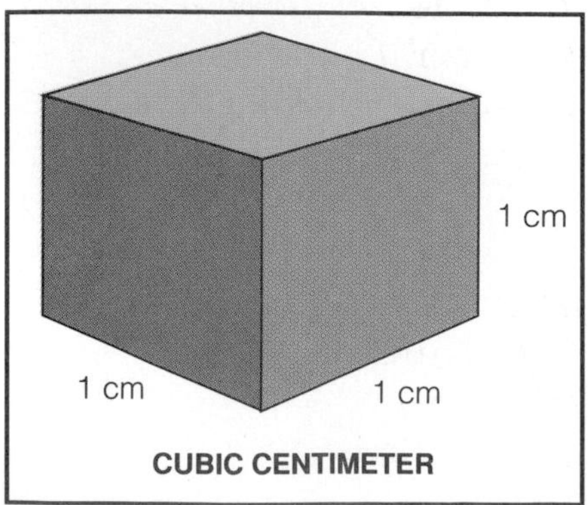

Liters and milliliters are used to measure the volume of liquids. Of course, both you and scientists may need to measure the volume of solids as well. The metric unit used to measure the volume of solids is called the **cubic centimeter** (cm^3 or cc). A cubic centimeter is equal to the volume of a cube that measures 1 centimeter by 1 centimeter by 1 centimeter. It just so happens that a cubic centimeter is exactly equal in volume to a milliliter. (We told you the metric system is easy to use.) In fact, cubic centimeters can be used to measure the volume of liquids as well as solids. How many cubic centimeters are there in a liter?

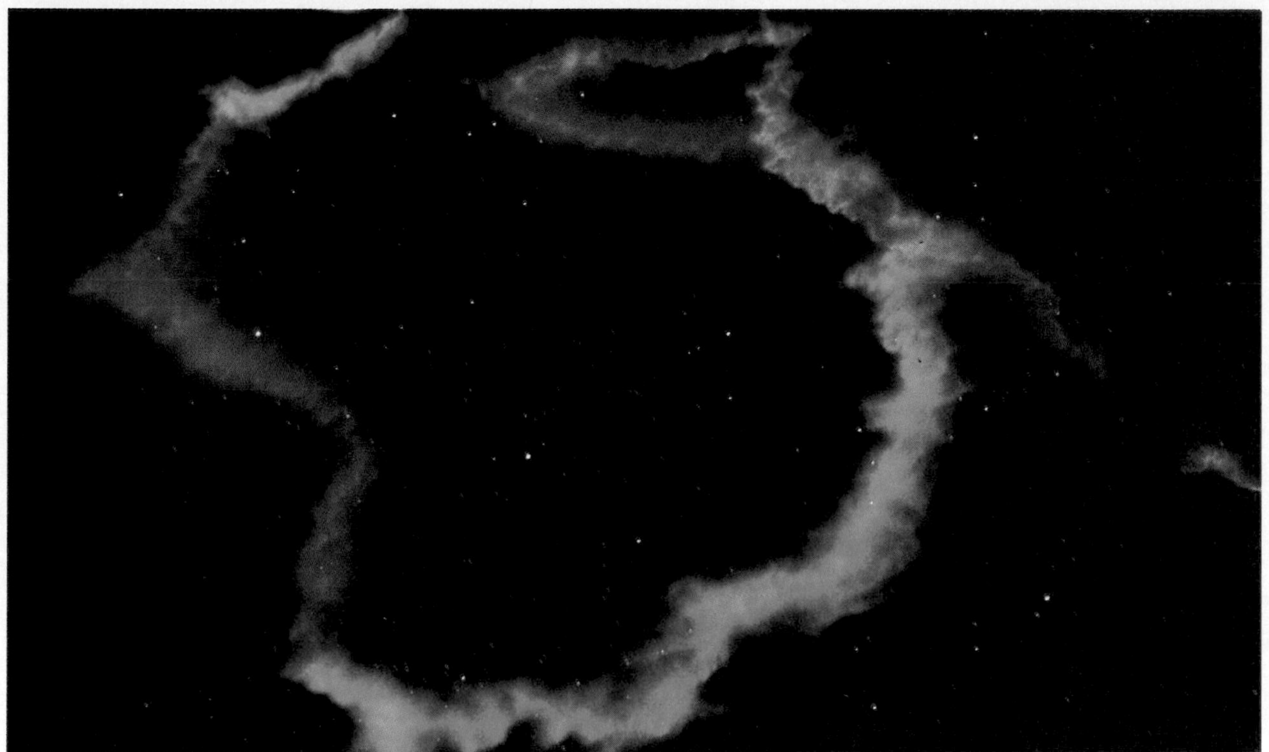

Figura 2–5 *¿Qué unidad de longitud usarías para medir la distancia de esta nébula a la Tierra?*

El volumen

El volumen es la cantidad de espacio que ocupa un objeto. En el sistema métrico, la unidad básica de volumen es el **litro** (L). Un litro es un poco más grande que un cuarto de galón. Para medir volúmenes más pequeños se usa el **mililitro** (mL). Recuerda: el prefijo *mili-* significa un milésimo. Así que hay 1000 mililitros en un litro. En un vaso común caben alrededor de 200 mililitros. ¿Cuántos mililitros habrá en 10 litros?

Los litros y los mililitros se usan para medir el volumen de los líquidos. Por supuesto, también se necesita medir el volumen de los sólidos. Para esto se usa el **centímetro cúbico** (cm^3 o cc). Un centímetro cúbico tiene el volumen de un cubo que mide 1 centímetro por 1 centímetro por 1 centímetro. Un centímetro cúbico es exactamente igual en volumen a un mililitro. Por eso, los centímetros cúbicos pueden usarse para medir tanto el volumen de los líquidos como de los sólidos. ¿Cuántos centímetros cúbicos habrá en un litro?

Figura 2–6 *Un centímetro cúbico (cm^3 o cc) es el volumen de un cubo que mide 1 cm por 1 cm por 1 cm. ¿Cuántos mililitros hay en un centímetro cúbico?*

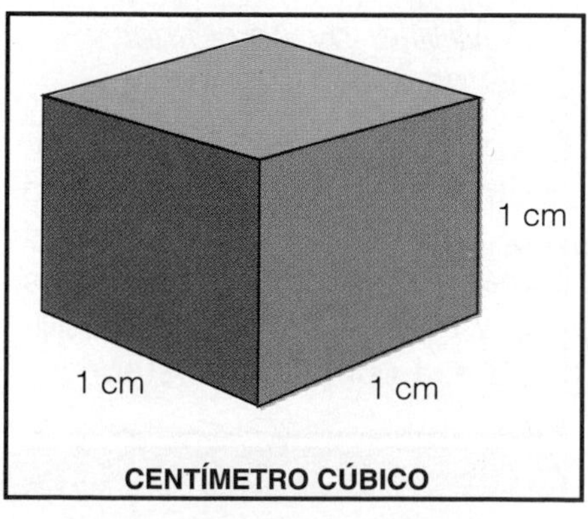

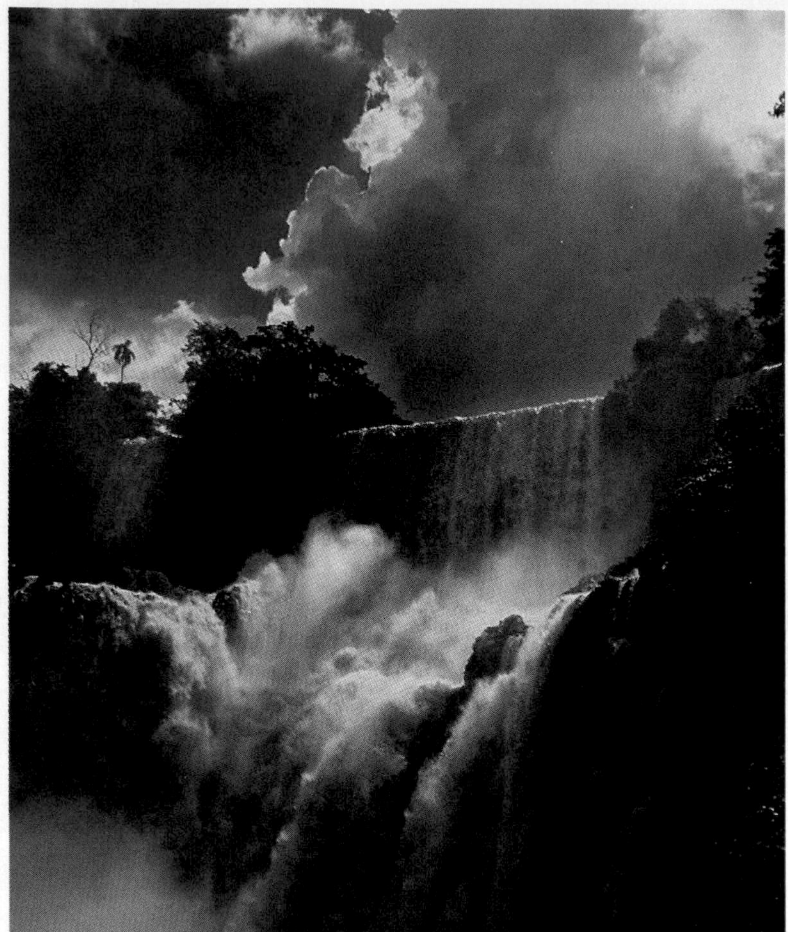

Figure 2–7 *To measure the volume of water rushing over Iguassu Falls in Brazil, scientists would use the unit of volume called the liter. What unit of volume would they use to measure the amount of water in a pet's water dish?*

Mass

Mass is a measure of the amount of matter in an object. For example, there is more matter in a dumptruck than in a mid-sized car. So a dumptruck has more mass than a mid-sized car. Which has more mass, a mid-sized car or a bicycle?

Keep in mind that mass is different from volume. Volume is the amount of space an object takes up, whereas mass is the amount of matter in the object. The basic unit of mass in the metric system is the **kilogram** (kg).

The kilogram is a useful unit when measuring the mass of large objects. To measure the mass of small objects, such as a nickel, the **gram** (g) is used. If you remember what the prefix *kilo-* means, then you know that a kilogram contains 1000 grams. A nickel has a mass of about 5 grams. How many grams are in 20 kilograms?

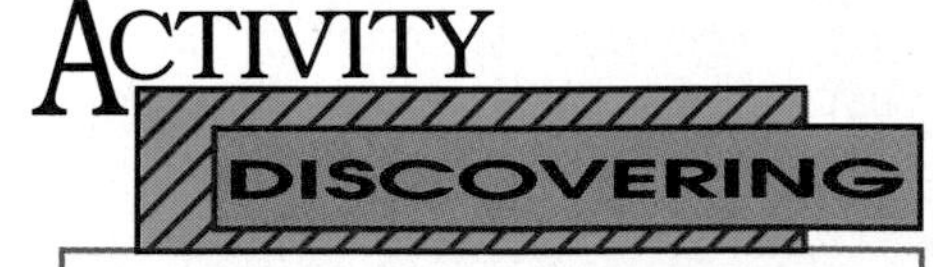

A Milliliter by Any Other Name

■ Use a graduated cylinder, water, a metric ruler, and a small rectangular solid made of a material that sinks in water to prove that 1 milliliter = 1 cubic centimeter.

Figura 2–7 *Para medir el volumen del agua que se precipita por las Cataratas del Iguazú en Brasil, se podría usar el litro como unidad de volumen. ¿Qué unidad habría que usar para medir la cantidad de agua que hay en el plato de un animal doméstico?*

La masa

La masa es la medida de la cantidad de materia que tiene un objeto. Un camión de descarga, por ejemplo, tiene más masa que un automóvil mediano. ¿Qué tendrá más masa, un automóvil mediano o una bicicleta?

Recuerda que la masa no es lo mismo que el volumen. El volumen es la cantidad de espacio que ocupa un objeto y la masa es la cantidad de materia que tiene. La unidad básica de masa en el sistema métrico es el **kilogramo** (kg).

El kilogramo sirve para medir la masa de objetos grandes. Para medir la masa de objetos pequeños, una moneda, por ejemplo, se usa el **gramo** (g). Si recuerdas lo que significa el prefijo *kilo-*, sabes que un kilogramo tiene 1000 gramos. La masa de una moneda de cinco centavos es de aproximadamente 5 gramos. ¿Cuántos gramos habrá en 20 kilogramos?

Un mililitro también puede ser ...

■ Con una regla métrica, un cilindro graduado, agua, y un pequeño objeto rectangular—de un material que se hunda en el agua—comprueba que 1 mililitro = 1 centímetro cúbico.

Figure 2–8 *The buffalo is one of the largest land animals on Earth. Harvest field mice are the smallest mice on Earth. Which metric unit would be best for measuring the mass of the buffalo? Of field mice?*

As you might expect, scientists often need to measure the mass of objects much smaller than a nickel. To do so, they use the metric unit called the **milligram** (mg). Again, recall that the prefix *milli-* means one-thousandth. So there are 1000 milligrams in a gram. How many milligrams are there in a kilogram?

Weight

Weight is a measure of the attraction between two objects due to gravity. Gravity is a force of attraction. The strength of the gravitational force between objects depends in part on the distance between these objects. As the distance between objects becomes greater, the gravitational force between the objects decreases. On Earth, your weight is a measure of the Earth's force of gravity on you.

The basic unit of weight in the metric system is the **newton** (N), named after Isaac Newton who discovered the force of gravity. The newton is used because it is a measure of force, and weight is the amount of force the Earth's gravity exerts on an object. An object with a mass of 1 kilogram is pulled toward the Earth with a force of 9.8 newtons. So the

Figura 2–8 *El búfalo es uno de los animales terrestres más grandes. Los ratones de campo son pequeñísimos. ¿Con qué unidades métricas convendría medir la masa del búfalo? ¿Y la de los ratones?*

Por supuesto, a veces los científicos necesitan medir la masa de objetos mucho más pequeños que una moneda de cinco. Para eso, usan la unidad métrica llamada **miligramo** (mg). Recuerda que el prefijo *mili-* significa milésimo. Hay 1000 miligramos en un gramo. ¿Cuántos miligramos hay en un kilogramo?

El peso

El **peso** es la medida de la atracción entre dos objetos producida por la gravedad. La gravedad es la fuerza de atracción. La intensidad de la fuerza de gravedad entre los objetos depende en parte de la distancia entre los mismos. Cuanto mayor es la distancia, menor es la fuerza de gravedad. Tu peso es la medida de la fuerza de gravedad que ejerce la Tierra sobre ti.

La unidad básica de peso del sistema métrico es el **newton** (N), llamado así por Isaac Newton, el descubridor de la fuerza de gravedad. El newton se usa porque mide la fuerza, y el peso es la intensidad de la fuerza que la gravedad de la Tierra ejerce sobre un objeto. Un objeto con una masa de 1 kilogramo es atraído por la Tierra con una fuerza de 9.8 new-

weight of the object is 9.8 N. An object with a mass of 50 kilograms is pulled toward the Earth with a force of 50 × 9.8, or 490 N. That object's weight is 490 N. What is your weight on Earth?

Because the force of gravity changes with distance, your weight can change depending on your location. For example, you are farther from the center of the Earth when standing atop a tall mountain than when standing at sea level. And although the change may be small, you actually weigh less at the top of the mountain than you do at sea level. How might your weight change if you went into orbit above the Earth?

We often describe astronauts orbiting above the Earth as being weightless. You now know that this description is not correct. The distance between the astronauts and the center of the Earth is so great that the Earth's gravitational force is less strong. The astronauts appear to be weightless, but they actually are not. They still have weight because they

Figure 2–9 *Although we speak of astronauts as being "weightless," they are not. However, on Earth this astronaut would never have been able to lift this heavy communications satellite. But he was able to lift it with ease while floating above the Earth. Can you explain why?*

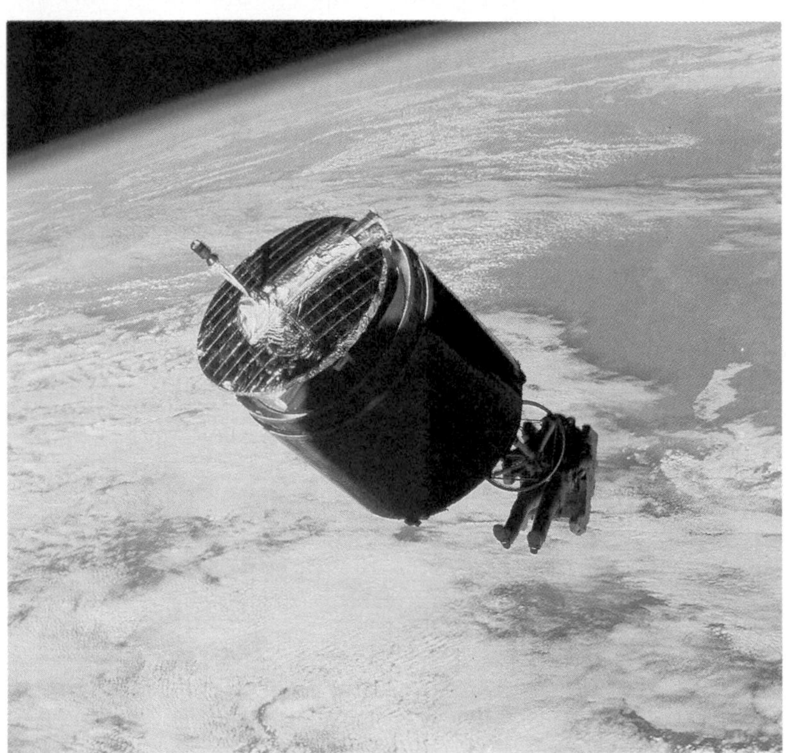

ACTIVITY

DISCOVERING

Does Air Have Mass and Weight?

1. Blow up two balloons to an equal size.

2. Tape or tie each balloon to one end of a meterstick.

3. Attach a string to the center of the meterstick. Hold the string so that the balloons are balanced. If the balloons are of equal size, the meterstick will be horizontal to the floor.

4. Carefully burst one of the balloons with a pin. What happens?

■ Use the results of your experiment to determine if air has mass, weight, or both.

tons. Así que un objeto con una masa de 50 kilogramos es atraído con una fuerza de 50 × 9.8, o sea 490 N. ¿Cuál es tu peso en la Tierra?

Como la fuerza de gravedad cambia con la distancia, tu peso puede cambiar según donde estés. Estás más lejos del centro de la Tierra cuando estás en la cima de una montaña que cuando te encuentras a nivel del mar. Y aunque no hay mucha diferencia, pesas menos en el primer lugar que en el segundo. ¿Cómo cambiaría tu peso si estuvieras en órbita alrededorde la Tierra?

A menudo se dice que los astronautas que están en órbita no tienen peso. Ahora sabes que esta afirmación no es correcta. Como la distancia que hay entre los astronautas y el centro de la Tierra es enorme, la fuerza de gravitación de la Tierra es menor. Aunque parezca que los astronautas no tienen peso, no es así porque a pesar de la distancia son atraídos a la Tierra por la fuerza de gravedad.

ACTIVIDAD

PARA AVERIGUAR

¿Tiene el aire masa y peso?

1. Infla dos globos hasta que tengan el mismo tamaño.

2. Asegura cada globo en una punta de una regla métrica.

3. Ata un cordel en el centro de la regla. Sostén la regla para que los globos queden a la misma altura. Si los globos son del mismo tamaño, el metro se mantendrá horizontal.

4. Pincha uno de los globos. ¿Qué pasa?

■ Usa los resultados de tu experimento para determinar si el aire tiene masa y/o peso.

Figura 2–9 *Aunque hablemos de los astronautas como "faltos de peso," en realidad no lo son. En tierra, este astronauta nunca hubiera podido levantar un pesado satélite de comunicaciones. Pero pudo hacerlo con facilidad mientras flotaba en el espacio. ¿Podrías explicar por qué?*

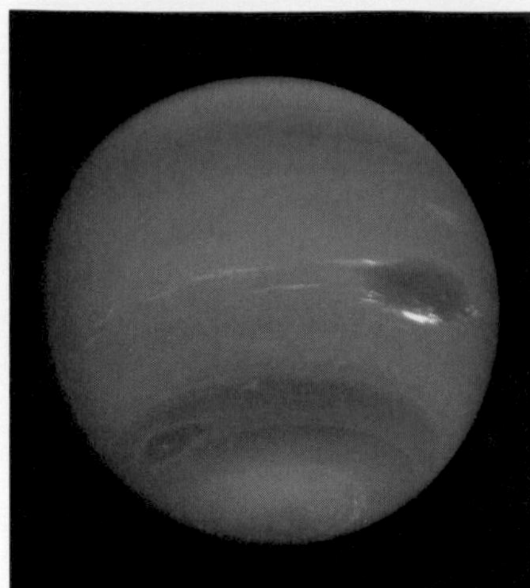

Figure 2–10 *The mass of planet Neptune is much greater than that of Earth, while the moon's mass is only about one eightieth that of Earth. How would your weight on Neptune compare with your weight on Earth? On the moon? Is the same true of your mass?*

Calculating Density, p.104

are still being pulled toward the Earth by the force of gravity.

As you just read, the strength of the gravitational force changes with distance. But it also changes depending on mass. An object with a large mass, such as the Earth, exerts a strong gravitational force on other objects. (Which is why you remain rooted to the ground and don't float off into space.) But any object with mass exerts a gravitational force—and that includes you! There is actually a gravitational force of attraction between you and this textbook. But don't worry, the book will not come flying at you as a result of gravity. Why? Your mass is much too small.

We tend to think of the Earth as being extremely large. But as objects in space go, the Earth is not so big. The mass of the planet Jupiter is more than 317 times that of Earth. If you could stand on Jupiter, you would find that your weight would be 317 times greater than your weight on Earth. The mass of the moon is about one eightieth that of the Earth. How would your weight on the moon compare with your weight on Earth?

It should be clear to you by now that mass remains a constant, but weight can change. The amount of matter in an object does not change regardless of where the object is located. But the weight of an object can change due to its location.

Density

Sometimes scientists need to compare substances based on their mass and volume. The relationship between mass and volume is called **density.**

Density is defined as the mass per unit volume of a substance. That may sound complicated, but it really isn't. Perhaps the following formula, which shows the relationship between density, mass, and volume, will help:

$$\textbf{Density} = \frac{\textbf{Mass}}{\textbf{Volume}}$$

Suppose a substance has a mass of 10 grams and a volume of 10 milliliters. If you divide the mass of

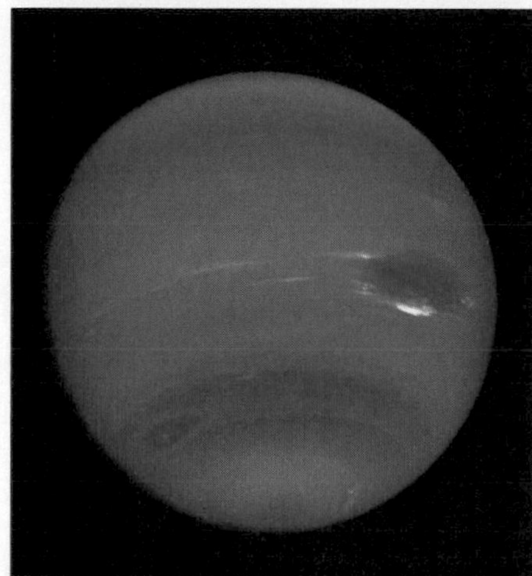

Figura 2–10 *La masa del planeta Neptuno es mucho mayor que la de la Tierra, pero la masa de la luna es sólo un octogésimo de la masa de la Tierra. ¿Cómo sería tu peso en Neptuno comparado con lo que pesas en la Tierra? ¿Y en la luna? ¿Pasa lo mismo con tu masa?*

La fuerza de gravedad no sólo cambia de acuerdo a la distancia, también cambia de acuerdo con la masa. Un objeto que tiene una gran masa, tal como la Tierra, ejerce una fuerza de gravedad enorme sobre otros objetos. (Por eso es que permaneces sujeto a la tierra y no estás flotando por el espacio.) Como tú tienes masa, también ejerces esa fuerza. Hay fuerza de gravedad, por ejemplo, entre este libro y tú. Pero, ¡no te preocupes!, tu masa es muy pequeña como para que el libro se te acerque volando por el aire.

A nosotros nos parece que la Tierra es muy grande. Pero en realidad no lo es. El planeta Júpiter tiene una masa más de 317 veces mayor. En Júpiter pesarías 317 veces más que en la Tierra. La masa de la luna es sólo un octogésimo de la de la Tierra. ¿Cuánto pesarías en la luna?

La masa es constante pero el peso cambia. La cantidad de materia que tiene un objeto no cambia aunque el objeto cambie de lugar. Pero el peso de un objeto puede cambiar según el lugar donde esté.

La densidad

A veces los científicos deben comparar sustancias basándose en su masa y en su volumen. La relación entre masa y volumen se llama **densidad.**

La densidad es el volumen de masa por unidad que tiene una sustancia. Eso no es tan complicado como suena. Esta fórmula, que muestra la relación entre densidad, masa y volumen puede ayudarte a entenderlo:

$$\textbf{Densidad} = \frac{\textbf{Masa}}{\textbf{Volumen}}$$

Pozo de actividades

Cálculo de densidad, p.104

Imagina que una sustancia tiene una masa de 10 gramos y un volumen de 10 mililitros. Si divides la

10 grams by the volume of 10 milliliters, you obtain the density of the substance:

$$\frac{10\ \text{g}}{10\ \text{mL}} = \frac{1\ \text{g}}{\text{mL}}$$

As it turns out, this substance is water. The density of water is 1 g/mL. Objects with a density less than that of water will float on water. Objects with a density greater than that of water will sink. Does iron have a density less than or greater than 1 g/mL?

Figure 2–11 *To increase her density so that she can sink to the depths of the sea bottom, this scuba diver wears a belt of lead weights.*

Temperature

In the metric system, temperature is measured on the **Celsius** scale. On this temperature scale, water freezes at 0°C and boils at 100°C. This is not an accident. The metric system of temperature was set up in such a way that there are exactly 100 degrees between the freezing point and boiling point of water. (Remember the metric system is based on units of 10.) Normal body temperature is 37°C. Comfortable room temperature is about 21°C.

Dimensional Analysis

You now know the basic units of measurement in the metric system. But there is still one more thing you must learn—how to go from one unit to another. The skill of converting one unit to another is called **dimensional analysis.** Dimensional analysis involves determining in what units a problem is

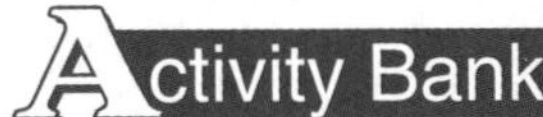

Dazzling Displays of Densities, p.106

Figure 2–12 *You can see by the way this lizard walks lightly across the hot desert sands that temperature has an effect on almost all living things. Scientists measure temperature in degrees Celsius.*

masa por el volumen, obtienes la densidad de la sustancia:

$$\frac{10\ \mathbf{g}}{10\ \mathbf{mL}} = \frac{1\ \mathbf{g}}{\mathbf{mL}}$$

Esa sustancia es el agua. La densidad del agua es de 1 g/mL. Los objetos que tienen una densidad menor que el agua flotan. Los objetos que tienen una densidad mayor se hunden. ¿Tiene el hierro mayor o menor densidad que 1 g/mL?

Figura 2–11 *Esta buceadora usa un cinturón de pesas de plomo para aumentar su densidad. Así podrá hundirse en las profundidades del océano.*

La temperatura

En el sistema métrico, la temperatura se mide en la escala **Celsio.** En esta escala, la temperatura se congela a 0°C y hierve a 100°C. No es una casualidad. El sistema métrico de temperatura fue creado de tal manera que hay exactamente 100 grados entre el punto de congelación y el de ebullición del agua. (Recuerda que el sistema métrico está basado en unidades de 10.) La temperatura normal del cuerpo humano es de 37°C. Una temperatura ambiente confortable es de más o menos 21°C.

El análisis dimensional

Ya has aprendido las unidades básicas de medida del sistema métrico. Pero hay algo más que te falta aprender: cómo pasar de una unidad a otra. El **análisis dimensional** sirve para convertir una unidad en otra. Eso implica determinar en qué unidades se presenta un problema, en qué unidades deberá

Pozo de actividades

Despliegue de densidades, p. 106

Figura 2–12 *Puedes ver por la manera en que se desliza esta lagartija sobre las calientes arenas del desierto cómo la temperatura influye en casi todas las cosas vivas. Los científicos miden la temperatura en grados Celsio.*

given, in what units the answer should be, and the factor to be used to make the conversion from one unit to another. Keep in mind that you can only convert units that measure the same thing. That is, no matter how hard you try, you cannot convert length in kilometers to temperature in degrees Celsius.

To perform dimensional analysis, you must use a **conversion factor.** A conversion factor is a fraction that *always* equals 1. For example, 1 kilometer equals 1000 meters. So the fraction 1 kilometer/1000 meters equals 1. You can flip the conversion factor and it still equals 1: 1000 meters/1 kilometer equals 1.

In any fraction, the top number is called the numerator. The bottom number is called the denominator. So in a conversion fraction the numerator always equals the denominator and the fraction always equals 1.

This is probably beginning to sound a lot more complicated than it actually is. Let's see how it all works by using an example. Suppose you are told to convert 7500 grams to kilograms. This means that grams are your given unit and you are to convert grams to kilograms. (Your answer must be expressed in kilograms.) The conversion factor you choose must contain the relationship between grams and kilograms that has a value of 1. You have two possible choices:

$$\frac{\textbf{1000 grams}}{\textbf{1 kilogram}} = 1 \quad \text{or} \quad \frac{\textbf{1 kilogram}}{\textbf{1000 grams}} = 1$$

To convert one metric unit to another, you must multiply the given quantity times the conversion factor. Remember that multiplying a number by 1 does not change the value of the number. So multiplying by a conversion factor does not change the value of the quantity, only its units.

Now, which conversion factor should you use to change 7500 grams to kilograms? Since you want the given unit to cancel out during multiplication, you should use the conversion whose denominator has the same units as the units you wish to convert. Because you are converting grams into kilograms, the denominator of the conversion factor you use must be in grams and the numerator in kilograms.

CAREERS

Science Editor

The staff of a national science magazine has decided to do a series of articles on important advances in science. Choosing topics for scientific articles is part of the job of **science editors.** Science editors must also select the writers who prepare the stories, and then review those stories. This may involve rewriting, correcting errors, and preparing the material for printing. The editors may also select drawings, photos, or charts to be included with the story.

Editorial opportunities are available with book, magazine, and newspaper publishers, as well as with broadcasting companies. To learn more about a career in science editing, write to The Newspaper Fund, Inc., PO Box 300, Princeton, NJ 08540.

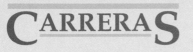

CARRERAS

Editor(a) de Ciencias

Una revista de ciencias decide publicar una serie de artículos sobre adelantos científicos. Parte del trabajo de un **editor de ciencias** es escoger los temas de los artículos. Debe también seleccionar a los autores de los artículos y revisar lo que escriben. A veces debe reescribir, corregir errores y preparar el material para la imprenta. Los editores además eligen dibujos, fotos o tablas para ilustrar los artículos.

Se encuentra este tipo de trabajo en las editoriales de libros, revistas o periódicos y también en las empresas de radio o televisión. Si te interesa, escribe a The Newspaper Fund, Inc., PO Box 300, Princeton, NJ 08540.

expresarse la respuesta, y el factor a usar para la conversión. Sólo se pueden convertir unidades de medida equivalentes. Por mucho que trates, te será imposible convertir longitud en kilómetros a temperatura en grados Celsio.

Para realizar un análisis dimensional, debes usar un **factor de conversión**. Ese factor es una fracción que *siempre* es igual a 1. Por ejemplo: 1 kilómetro es igual a 1000 metros. La fracción 1 kilómetro/1000 metros es igual a 1. Aunque inviertas el orden, es igual a 1: 1000 metros/1 kilómetro es igual a 1.

En cualquier fracción el número de arriba es el numerador y el de abajo es el denominador. En una fracción de conversión el numerador siempre es igual al denominador y la fracción siempre es igual a 1.

No es tan complicado como parece. Por ejemplo, debes convertir 7500 gramos a kilogramos. (La respuesta debe ser en kilogramos.) El factor de conversión que escojas debe contener una relación entre gramos y kilogramos cuyo valor sea 1. Tienes dos posibilidades:

$$\frac{\textbf{1000 gramos}}{\textbf{1 kilogramo}} = 1 \quad \text{o} \quad \frac{\textbf{1 kilogramo}}{\textbf{1000 gramos}} = 1$$

Para convertir de una unidad métrica a otra, se debe multiplicar la cantidad dada por el factor de conversión. Al multiplicar un número por 1 el valor del número no cambia. Al multiplicar por el factor de conversión el valor de la cantidad no cambia, sólo cambian las unidades.

¿Qué factor de conversión tendrías que usar para cambiar 7500 gramos a kilogramos? Debes usar una fracción cuyo denominador tenga las mismas unidades a las que vas a convertir. Como vas a convertir gramos en kilogramos, el denominador del factor de conversión que uses debe estar expresado en gramos y el numerador en kilogramos.

The first step in dimensional analysis, then, is to write out the given quantity, the correct conversion factor, and a multiplication symbol between them:

$$7500 \text{ grams} \times \frac{1 \text{ kilogram}}{1000 \text{ grams}}$$

The next step is to cancel out the same units:

$$7500 \text{ grams} \times \frac{1 \text{ kilogram}}{1000 \text{ grams}}$$

The last step is to multiply:

$$7500 \times \frac{1 \text{ kilogram}}{1000} = \frac{7500 \text{ kilograms}}{1000}$$

$$\frac{7500 \text{ kilograms}}{1000} = 7.5 \text{ kilograms}$$

Dimension Convention

You have been selected as your school's representative to the International Dimension Convention. The purpose of the convention is to select the dimensional analysis champion. In order to help you bring home the trophy, your classmates have developed the following problems for you to solve. Keep in mind that the champion will be determined on both speed and accuracy.

Making Conversions

1. Two friends are training for the track team. One friend runs 5000 meters each morning. The other friend runs about 3 kilometers. Which friend is training the hardest?

2. Data from several experiments have been sent to you for analysis. To compare the data, however, you must convert the following measurements to the same units.

20 kilograms
700 grams
0.004 kilograms
300 milligrams

3. Your cat's bowl holds 0.25 liter. You have about 300 cubic centimeters of milk. Will all the milk fit in the bowl?

4. A recipe calls for 350 grams of flour. You have used 0.4 kilogram. Did you put in too much, too little, or just the right amount?

El primer paso en el análisis dimensional es escribir la cantidad dada, el factor de conversión apropiado, y un signo de multiplicación entre los dos:

$$\textbf{7500 gramos} \times \frac{\textbf{1 kilogramo}}{\textbf{1000 gramos}}$$

El paso siguiente es anular las unidades iguales:

$$\textbf{7500 } \cancel{\textbf{gramos}} \times \frac{\textbf{1 kilogramo}}{\textbf{1000 } \cancel{\textbf{gramos}}}$$

El último paso es multiplicar:

$$\textbf{7500} \times \frac{\textbf{1 kilogramo}}{\textbf{1000}} = \frac{\textbf{7500 kilogramos}}{\textbf{1000}}$$

$$\frac{\textbf{7500 kilogramos}}{\textbf{1000}} = \textbf{7.5 kilogramos}$$

Congreso de Dimensiones

Has sido seleccionado para representar a tu escuela en el Congreso de Dimensiones donde van a dar un premio de análisis dimensional. Lo obtendrá quien resuelva los problemas con más rapidez y precisión. Aquí tienes algunos problemas para practicar:

Conversiones

1. Dos amigos se están entrenando para participar en una carrera. Uno corre 5000 metros por día. El otro corre 3 kilómetros. ¿Cuál de los dos practica más?

2. Debes analizar datos de varios experimentos. Para compararlos debes convertir las siguientes medidas a la misma unidad.

20 kilogramos
700 gramos
0.004 kilogramos
300 miligramos

3. En el plato de tu gato caben 0.25 litros. Tienes 300 centímetros cúbicos de leche. ¿Va a caber en el plato?

4. Debes usar 350 gramos de harina en una receta. Has usado 0.4 kilogramos. ¿Usaste mucha harina, muy poca o justo la necesaria?

2–1 Section Review

1. What are the basic units of length, volume, mass, weight, and temperature in the metric system?
2. Compare mass and weight.
3. On what scale is temperature measured in the metric system? What are the fixed points on this scale?
4. What metric unit of length would be appropriate for measuring the distance from the Earth to the sun? Why?

Critical Thinking—*Applying Concepts*

5. Without placing an object in water, how can you determine if it will float?

Guide for Reading

Focus on this question as you read.

- *What laboratory tools are used to measure length, mass, volume, and temperature?*

2–2 Measurement Tools

Scientists use a wide variety of tools in order to study the world around them. Some of these tools are rather complex; others are relatively simple. In Chapter 3 you will discover more about the specific tools used by Life scientists, Earth scientists, and Physical scientists.

Because all sciences involve measurement, there are certain tools of measurement used by all scientists. You too will have an opportunity to use these tools when you perform activities and laboratory investigations. **The basic laboratory tools that you will learn to use are the metric ruler, triple-beam balance, graduated cylinder, and Celsius thermometer.**

Measuring Length

The most common tool used to measure length is the metric ruler. A metric ruler is divided into centimeters. Most metric rulers are between 15 and 30 centimeters in length. Each centimeter is further divided into 10 millimeters. Figure 2–13 shows a

5 metros=500 cm

5 metros=5000 mm

1K= 1000m

5K= 5000 M

1L= 1000 mL

1 kilogramo=1000 gramos

1 gramo= 1000 milligramos

unidades metricas mas usadan,

longitud

temp.

masa

volumen

2–1 Repaso de la sección

1. ¿Cuáles son las unidades básicas de longitud, volumen, masa, peso y temperatura del sistema métrico?
2. Compara la masa y el peso.
3. ¿En qué escala se mide la temperatura en el sistema métrico? ¿Cuáles son los puntos fijos de esa escala?
4. ¿Qué unidad métrica de longitud sería apropiada para medir la distancia de la Tierra al sol? ¿Por qué?

Pensamiento crítico—*Aplicar conceptos*

5. ¿Cómo puedes saber si un objeto va a flotar sin colocarlo en el agua?

Guia para la lectura

Piensa en esta pregunta mientras leas.

▶ *¿Qué instrumentos de laboratorio se usan para medir la longitud, la masa, el volumen y la temperatura?*

2–2 Los instrumentos de medición

Los científicos usan una gran variedad de instrumentos para estudiar el mundo que los rodea. Algunos son más bien complejos; otros son bastante simples. En el Capítulo 3 aprenderás más sobre los instrumentos específicos que se usan en las distintas ramas de la ciencia.

Como todas las ciencias implican mediciones, hay ciertos instrumentos de medición comunes a todas. Tú también los vas a usar en las investigaciones de laboratorio. **Los instrumentos básicos de laboratorio que vas a aprender a usar son la regla métrica, la balanza de tres brazos, el cilindro graduado y el termómetro Celsio.**

Medición de la longitud

El instrumento más usado para medir la longitud es la regla métrica. Una regla métrica está dividida en centímetros. La mayoría tienen entre 15 y 30 centímetros de largo. Cada centímetro se divide en 10

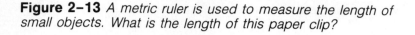

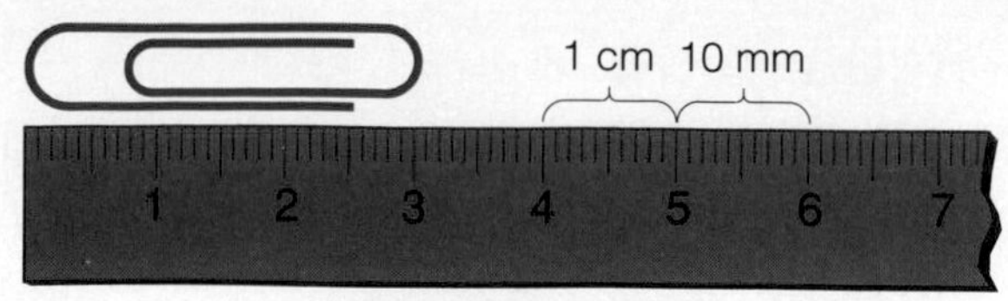

Figure 2–13 *A metric ruler is used to measure the length of small objects. What is the length of this paper clip?*

metric ruler and the centimeter and millimeter divisions.

Sometimes you will need to measure objects longer than a metric ruler. To do so, you can use a meterstick. A meterstick is 1 meter long. So there are 100 centimeters in a meterstick. How many millimeters will be marked on a meterstick? Why won't you find angstroms marked off on a meterstick?

Measuring Mass

As you just learned, the kilogram is the basic unit of mass in the metric system. A kilogram is equal to 1000 grams. Most of the measurements you will make in science will be in grams. The most common tool used to measure mass is the triple-beam balance. See Figure 2–14.

ACTIVITY DOING

Metric Measurements

Here are some measurements you can make about yourself and your surroundings. Use the metric units of length, mass, volume, and temperature. Record your measurements on a chart.

Make the following measurements about yourself:

a. Height
b. Arm length
c. Body temperature
d. Volume of water you drink in a day

Make the following measurements about your environment:

e. Outdoor temperature
f. Automobile speed limit on your street
g. Distance to school
h. Total mass of ingredients in your favorite cake or pie recipe
i. Mass of your favorite sports equipment

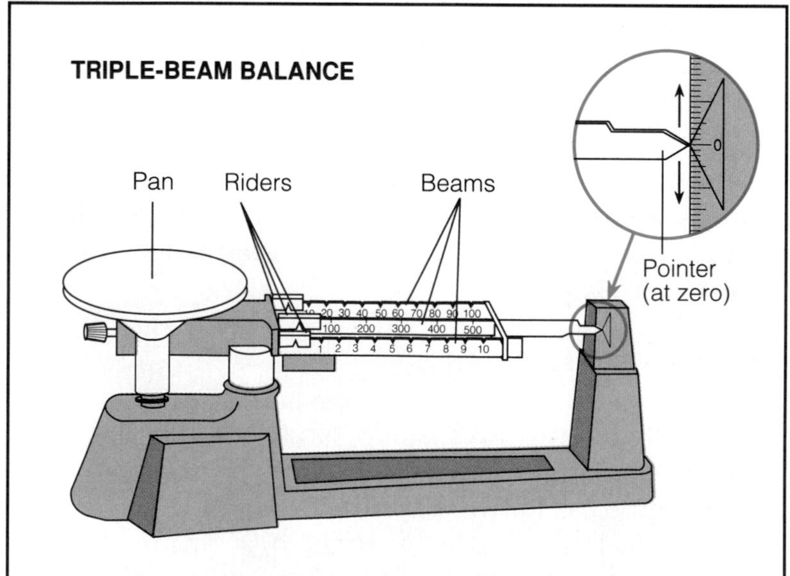

Figure 2–14 *A triple-beam balance is one of the instruments used to measure mass in grams. Can mass in kilograms be measured by a triple-beam balance? Explain your answer.*

Figura 2–13 *Una regla métrica se usa para medir el largo de objetos pequeños. ¿Cuál es el largo de esta presilla?*

milimetros. En la Figura 2–13 puedes ver una regla métrica con los centímetros y milímetros marcados.

A veces es necesario medir objetos más largos que una regla métrica. Para eso puedes usar un metro. Un metro tiene un metro de largo. Hay 100 centímetros en un metro. ¿Cuántos milímetros habrá? ¿Por qué no están los angstroms marcados en un metro?

Medición de la masa

Sabes ya que un kilogramo es la unidad básica de masa en el sistema métrico. Hay 1000 gramos en un kilogramo. La mayoría de las medidas que deberás hacer son en gramos. El instrumento más usado para medir la masa es la balanza de tres brazos. Véase la Figura 2–14.

ACTIVIDAD PARA HACER

Mediciones métricas

Mídete y mide las cosas que te rodean. Usa las unidades métricas de longitud, masa, volumen y temperatura. Anota las medidas en una tabla.

Mídete a ti mismo:

a. Altura

b. Largo de brazo

c. Temperatura del cuerpo

d. Cantidad de agua que bebes por día

Mide las cosas que te rodean:

e. Temperatura exterior

f. Límite de velocidad en tu calle

g. Distancia a la escuela

h. Masa total de ingredientes en tu torta o pastel preferido

i. Masa de tu equipo para practicar deportes

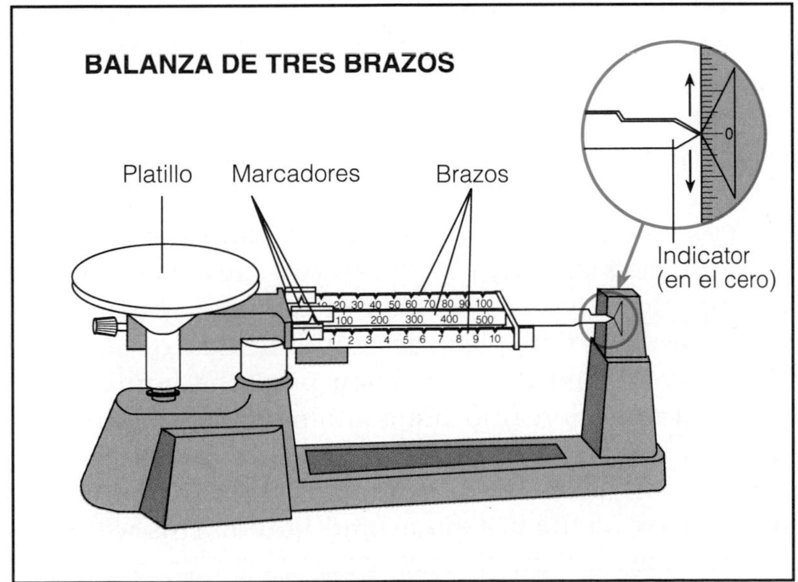

Figura 2–14 *Una balanza de tres brazos es uno de los instrumentos usados para medir la masa en gramos. ¿Puede medir esta balanza la masa en kilogramos? Explica tu respuesta.*

Figure 2–15 *A triple-beam balance is used to determine the mass of an object. What is the mass of the solid?*

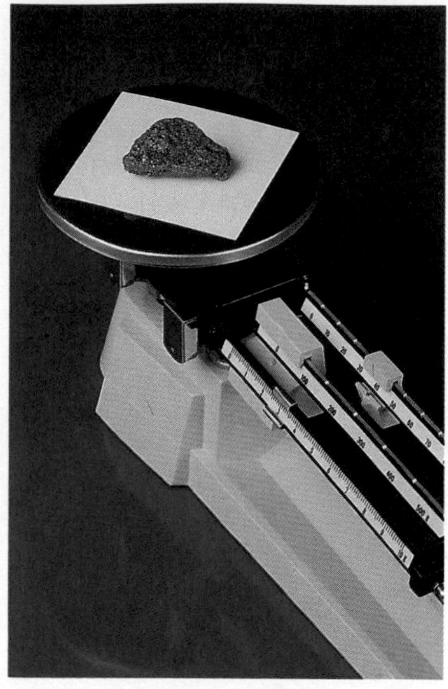

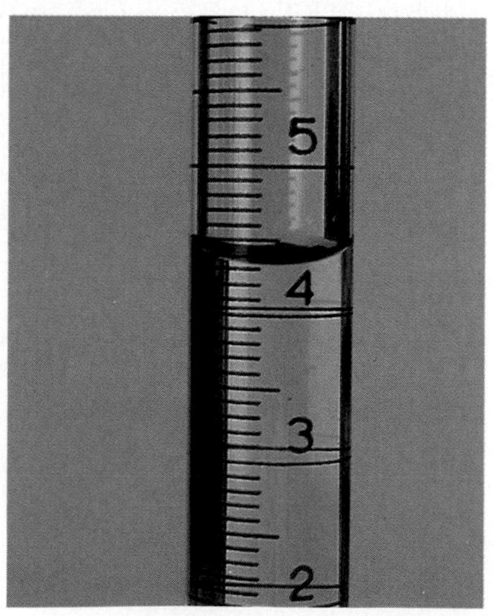

Figure 2–16 *A graduated cylinder is used to measure volume. To get an accurate measurement, where should you read the markings on the graduated cylinder?*

On the basis of its name, you probably guessed that a triple-beam balance has three beams. Each beam is marked in grams. The front beam is the 10-gram beam. Markings divide the front beam into 10 segments of 1 gram each. On some triple-beam balances, each 1-gram segment is further divided into units of one-tenth gram. The middle beam, often called the 500-gram beam, is divided into 5 segments of 100 grams each. The back beam, or 100-gram beam, is divided into 10 segments of 10 grams each. Based on this information, what is the largest mass you can measure on a triple-beam balance?

To measure the mass of a solid, such as a small pebble, you should follow these steps. First, place the pebble on the flat pan of the balance. Then slide the rider on the middle beam notch by notch until the pointer drops below zero. Move this rider back one notch. Next, slide the rider on the back beam notch by notch until the pointer drops below zero. Move this rider back one notch. Finally, move the rider on the front beam notch by notch until the pointer points exactly to the zero mark. The mass of the object is equal to the sum of the readings on the three beams.

If you want to find the mass of a powder or of crystals, you will have to place the sample on a sheet of filter paper on top of the pan. You must never place such a sample directly on the pan itself. The mass of the filter paper must first be determined. Once this is done, you can pour the sample onto the filter paper and find the mass of the filter paper and sample combined. Finally, by subtracting the mass of the filter paper from the combined mass of the filter paper and sample, you will get the mass of the sample.

You can use a similar method to find the mass of a liquid. As you might imagine, you must never pour a liquid directly onto the pan of the triple-beam balance. Instead, first place an empty beaker or flask on the pan and find its mass. Then pour the liquid into the container and find the combined mass of the liquid and the container. Now it is a simple process to subtract the mass of the container from the combined mass of the container and liquid. This will give you the mass of the liquid.

Figura 2–15 *Una balanza de tres brazos sirve para determinar la masa de un objeto. ¿Cuál es la masa del sólido?*

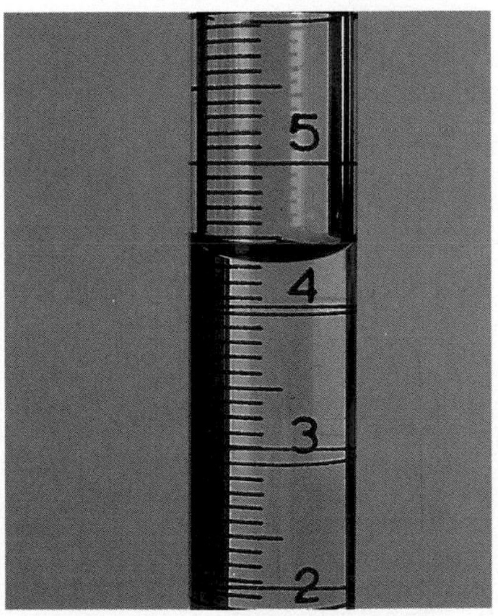

Figura 2–16 *Un cilindro graduado sirve para medir el volumen. Para obtener una medida precisa, qué marcas del cilindro deberás considerar?*

Por supuesto, una balanza de tres brazos tiene tres brazos. Cada brazo tiene los gramos marcados. El del frente es el de 10 gramos. Está dividido en 10 segmentos de 1 gramo cada uno. En algunas balanzas, cada segmento está dividido además en unidades de un décimo de gramo. El del medio, que a menudo se llama brazo de 500 gramos, está dividido en 5 segmentos de 100 gramos cada uno. El de atrás, o brazo de 100 gramos, está dividido en 10 segmentos de 10 gramos cada uno. ¿Cuál será la masa más grande que podrás medir usando una de estas balanzas?

Para medir la masa de un sólido, como la de una piedra pequeña, debes seguir estos pasos. Primero, coloca la piedra en el platillo de la balanza. Después, desliza el marcador del brazo del medio hasta que el indicador esté debajo del cero. Mueve el marcador para atrás hasta la muesca anterior. Procede de la misma forma con el marcador del brazo de atrás. Finalmente, desliza el marcador del brazo del frente hasta que el indicador esté exactamente en el cero. La masa del objeto es igual al total de la suma indicada por los tres brazos.

Si quieres averiguar la masa de un polvo o de cristales, deberás ponerlos sobre el platillo en un papel de filtro. Esa clase de muestras no se puede poner nunca directamente sobre el platillo. Lo que debes hacer es determinar primero la masa del papel de filtro. Después, pones la muestra sobre el papel y determinas la masa combinada del papel y de la muestra. Finalmente, restas la masa del filtro del total de la masa. Obtienes así la masa de la muestra.

Puedes usar un método similar para averiguar la masa de un líquido. No debes nunca vertir un líquido directamente sobre el platillo. Primero, usando la balanza, averiguas la masa de una cubeta o recipiente. Luego, pones el líquido en el recipiente y determinas la masa total. A ese total le restas la masa del recipiente. El resultado es la masa del líquido.

Measuring Volume

As you know, the liter is the basic unit of volume in the metric system. However, most of the measurements you will make in science will be in milliliters or cubic centimeters. Recall that 1 milliliter equals 1 cubic centimeter.

To find the volume of a liquid, scientists use a graduated cylinder. See Figure 2–16. A graduated cylinder is marked off in 1-milliliter segments. Each line on a graduated cylinder is 1 milliliter. To measure the volume of a liquid, pour the liquid into a graduated cylinder. You will notice that the top surface of the liquid is curved. To determine the volume of the liquid, read the milliliter marking at the bottom of the curve. (This curve is called the meniscus.) Suppose a liquid has a volume of 10 mL. How many cubic centimeters is this?

To find the volume of a solid that is rectangular in shape, you will use a metric ruler. A rectangular solid is often called a regular solid. The volume of a regular solid is determined by multiplying the length of the solid times the width times the height. The formula you can use to find the volume of a regular solid is:

Volume = length times width times height

or

$$\mathbf{v = l \times w \times h}$$

As you might expect, most of the solids you will measure will not be regular solids. Such solids are called irregular solids. Because the solid has an irregular shape, you cannot measure its length, width, or height. Are you stuck? Not really.

To determine the volume of an irregular solid, you will go back to the graduated cylinder. First fill the cylinder about half full with water. Record the volume of the water. Then carefully place the solid in the water. Record the volume of the solid and water combined. Subtract the volume of the water from the combined volume of the water and solid. The result will be the volume of the irregular solid. What units should you use for your answer?

How Good Is Your Guess?

Guess the metric measurements of each of the following items. Be sure to use the correct units.

a. Temperature of your classroom

b. Length of a paper clip

c. Mass of a penny

d. Distance from your classroom to the cafeteria

e. Volume of a paper cup

f. Volume of a shoebox

Now use the appropriate scientific tools to measure each item.

How good were your guesses?

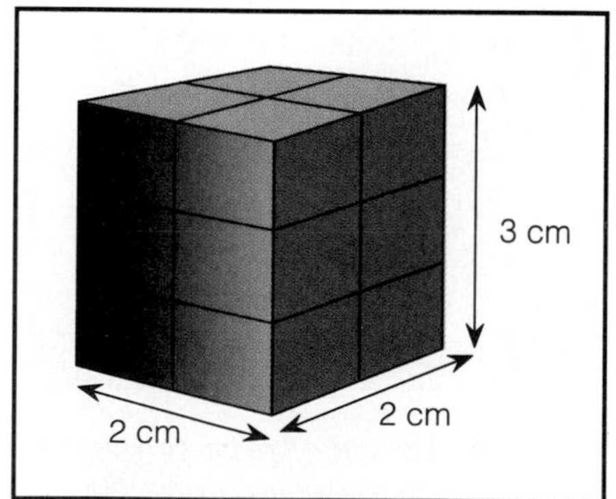

Figure 2–17 *What is the volume of this rectangular block in cubic centimeters?*

Medición del volumen

Ya sabes que el litro es la unidad básica de volumen del sistema métrico. Sin embargo, la mayoría de las mediciones que tomarás en ciencias serán en mililitros o centímetros cúbicos. Recuerda que 1 mililitro es igual a 1 centímetro cúbico. Para averiguar el volumen de un líquido, los científicos usan un cilindro graduado. Mira la Figura 2–16. Un cilindro graduado está marcado en segmentos de un mililitro. Cada línea es 1 mililitro. Para medir el volumen de un líquido, viértelo en un cilindro graduado. Observa que la superficie superior del líquido es curva. Para determinar el volumen del líquido, lee la marca en mililitros en la base de la curva. (Esta curva se llama menisco.) Si un líquido tiene un volumen de 10 mL. ¿Cuántos centímetros cúbicos tiene?

Para averiguar el volumen de un sólido de forma rectangular, deberás usar una regla métrica. Un sólido rectangular se llama también sólido regular. El volumen de un sólido regular se determina multiplicando la longitud del sólido por el ancho por la altura. La fórmula es:

Volumen = longitud por ancho por altura

o

$$v = l \times a \times h$$

La mayoría de los sólidos que vas a medir no son regulares sino irregulares. Como su forma es irregular, no podrás medir ni su longitud ni su ancho ni su altura. ¿Qué vas a hacer?

Para determinar el volumen de un sólido irregular, deberás usar el cilindro graduado. Primero, llena el cilindro con agua hasta la mitad. Registra el volumen del agua. Luego, pon el sólido en el agua. Registra el volumen total del sólido y del agua. Resta el volumen del agua del volumen total. El resultado es el volumen del sólido irregular. ¿Qué unidades vas a usar en la respuesta?

ACTIVIDAD PARA PENSAR

A ver si aciertas

Calcula mentalmente la medida métrica aproximada de estas cosas. No te olvides de usar las unidades apropiadas.

a. La temperatura de la sala de clase.

b. El largo de una presilla.

c. La masa de un penique.

d. La distancia de tu clase a la cafetería.

e. El volumen de un vaso de papel.

f. El volumen de una caja de zapatos.

Ahora, usa los instrumentos científicos apropiados para medirlas.

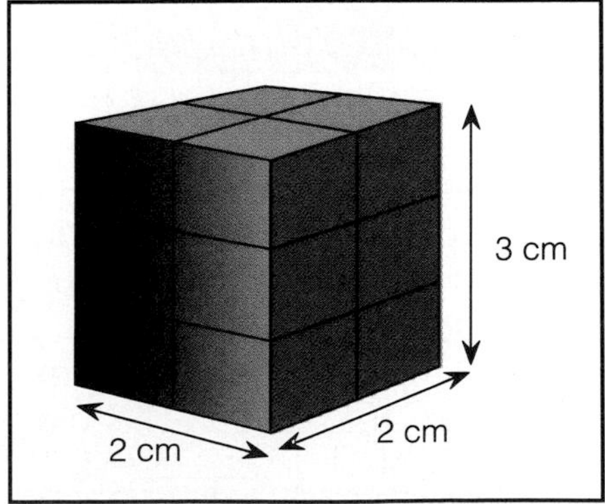

Figura 2–17 *¿Cuál será el volumen de este sólido rectangular en centímetros cúbicos?*

Figure 2–18 *A Celsius thermometer is used to measure temperatures such as those experienced by a polar bear in Alaska. What is the temperature of the ice-water mixture in the beaker?*

Measuring Temperature

You already know that temperature is measured with a thermometer. In the laboratory you will use a Celsius thermometer for temperature measurements. Each segment on a Celsius thermometer is equal to 1 degree Celsius. Many Celsius thermometers go as low as −25° so that temperatures below the freezing point of water (0°) can be measured.

Within the glass tube of a Celsius thermometer is a colored liquid. The liquid is usually mercury or alcohol. In order to measure the temperature of a substance, place the thermometer in the substance. The liquid in the thermometer will begin to change level (go up or go down). Wait until the liquid stops changing level. Then read the number next to the mark on the thermometer that lines up with the top of the liquid. This number is the temperature of the substance.

ACTIVITY
CALCULATING

Metric Conversions

Use conversion factors to make the following metric conversions. *Do not write in this book.*

10 m = ________ km
2 km = ________ cm
250 mL = ________ L
2000 g = ________ kg
10 kg = ________ mg
1500 cc = ________ L

2–2 Section Review

1. Identify the instruments used to measure length, mass, volume, and temperature.
2. Each side of a regular solid is 5 centimeters long. What is the volume of the solid?

Critical Thinking—*Relating Concepts*

3. If you want to find the density of an irregular object, what tools will you need? How will you go about making this measurement?

Figura 2–18 *El termómetro Celsio se usa para medir temperaturas como la que siente este oso polar en Alaska. ¿Cuál es la temperatura de la mezcla de agua y hielo de la cubeta?*

La medición de la temperatura

Ya sabes que la temperatura se mide con un termómetro. En el laboratorio vas a usar un termómetro Celsio para medirla. Cada segmento de un termómetro Celsio es igual a 1 grado Celsio. Para poder medir temperaturas menores que el punto de congelación del agua (0°), muchos termómetros Celsio llegan hasta los –25°.

Dentro del tubo de vidrio de un termómetro Celsio hay un líquido coloreado, generalmente mercurio o alcohol. Para medir la temperatura de una sustancia, coloca el termómetro en esa sustancia. El líquido del termómetro va a ir cambiando de nivel (subirá o bajará). Espera hasta que no se mueva más. Luego, lee el número del termómetro que coincida con la parte superior del líquido. Ese número es la temperatura de la sustancia.

ACTIVIDAD
PARA CALCULAR

Conversiones métricas

Usa factores de conversión para hacer estas conversiones métricas. *No escribas en el libro.*

10 m = ________ km

2 km = ________ cm

250 mL = ______ L

2000 g = _______ kg

10 kg = ________ mg

1500 cc = ______ L

2–2 Repaso de la sección

1. Menciona los instrumentos que se usan para medir la longitud, la masa, el volumen y la temperatura.
2. Cada lado de un sólido regular tiene 5 centímetros de largo. ¿Cuál es su volumen?

Pensamiento crítico—*Relacionar conceptos*

3. ¿Qué instrumentos necesitarás para averiguar la densidad de un objeto irregular? ¿Qué pasos seguirás para hacer esta medición?

CONNECTIONS

Elbows to Fingertips

Have you complained to your teacher yet that you do not like the metric system? If so, perhaps you should read about some ancient systems of measurement. You might just decide that the metric system makes a lot of sense.

The Egyptians: The Egyptians are credited with having developed the most widespread system of measuring length in the ancient world. Developed around 3000 BC, the Egyptian standard of measurement was the *cubit.* The cubit was based on the length from the elbow to the fingertips. The cubit was further divided into *digits* (the length of a finger), *palms,* and *hands.* As you can see, body parts were the basis for most measurements.

The cubit may not seem like a very accurate measurement as the length of an arm varies from person to person. To avoid any confusion, a standard cubit made of granite was developed. All cubit sticks used in Egypt were measured against the standard granite cubit. And while this may not seem all that precise, the Egyptians built the great pyramids with incredible accuracy using the cubit!

The Greeks and Romans: Around 1000 BC, the Greeks developed a new system of measuring length. The basic unit of measurement was called the *finger* (again, body parts were popular). Sixteen fingers equaled a *foot* in the Greek system. Over time the influence of the Greeks diminished and the Romans became the dominant culture in the ancient world. The Romans adjusted the Greek system and divided the Greek foot into twelve *inches.* (Although the lengths have changed, we still use feet and inches in the United States.) The Romans then decided that five foots equaled a *pace.* And finally, one thousand paces equaled what they called a *mile.*

So the next time you are asked to measure something in meters or centimeters, remember—it could be worse. You could have to measure the distance from one place to another by placing your arm down over and over again.

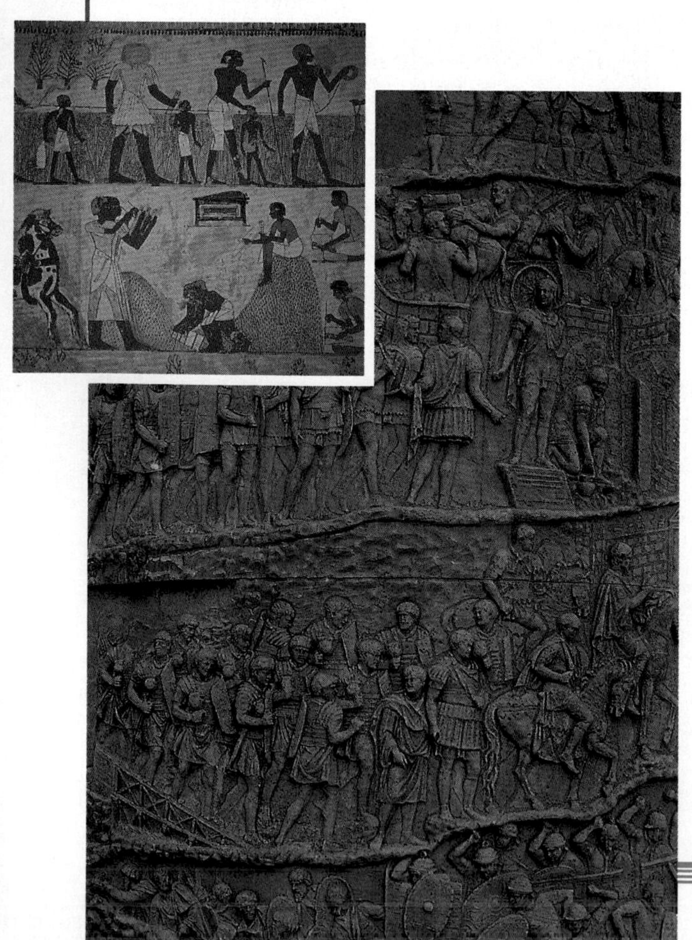

CONEXIONES

Desde el codo hasta la punta de los dedos

¿Te parece horrible el sistema métrico? Tal vez lo puedas apreciar más al leer un poco sobre los sistemas de medidas que se usaban en la antigüedad.

Los egipcios: A los egipcios se les debe el sistema de longitud más empleado en tiempos antiguos. La unidad de medida, creada alrededor del año 3000 aC, era el *codo*. El codo estaba basado en la longitud desde el codo hasta la punta de los dedos. El codo estaba dividido en *dedos* (el largo de un dedo), *palmas* y *manos*. Como puedes ver, la mayoría de las medidas estaban basadas en partes del cuerpo.

Como el codo no era una medida muy precisa se creó un codo estándar hecho de granito. Todas las reglas de Egipto debían conformarse a ese codo. Y aunque esto no parezca un ejemplo de precisión, siguiendo el codo ¡los egipcios edificaron las pirámides con una exactitud admirable!

Los griegos y los romanos: Alrededor del año 1000 aC, los griegos diseñaron otro sistema para medir la longitud. La unidad básica de medida era el *dedo* (las partes del cuerpo seguían gozando de popularidad). En ese sistema dieciséis dedos equivalían a un *pie.* Con el tiempo la influencia de los griegos disminuyó y se impuso la cultura romana. Los romanos adaptaron el sistema griego y dividieron el pie griego en doce *pulgadas.* (Los pies y las pulgadas se usan todavía en los Estados Unidos, aunque su longitud es otra.) Los romanos determinaron luego que cinco pies equivalían a un *paso.* Mil pasos equivalían a lo que ellos llamaban una *milla.*

Así que la próxima vez que tengas que medir algo en metros o centímetros, piensa que podría ser peor. ¡Imagínate lo que sería tener que medir todo con el brazo!

Laboratory Investigation

Uncertainty of Measurements

Problem

How accurately can matter be measured?

Materials *(per station)*

Station 1:	meterstick
Station 2:	metric ruler regular object
Station 3:	graduated cylinder beaker with colored liquid
Station 4:	triple-beam balance small pebble
Station 5:	graduated cylinder beaker of water irregular object
Station 6:	Celsius thermometer beaker with ice and water paper towel

Procedure

1. Station 1: Use the meterstick to measure the length and width of the desk or lab table. If the table is irregular, measure the shortest width and the longest length. Express your measurements in centimeters.
2. Station 2: Use the metric ruler to find the volume of the regular object. Express the volume in cubic centimeters.
3. Station 3: Use the graduated cylinder to find the volume of the colored liquid in the beaker. Then pour the liquid back into the beaker. Express your measurement in milliliters.
4. Station 4: Place the pebble on the pan of the triple-beam balance. Move the riders until the pointer is at zero. Record the mass of the pebble in grams. Remove the pebble and return all riders back to zero.
5. Station 5: Fill the graduated cylinder half full with water. Find the volume of the irregular object. Express the volume of the object in cubic centimeters. Carefully remove the object from the graduated cylinder. Pour all of the water back into the beaker.
6. Station 6: Use the Celsius thermometer to find the temperature of the ice water. Record the temperature in degrees Celsius. Remove the thermometer and carefully dry it with a paper towel.

Observations

Your teacher will construct a large class data table for each of the work stations. Record the data from each work station in the class data table.

Analysis and Conclusions

1. Do all the class measurements have the exact same value for each station?
2. Which station had measurements that were most nearly alike? Explain why these measurements were so similar.
3. Which station had measurements that were most varied? Explain why these measurements were so varied.
4. **On Your Own** Calculate the average (mean) for the class data for each work station.

Investigación de laboratorio

Variación en las mediciones

Problema

¿Con qué precisión se puede medir la materia?

Materiales *(por puesto)*

Puesto 1:	metro
Puesto 2:	regla métrica objeto regular
Puesto 3:	cilindro graduado cubeta con líquido coloreado
Puesto 4:	balanza de tres brazos piedrecilla pequeña
Puesto 5:	cilindro graduado cubeta de agua objeto irregular
Puesto 6:	termómetro Celsio cubeta con hielo y agua toalla de papel

Procedimiento

1. Puesto 1: Mide el largo y el ancho del pupitre o de la mesa de laboratorio con el metro. Si la mesa es irregular, mide la parte menos ancha y la más larga. Expresa las medidas en centímetros.
2. Puesto 2: Averigua el volumen del objeto regular con la regla métrica. Expresa el volumen en centímetros cúbicos.
3. Puesto 3: Usa el cilindro graduado para averiguar el volumen del líquido de la cubeta. Luego, vuelve a poner el líquido en la cubeta. Expresa la medida en milímetros.
4. Puesto 4: Coloca la piedrecilla en el platillo de la balanza. Mueve los marcadores hasta que el indicador marque cero. Registra la masa de la piedrecilla en gramos. Saca la piedrecilla y lleva los marcadores de vuelta a cero.
5. Puesto 5: Llena el cilindro graduado hasta la mitad de agua. Averigua el volumen del objeto irregular. Expresa ese volumen en centímetros cúbicos. Saca el objeto del cilindro con cuidado. Vuelve a poner el agua en la cubeta.
6. Puesto 6: Con el termómetro Celsio, averigua la temperatura del agua. Anota la temperatura en grados Celsio. Saca el termómetro del agua y sécalo con la toalla de papel.

Observaciones

Habrá una gran tabla de datos para toda la clase en cada puesto. Anota los datos de cada puesto en esa tabla.

Análisis y conclusiones

1. ¿Han resultado todas las mediciones exactamente iguales en cada puesto?
2. ¿En qué puesto había menos variaciones entre las mediciones? Explica por qué esas medidas resultaron tan similares.
3. ¿En qué puesto resultaron las mediciones más variadas? Explica por qué hubo tanta variación en las mediciones.
4. **Por tu cuenta** Calcula el promedio de los datos de la clase en cada puesto.

Study Guide

Summarizing Key Concepts

2–1 The Metric System

▲ The standard system of measurement used by all scientists is the metric system.

▲ The basic unit of length in the metric system is the meter. One meter is equal to 100 centimeters or 1000 millimeters.

▲ One kilometer is equal to 1000 meters.

▲ The basic unit of mass in the metric system is the kilogram. One kilogram is equal to 1000 grams.

▲ Weight is a measure of the force of attraction due to gravity. The basic unit of weight in the metric system is the newton.

▲ Although mass is a constant, weight can change depending on location.

▲ The basic unit of volume in the metric system is the liter. One liter contains 1000 milliliters or 1000 cubic centimeters.

▲ One cubic centimeter is equal in volume to 1 milliliter.

▲ Density is defined as the mass per unit volume of an object.

▲ The basic unit of temperature in the metric system is the degree Celsius.

▲ Dimensional analysis is a method of converting from one unit to another by multiplying the given quantity by a conversion factor whose value is one.

2–2 Measurement Tools

▲ A metric ruler is used to measure length. It is divided into centimeters and millimeters.

▲ A triple-beam balance is used to measure mass.

▲ A graduated cylinder is used to find the volume of a liquid or the volume of an irregular solid.

▲ The volume of a regular solid can be determined by multiplying its length by its width by its height.

▲ A Celsius thermometer is used to measure temperature.

Reviewing Key Terms

Define each term in a complete sentence.

2–1 The Metric System

metric system
meter
centimeter
millimeter
kilometer
light-year
liter
milliliter
cubic centimeter
kilogram
gram
milligram
weight
newton
density
Celsius
dimensional analysis
conversion factor

Guía para el estudio

Resumen de conceptos claves

2–1 El sistema métrico

▲ El sistema métrico es el sistema medidas que usan los científicos.

▲ La unidad básica de longitud del sistema métrico es el metro. Un metro es igual a 100 centímetros o 1000 milímetros.

▲ Un kilómetro tiene 1000 metros.

▲ La unidad básica de masa del sistema métrico es el kilogramo. Un kilogramo tiene 1000 gramos.

▲ El peso es la medida de la fuerza de atracción que ejerce la gravedad. El newton es la unidad básica de peso del sistema métrico.

▲ Aunque la masa es constante, el peso puede variar según el lugar.

▲ La unidad básica de volumen del sistema métrico es el litro. Un litro tiene 1000 mililitros ó 1000 centímetros cúbicos.

▲ Un centímetro cúbico tiene el mismo volumen que un mililitro.

▲ La densidad es la masa del volumen de un objeto por unidad.

▲ La unidad básica de temperatura del sistema métrico es el grado Celsio.

▲ El análisis dimensional es un método de conversión de una unidad a otra: la cantidad dada se multiplica por un factor de conversión cuyo valor es uno.

2–2 Los instrumentos de medición

▲ Para medir la longitud se usa una regla métrica. Está dividida en centímetros y milímetros.

▲ Para medir la masa se usa una balanza de tres brazos.

▲ Para averiguar el volumen de un líquido o de un sólido irregular se usa un cilindro graduado.

▲ El volumen de un sólido regular se determina multiplicando la longitud por el ancho por la altura.

▲ Para medir la temperatura se usa un termómetro Celsio.

Repaso de palabras claves

Define cada palabra o palabras con una oración completa.

2–1 El sistema métrico

sistema métrico
metro
centímetro
milímetro
kilómetro
año luz
litro
mililitro
centímetro cúbico
kilogramo
gramo
miligramo
peso
newton
densidad
Celsio
análisis dimensional
factor de conversión

Chapter Review

Content Review

Multiple Choice

Choose the letter of the answer that best completes each statement.

1. The basic unit of length in the metric system is the
   a. kilometer.
   b. meter.
   c. liter.
   d. light-year.
2. A cubic centimeter is equal in volume to a
   a. kilogram.
   b. graduated cylinder.
   c. milliliter.
   d. millimeter.
3. The amount of matter in an object is called its
   a. density. c. mass.
   b. volume. d. weight.
4. Pure water freezes at
   a. 100°C. c. 0°C.
   b. 32°C. d. 10°C.
5. A graduated cylinder is divided into
   a. grams.
   b. degrees Celsius.
   c. milliliters.
   d. grams per milliliter.
6. To measure the mass of a solid, you should use a
   a. graduated cylinder.
   b. triple-beam balance.
   c. meterstick.
   d. bathroom scale.
7. Each side of a cube is 4 cm. Its volume is
   a. 16 cc. c. 16 mL.
   b. 128 cc. d. 64 cc.
8. In dimensional analysis, the conversion factor must be equal to
   a. the numerator. c. 1.
   b. the denominator. d. 10.

True or False

If the statement is true, write "true." If it is false, change the underlined word or words to make the statement true.

1. The prefix *kilo-* means <u>one-thousandth</u>.
2. The <u>liter</u> is the basic unit of volume in the metric system.
3. The force of attraction between objects is called <u>gravity</u>.
4. Your <u>weight</u> on the moon would be the same as it is on the Earth.
5. Degrees Celsius are used to measure <u>volume</u>.
6. Density is <u>volume</u> per unit <u>mass</u>.
7. The boiling <u>point</u> of water is <u>100</u>°C.
8. The amount of space an object takes up is called its <u>mass</u>.

Concept Mapping

Complete the following concept map for Section 2–1. Refer to pages A6–A7 to construct a concept map for the entire chapter.

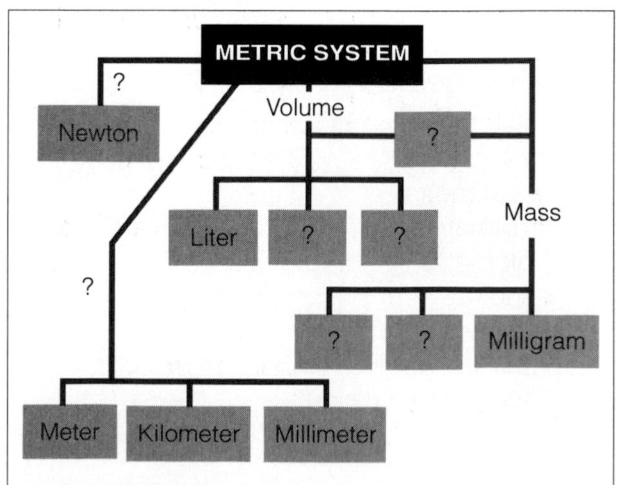

Repaso del capítulo

Repaso del contenido

Elección múltiple

Escoge la letra de la respuesta que complete mejor cada frase.

1. La unidad básica de longitud del sistema métrico es el
   a. kilómetro.
   b. metro.
   c. litro.
   d. año luz.
2. Un centímetro cúbico tiene el mismo volumen que un
   a. kilogramo.
   b. cilindro graduado.
   c. mililitro.
   d. milímetro.
3. La cantidad de materia de un objeto es su
   a. densidad.   c. masa.
   b. volumen.   d. peso.
4. El agua pura se congela a los
   a. 100°C.   c. 0°C.
   b. 32°C.   d. 10°C.
5. Un cilindro graduado está dividido en
   a. gramos.
   b. grados Celsio.
   c. mililitros.
   d. gramos por mililitro.
6. Para medir la masa de un sólido se debe usar
   a. un cilindro graduado.
   b. una balanza de tres brazos.
   c. un metro.
   d. una balanza doméstica.
7. Si cada lado de un cubo tiene 4 cm., su volumen es de
   a. 16 cc.   c. 16 mL.
   b. 128 cc.   d. 64 cc.
8. En el análisis dimensional, el factor de conversión es igual a
   a. el numerador.   c. 1.
   b. el denominador.   d. 10.

Verdadero o falso

Si la afirmación es verdadera, escribe "verdad." Si es falsa, cambia las palabras subrayadas para que sea verdadera.

1. El prefijo *kilo-* significa <u>un milésimo</u>.
2. La unidad básica de volumen del sistema métrico es el <u>litro</u>.
3. Se llama <u>gravedad</u> a la fuerza de atracción entre los objetos.
4. Tu <u>peso</u> en la luna es igual que en la Tierra.
5. Los grados Celsio se usan para medir <u>el volumen</u>.
6. La densidad es <u>el volumen</u> por <u>masa</u> de unidad.
7. El punto de ebullición del agua es <u>100</u>°C.
8. <u>Masa</u> es la cantidad de espacio que ocupa un objeto.

Mapa de conceptos

Completa el mapa de conceptos siguiente para la Sección 2–1. Para hacer un mapa de conceptos de todo el capítulo, consulta las páginas A6–A7.

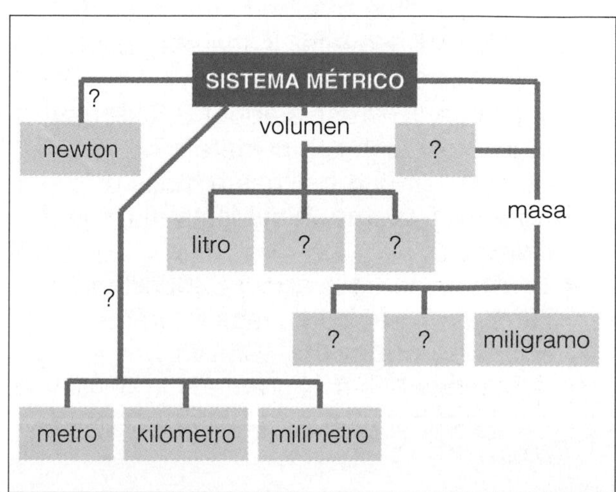

Concept Mastery

Discuss each of the following in a brief paragraph.

1. Describe the importance of a standard system of measurement.
2. Explain why mass is constant whereas weight can change.
3. Discuss the different metric units of length and explain when you might use each one.
4. Describe density in terms of mass and volume. Why is density such an important quantity?
5. Your friend wants you to convert kilograms to meters. Explain why that is not possible.
6. The Earth is about 5 billion years old. Yet some of the light that reaches Earth from distant stars began its journey before the Earth was formed. What does that tell you about the distance to those stars? Explain your answer.

Critical Thinking and Problem Solving

Use the skills you have developed in this chapter to answer each of the following.

1. **Applying concepts** What tool or tools would you use to make the following measurements? What units would you use to express your answers?
   a. Volume of a glass of water
   b. Length of a sheet of paper
   c. Mass of a liter of milk
   d. Length of a soccer field
   e. Volume of an irregular object
   f. Mass of a hockey puck
   g. Ocean temperature
2. **Making calculations** Use dimensional analysis to convert each of the following.
   a. A blue whale is about 33 meters in length. How many centimeters is this?
   b. The Statue of Liberty is about 45 meters tall. How tall is the statue in millimeters?
   c. Mount Everest is about 8.8 kilometers high. How high is it in meters?
   d. A Ping-Pong ball has a mass of about 2.5 grams. What is its mass in milligrams?
   e. An elephant is about 6300 kilograms in mass. What is its mass in grams?
3. **Relating concepts** Explain why every substance has a characteristic density, but no substance has a characteristic mass.
4. **Designing an experiment** A prospector is trying to sell you the deed to a gold mine. She gives you a sample from the mine and tells you it is pure gold. Design an experiment to determine if the sample is pure gold or "fools" gold. *Hint:* You will want to use the concept of density in your experiment.

5. **Using the writing process** Although Congress legalized the use of the metric system in 1866, its use is not required by the United States. Write a letter to the editor of your local newspaper in which you explain why the United States should or should not convert to the metric system.

Dominio de conceptos

Comenta cada uno de los puntos siguientes en un párrafo breve.

1. Habla de la importancia de un sistema estándar de medidas.
2. Explica por qué la masa es constante pero el peso puede cambiar.
3. Describe las diferentes unidades métricas de longitud y di en qué casos las usarías.
4. Describe la densidad en términos de masa y volumen. ¿Por qué es la densidad una cantidad tan importante?
5. Te piden que conviertas kilogramos a metros. Explica por qué no puede ser posible.
6. La Tierra tiene casi 5 billones de años. Aun así, la luz que llega a la Tierra de algunas de las estrellas más lejanas comenzó su viaje antes de la formación de la Tierra. ¿Qué te indica esto respecto a la distancia de esas estrellas?

Pensamiento crítico y solución de problemas

Usa las destrezas que has desarrollado en este capítulo para resolver lo siguiente.

1. **Aplicar conceptos** ¿Qué instrumento o instrumentos usarías para tomar las siguientes medidas? ¿En qué unidades expresarías las respuestas?
   a. El volumen de un vaso de agua
   b. El largo de una hoja de papel
   c. La masa de un litro de leche
   d. El largo de una cancha de fútbol
   e. El volumen de un objeto irregular
   f. La masa de un disco de hockey
   g. La temperatura del océano
2. **Hacer cálculos** Haz las conversiones siguientes usando el análisis dimensional.
   a. Una ballena azul mide cerca de 33 metros de largo. ¿Cuánto mide en centímetros?
   b. La Estatua de la Libertad tiene unos 45 metros de altura. ¿Cuánto es la altura en milímetros?
   c. El monte Everest tiene unos 8.8 kilómetros de altura. ¿Cuánto es en metros?
   d. Una pelota de ping-pong tiene una masa de unos 2.5 gramos. ¿Cuál es su masa en miligramos?
   e. Un elefante tiene aproximadamente 6300 kilogramos de masa. ¿Cuál es su masa en gramos?
3. **Relacionar conceptos** Explica por qué cada sustancia tiene una densidad determinada, pero ninguna sustancia tiene una masa determinada.
4. **Diseña un experimento** Una cateadora quiere venderte una mina de oro. Te da una muestra de la mina y te dice que es oro puro. Diseña un experimento para determinar si la muestra es oro puro o no. *Una pista:* Te vendrá muy bien usar el concepto de densidad.

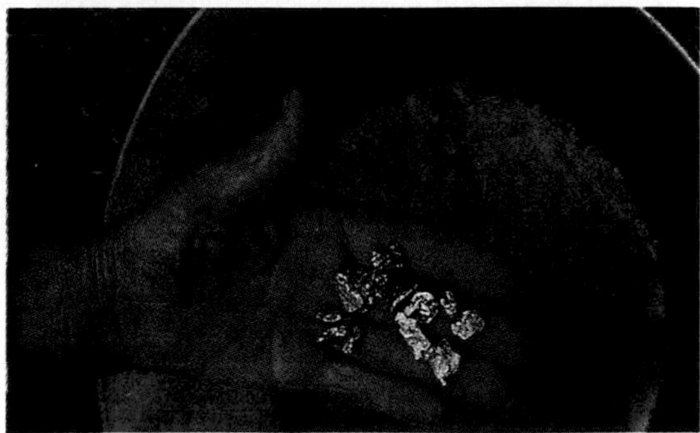

5. **Usar el proceso de la escritura** Aunque el Congreso legalizó el sistema métrico en 1866, su uso no es requerido en los Estados Unidos. Escribe una carta a un periódico exponiendo las razones en favor o en contra de la adopción de este sistema en los Estados Unidos.

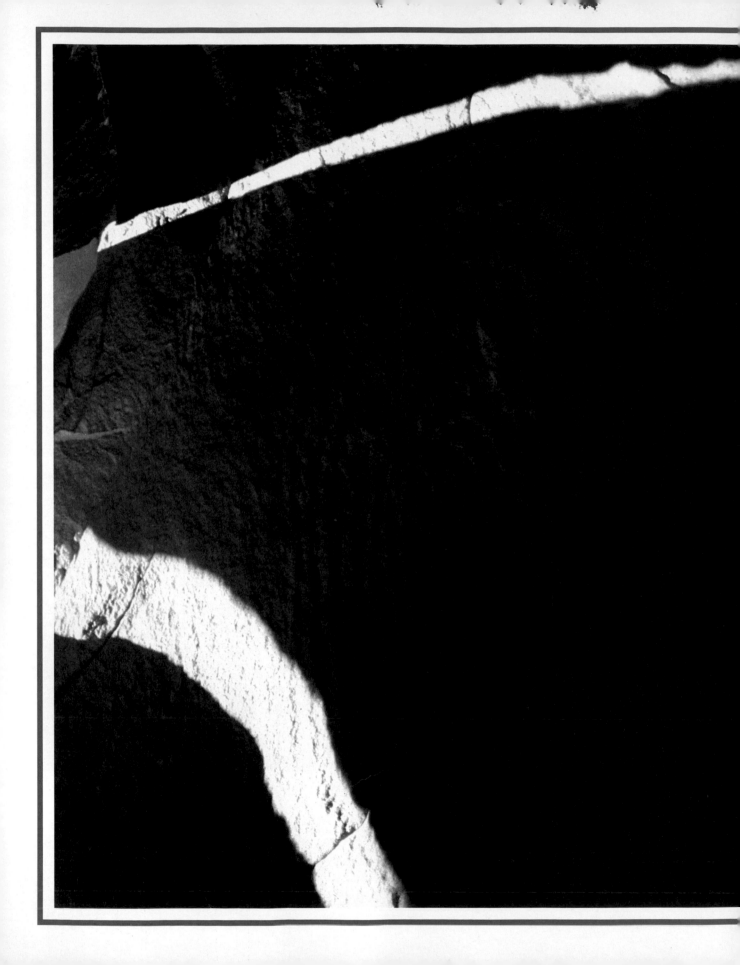

Tools and the *Sciences*

Guide for Reading

After you read the following sections, you will be able to

3–1 Exploring the Microscopic World
- Compare compound light microscopes and electron microscopes.

3–2 Exploring the Universe
- Compare refracting and reflecting telescopes.
- Relate the different types of telescopes to the electromagnetic spectrum.

3–3 Exploring the Earth
- Describe the tools used to study the Earth's oceans, crust, and atmosphere.

In the desert of northwestern New Mexico lies an interesting riddle. Two mysterious spirals are carved on a cliff wall behind three slanting stones. At noon on the first day of summer, a single ray of sunlight passes between two of the stones and strikes the larger of the two spirals through its center. At noon on the first day of spring and the first day of autumn, two rays of sunlight pass between the three stones and strike both spirals. At noon on the first day of winter, two rays of sunlight pass between the three stones and strike the large spiral on both sides. What do these spirals mean—and who carved them?

The mysterious spirals and slanting rocks are believed to be part of an astronomical observatory—a place where events in the sky were studied. Scientists think that the people who built the observatory were Anasazi Indians, who lived in the area long before Columbus discovered America.

Modern astronomers have built far more complex observatories. But although the tools of today are more advanced, the basic ways in which scientists try to solve the mysteries of nature may not be very different from those used by the Anasazi Indians. In this chapter you will learn about some of the tools used to explore the world.

Journal *Activity*

You and Your World What would it be like to live in the Southwest before the time of Columbus? Imagine you are a member of the Anasazi Indian tribe. In your journal, describe a typical day in your life.

◀ *First winter sunlight at the Anasazi observatory.*

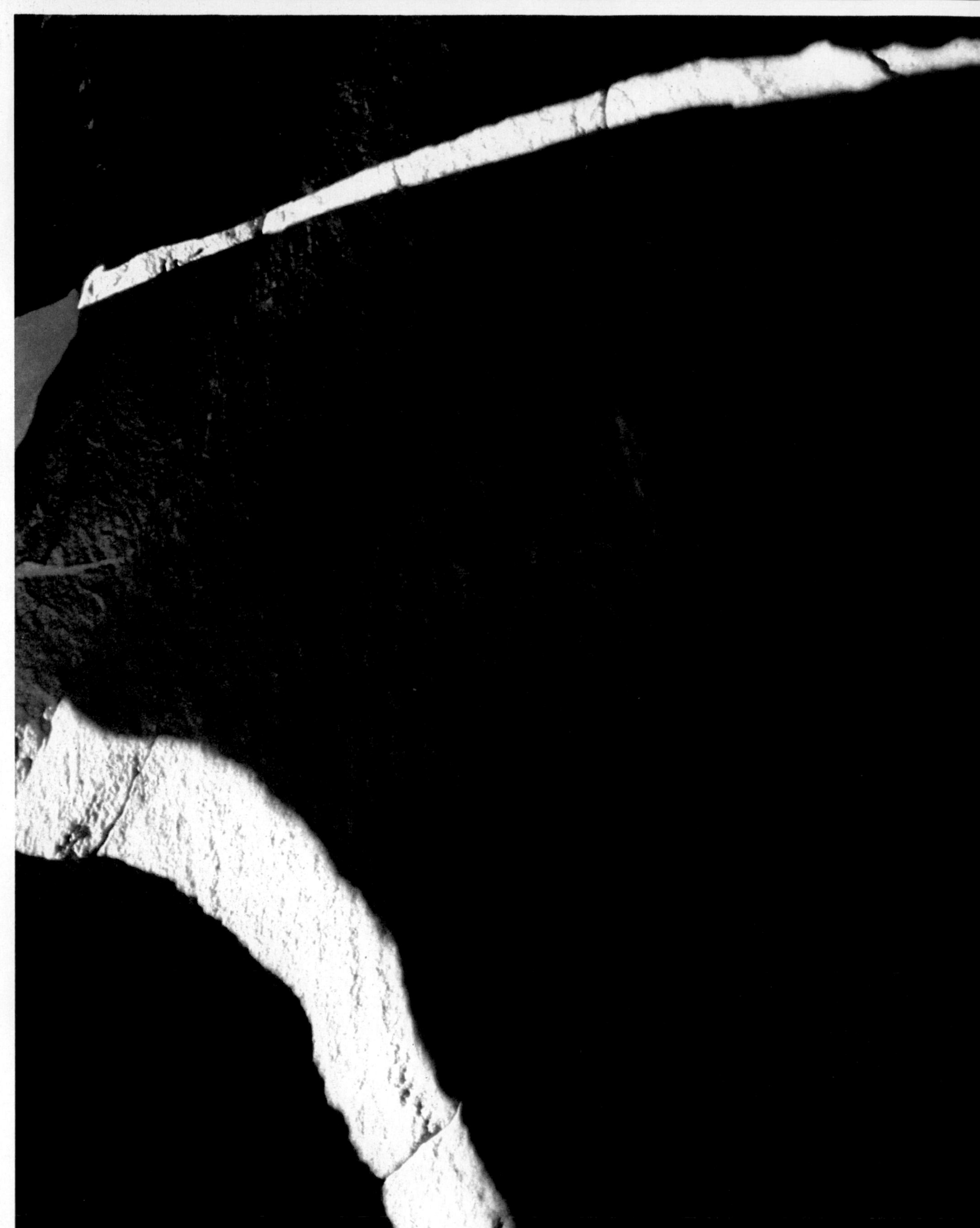

Los instrumentos y las ciencias

Guía para la lectura

Después de leer las secciones siguientes, vas a poder

3–1 La exploración del mundo microscópico

- Comparar los microscopios ópticos compuestos y los microscopios electrónicos.

3–2 La exploración del universo

- Comparar telescopios refractores y reflectores.
- Relacionar los diferentes tipos de telescopios con el espectro electromagnético.

3–3 La exploración de la Tierra

- Describir los instrumentos que se usan para estudiar los océanos de la Tierra, la corteza terrestre y la atmósfera.

En el desierto de Nuevo México, existe un enigma interesante. Detrás de tres rocas inclinadas hay dos espirales misteriosas talladas sobre la pared de un acantilado. A mediodía del primer día de verano, un rayo de sol pasa entre dos de las rocas y toca el centro de la espiral más grande. A mediodía, el primer día de primavera y de otoño, dos rayos de sol pasan entre las tres rocas y tocan ambas espirales. A mediodía del primer día de invierno, dos rayos de sol tocan los lados de la espiral más grande. ¿Qué significan estas espirales y quién las talló?

Se cree que las misteriosas espirales y las rocas inclinadas son parte de un observatorio astronómico, donde se estudiaban los fenómenos celestes. Los científicos piensan que el observatorio fue construido por los indios Anasazi, que vivían allí mucho antes de que Colón descubriera América.

Los astrónomos modernos han construido observatorios mucho más complejos. A pesar de que los instrumentos utilizados actualmente son más avanzados, la manera en que los científicos tratan de resolver los misterios de la naturaleza no es muy diferente a la de los indios Anasazi. En este capítulo aprenderás sobre los instrumentos que se usan para explorar el mundo.

Diario *Actividad*

Tú y tu mundo ¿Cómo sería la vida en el suroeste antes de la época de Colón? Imagina que eres de la tribu de los Anasazi. Describe en tu diario un típico día de tu vida.

El primer rayo de sol del invierno en el observatorio Anasazi.

Guide for Reading

Focus on these questions as you read.

- *What is a microscope?*
- *What are the uses and limitations of different kinds of microscopes?*

ACTIVITY READING

Dutchman's Dilemma

If you enjoyed the story of Anton van Leeuwenhoek, you may find the humorous poem *The Microscope* by Maxine Kumin a pleasant reading adventure.

3–1 Exploring the Microscopic World

In 1676, a letter was sent to the Royal Society in London (the leading scientific group of that time) that would change forever the way we look at our world. The letter was sent by Anton van Leeuwenhoek, a Dutch drapery-maker who was also an amateur scientist. In his letter, van Leeuwenhoek described his observations of a drop of water. What made his observations so astounding was his announcement that he had seen "living creatures in rain water." Van Leeuwenhoek called these creatures "animalcules."

What van Leeuwenhoek had seen were microscopic organisms, or organisms too small to be seen with the eye alone. Van Leeuwenhoek opened the door to that hidden world by using a simple microscope. Today, over three hundred years later, modern microscopes that van Leeuwenhoek could not even have dreamed would exist have been built. And our exploration of the microscopic world has come well beyond "animalcules." But one thing remains the same: The door to the microscopic world is still open and there is still much to be discovered. Perhaps one day it will be a letter from you that astounds the scientific world. Remember, van Leeuwenhoek was not a professional scientist, just an

Figure 3–1 *Some of the inhabitants of the microscopic world include bacteria (right) and protists (left).*

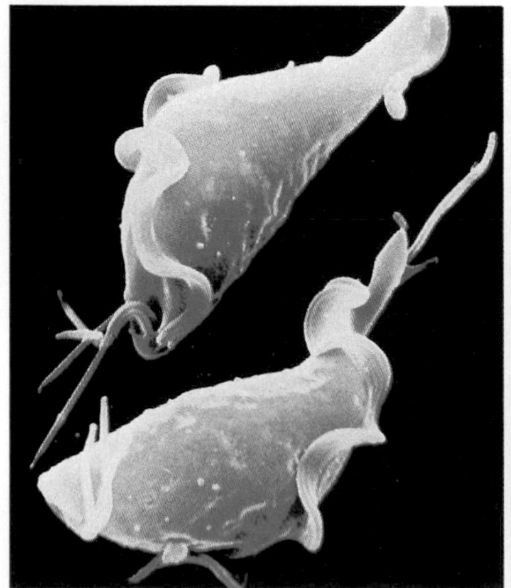

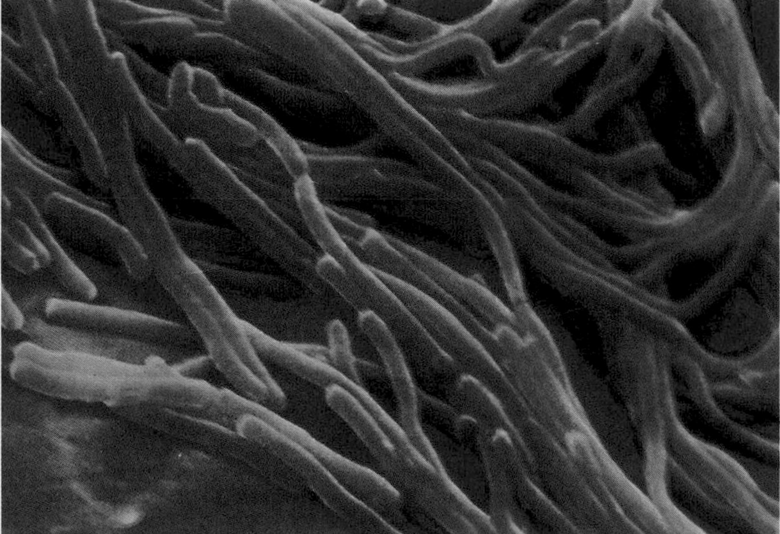

Guía para la lectura

Piensa en estas preguntas mientras leas.

- *¿Qué es un microscopio?*
- *¿Cuáles son los usos y las limitaciones de los distintos tipos de microscopios?*

3–1 La exploración del mundo microscópico

En 1676 la Real Sociedad de Londres (el grupo científico de vanguardia de la época) recibió una carta que cambiaría para siempre la forma en que observamos nuestro mundo. El autor de la carta era Anton van Leeuwenhoek, tapicero holandés y científico aficionado. En su carta, van Leeuwenhoek describía sus sorprendentes observaciones de una gota de agua, donde él había visto criaturas vivas que llamó "animálculos".

Lo que van Leeuwenhoek había visto eran organismos microscópicos demasiado pequeños para ser percibidos a simple vista. Van Leeuwenhoek abrió la puerta de un mundo escondido mediante un simple microscopio. Hoy, después de más de trescientos años, se han construido microscopios modernos con los que él ni hubiera soñado. Además la exploración del mundo microscópico nos ha conducido mucho más allá de los "animálculos". Sin embargo, hay algo que permanece igual: La puerta al mundo microscópico sigue abierta y aún queda mucho por descubrir. Quizás algún día una carta tuya asombre al mundo científico. Recuerda, van Leeuwenhoek no era un científico profesional sino simplemente curioso. ¿Se parece a alguien que conozcas?

ACTIVIDAD PARA LEER

El dilema del holandés

Si te gustó la historia de Anton van Leeuwenhoek, quizás te resulte divertido el poema *El Microscopio* de Maxine Kumin.

Figura 3–1 *Entre los habitantes del mundo microscópico se encuentran las bacterias (derecha) y los protistas (izquierda).*

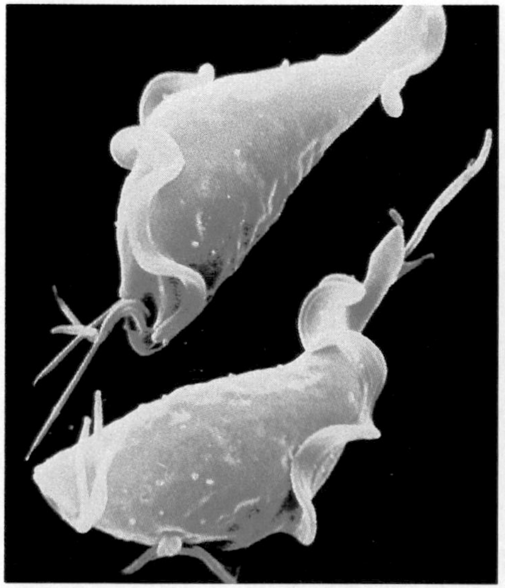

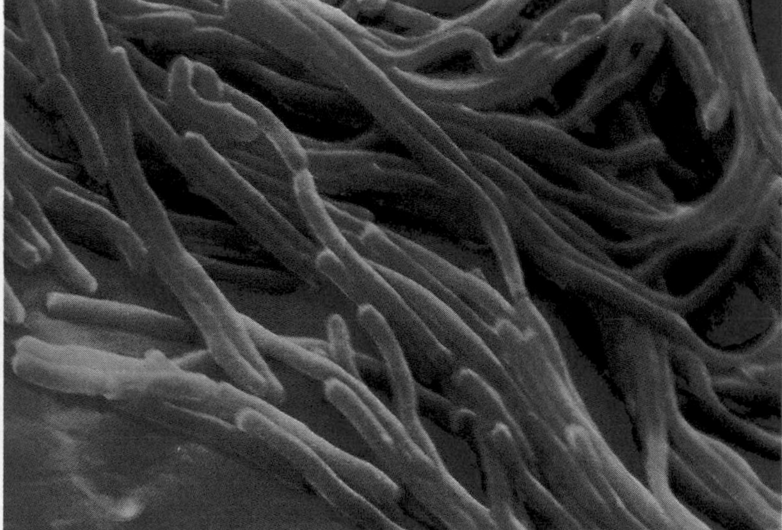

ordinary person with curiosity. Sound like anyone you know?

Microscopes have played an important role in scientific research ever since van Leeuwenhoek's discovery in 1676. **Microscopes are instruments that produce larger-than-life (magnified) images, pictures, or even videotapes.** Most microscopes use light rays to produce a magnified image of an object. Such microscopes are called optical microscopes (optical refers to light).

Optical Microscopes

Have you ever looked at an insect or other object under a magnifying glass? If so, then you have used a type of microscope known as a simple microscope. A magnifying glass is a simple microscope because it has only one **lens.** A lens is a curved piece of glass. As light rays pass through the glass, they bend. In some kinds of lenses, this bending of light rays increases the size of an object's image.

Scientific lenses are usually made of glass. However, any clear, transparent curved object can act as a lens. Take a look at a leaf that has dew or raindrops on it. If you look carefully through a drop, you will notice that the portion of the leaf under the drop is magnified. Why? The top of a drop of water is curved, much like a lens. Can you think of other examples of lenses that occur naturally? *Hint:* You are using two of them right now.

ACTIVITY
DISCOVERING

Abracadabra, It's Gone

Do you think you can make an object disappear before your very eyes? Well, you can—and you will find out how in this activity. The secret lies in understanding refraction—the bending of light as it travels from one medium to another.

1. Gather together the following materials: an empty jar with a lid (preferably a short jar such as a peanut-butter jar), a postage stamp, water.

2. Place the stamp on a tabletop.

3. Place the jar right side up over the stamp. What do you see?

4. Now fill the jar with water and place the lid on it.

5. Look at the stamp. What do you see?

■ Can you explain your observations?

Figure 3–2 *Notice how these drops of water act as lenses, magnifying parts of the leaf.*

Desde el descubrimiento de Leeuwenhoek en 1676, los microscopios han jugado un rol importante en la investigación científica. **Los microscopios son instrumentos que producen imágenes, fotografías e incluso cintas de video más grandes que en la vida real (aumentadas).** La mayoría de los microscopios usan rayos de luz para producir el aumento de la imagen de un objeto. Esos microscopios se llaman microscopios ópticos (óptico se refiere a la luz).

Microscopios ópticos

Si has mirado alguna vez un insecto u otro objeto con una lupa, has usado un tipo de microscopio conocido como microscopio simple. Una lupa es un microscopio simple porque sólo tiene un **lente**. Un lente es un trozo de cristal curvo. Cuando pasan a través del cristal los rayos de luz se doblan. En algunos tipos de lentes, la curva de los rayos de luz aumenta el tamaño de la imagen del objeto.

Los lentes científicos están generalmente hechos de cristal. Sin embargo, cualquier objeto curvo, claro y transparente puede funcionar como un lente. Observa una hoja con rocío o gotas de lluvia. Si miras cuidadosamente a través de la gota vas a notar que esa parte de la hoja se ve aumentada. ¿Por qué? La parte de arriba de la gota es curva como un lente. ¿Se te ocurren otros ejemplos de lentes naturales? *Pista:* En estos momentos estás usando dos.

ACTIVIDAD PARA AVERIGUAR

Abracadabra, desapareció

¿Puedes hacer desaparecer un objeto delante de tus propios ojos? ¡Claro que sí! En esta actividad vas a averiguar cómo. El secreto está en la refracción, es decir, la curva de la luz al pasar de un medio a otro.

1. Reúne lo siguiente: un frasco vacío con tapa (es mejor uno pequeño), un sello postal, agua.

2. Pon el sello sobre la mesa.

3. Pon el frasco boca arriba sobre el sello. ¿Qué ves?

4. Llena ahora el frasco con agua y ponle la tapa.

5. Mira el sello. ¿Qué ves?

■ ¿Puedes explicar tus observaciones?

Figura 3–2 *Fíjate cómo estas gotas de agua actúan como lentes y aumentan partes de la hoja.*

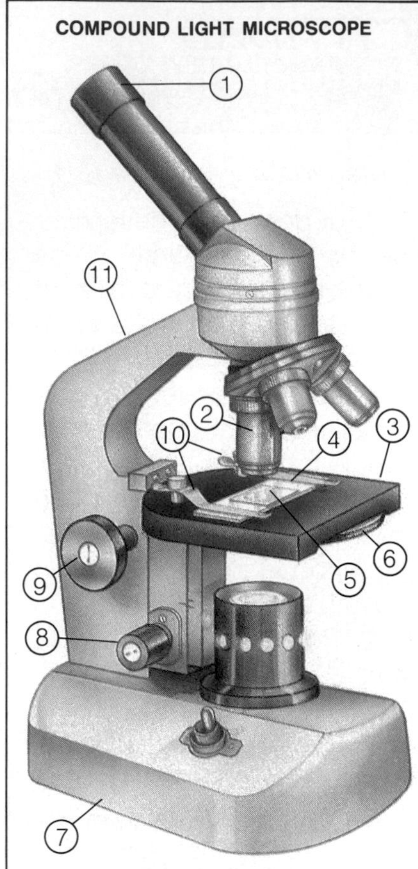

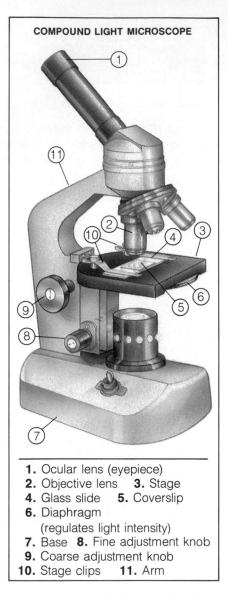

1. Ocular lens (eyepiece)
2. Objective lens **3.** Stage
4. Glass slide **5.** Coverslip
6. Diaphragm (regulates light intensity)
7. Base **8.** Fine adjustment knob
9. Coarse adjustment knob
10. Stage clips **11.** Arm

Figure 3–3 *This diagram is of a typical compound light microscope. What is another word for the eyepiece?*

Life in a Drop of Water, p.108

The microscope that you will become most familiar with in your science courses is the **compound light microscope.** A compound light microscope has more than one lens. Like a magnifying glass, a compound microscope uses light to make objects appear larger. A magnifying glass can produce an image a few times larger than the actual object. But by using two lenses, a compound microscope can produce an image up to 1000 times the size of the actual object.

To use a compound microscope, the object to be viewed is first placed between a transparent glass slide and a thin coverslip. Then the slide with coverslip is mounted on the stage of the microscope. See Figure 3–3. Light, usually from a small light bulb at the base of the microscope, passes through the object and then through both lenses. The lens at the bottom of the microscope tube, or the lens closest to the object being observed, is called the objective lens. The lens at the top of the microscope tube, which is the lens through which you look, is called the eyepiece lens, or ocular lens. The magnification of the microscope is equal to the product (multiplication) of both lenses. For example, if the objective lens has a magnification power of 40 and the eyepiece lens has a magnification power of 10, then the object you observe will be magnified 400 times (40 times 10).

Appendix D at the back of this textbook provides detailed instructions on the use of a compound light microscope. Review this appendix carefully before you use a microscope.

Compound light microscopes are extremely useful to life scientists because they allow for the observation of living microscopic organisms. That is, an organism does not have to be killed to be viewed under a compound light microscope. Other microscopes do not have this advantage.

When compound light microscopes were first developed, people assumed that magnification power could be increased by making better and better lenses. It turns out that even the best compound microscopes can magnify no more than about 1000 times. After that, the image begins to get fuzzy and lose detail. Are there ways to magnify objects more than 1000 times? The answer is yes, but such magnification does not involve the use of light.

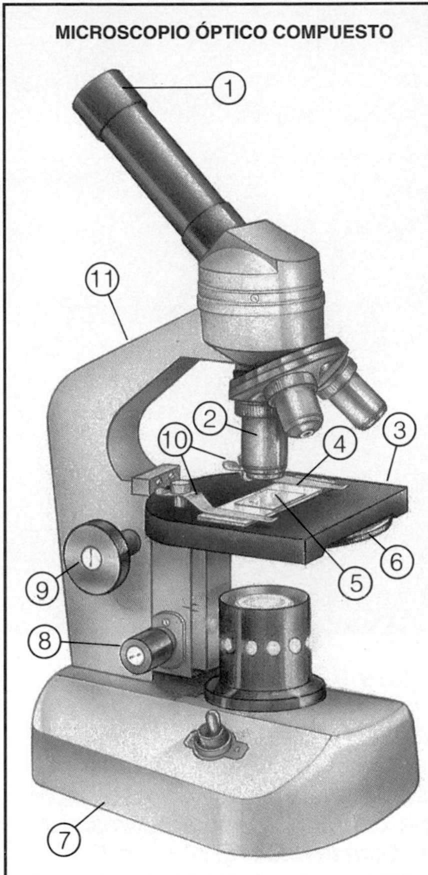

1. Lente ocular
2. Lente objetivo
3. Platina
4. Portaobjetos de cristal
5. Cubreobjetos
6. Diafragma (regula la intensidad de la luz)
7. Base
8. Tornillo de enfoque preciso
9. Tornillo de ajuste inicial
10. Sujetadores de la platina
11. Brazo

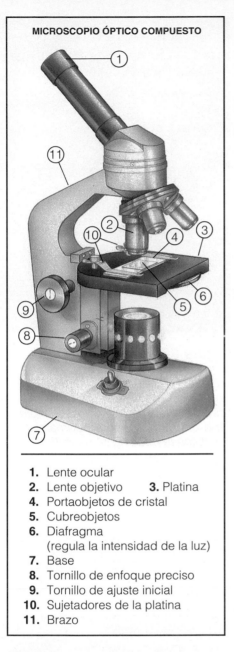

Figura 3–3 *Este es un diagrama de un típico microscopio óptico compuesto. ¿De qué otra forma se llama la pieza ocular?*

Pozo de actividades

La vida en una gota de agua, pág. 108

El microscopio con el cual te vas a familiarizar en tus cursos de ciencias es el **microscopio óptico compuesto**. Un microscopio óptico compuesto tiene más de un lente pero al igual que una lupa, usa la luz para hacer que los objetos parezcan más grandes. Una lupa puede producir una imagen un par de veces más grande que el objeto real. Pero al usar dos lentes, el microscopio compuesto puede producir una imagen mil veces más grande que el objeto real.

Para usar el microscopio compuesto se coloca primero el objeto a observar entre un portaobjetos de cristal transparente y un cubreobjeto delgado. Luego, se monta el portaobjeto con el cubreobjeto sobre la platina del microscopio. Véase la Figura 3–3. Usualmente la luz de una bombilla pequeña en la base del microscopio pasa a través del objeto y después a través de ambas lentes. El lente más cercano al objeto observado se llama objetivo. El lente que se encuentra en la parte superior del tubo del microscopio se llama ocular, o lente ocular. El aumento del microscopio es igual al producto (multiplicación) de ambos lentes. Por ejemplo, si el objetivo tiene un poder de aumento de 40 y el ocular tiene un poder de aumento de 10, entonces el objeto que tú observas será aumentado 400 veces (40 por 10).

En el Apéndice D al final de este libro hay instrucciones detalladas sobre el uso del microscopio óptico compuesto. Léelo atentamente antes de usar un microscopio.

Los microscopios ópticos compuestos les son sumamente útiles a los científicos de la vida porque permiten observar organismos microscópicos vivos. Esto significa que no se necesita matar un organismo para observarlo con este tipo de microscopio. Otros microscopios no tienen esta ventaja.

Cuando recién se inventaron los microscopios ópticos compuestos, se suponía que con lentes cada vez mejores se podría obtener una capacidad mayor de aumento. Pero ni los mejores microscopios compuestos pueden aumentar un tamaño más de 1000 veces sin que la imagen se ponga borrosa y se pierdan los detalles. ¿No es posible entonces aumentar más de 1000 veces los objetos? Sí, pero ese aumento no depende de la luz.

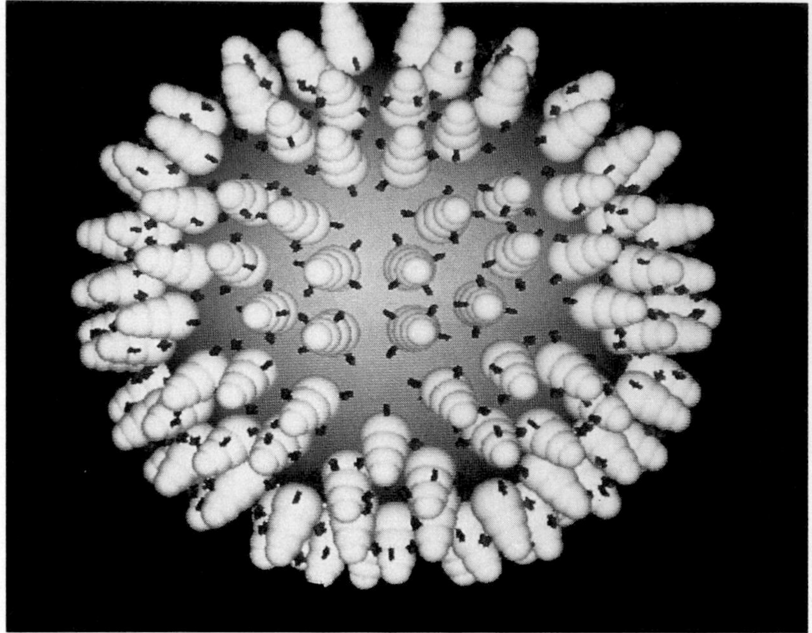

Figure 3–4 *Keep in mind that microscopes are but one tool scientists use. Modern science and technology now includes the use of lasers in eye surgery (right) and computer-generated images of disease-causing viruses (left).*

Electron Microscopes

Light microscopes are certainly very useful. But because of the limitation on their magnification power, they cannot be used to observe extremely small objects: living things such as viruses or individual atoms and molecules that make up matter. These objects have been revealed, however. So the question is how?

Today a great deal of scientific research is done using the **electron microscope.** An electron microscope uses a beam of tiny particles called electrons instead of light rays. (Electrons are among the particles that make up an atom.) The beam of electrons is not focused through a lens, as light rays in a light microscope are, but rather by magnets. Objects viewed with an electron microscope can be magnified up to 1 million times. Using electron microscopes, scientists can observe the smallest organisms as well as individual atoms and molecules. In most cases, the magnified image of an object is viewed on a television screen.

There are several types of electron microscopes. You will now read about two of the most common.

TRANSMISSION ELECTRON MICROSCOPE One type of electron microscope is called the transmission electron microscope (TEM). In a TEM, electrons are

Figure 3–5 *Using a TEM, scientists can study the internal structure of organisms like this single-celled diatom.*

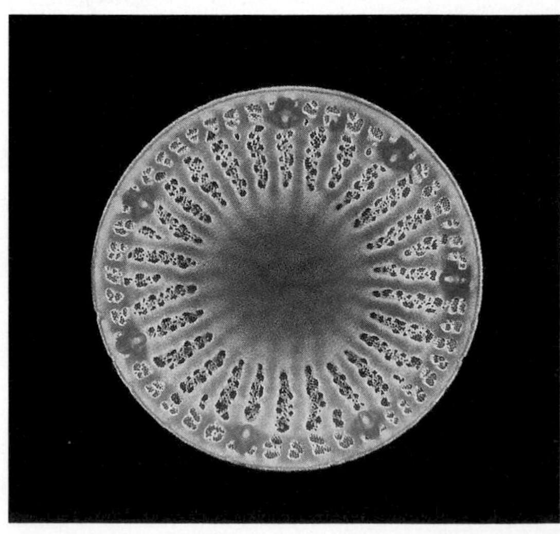

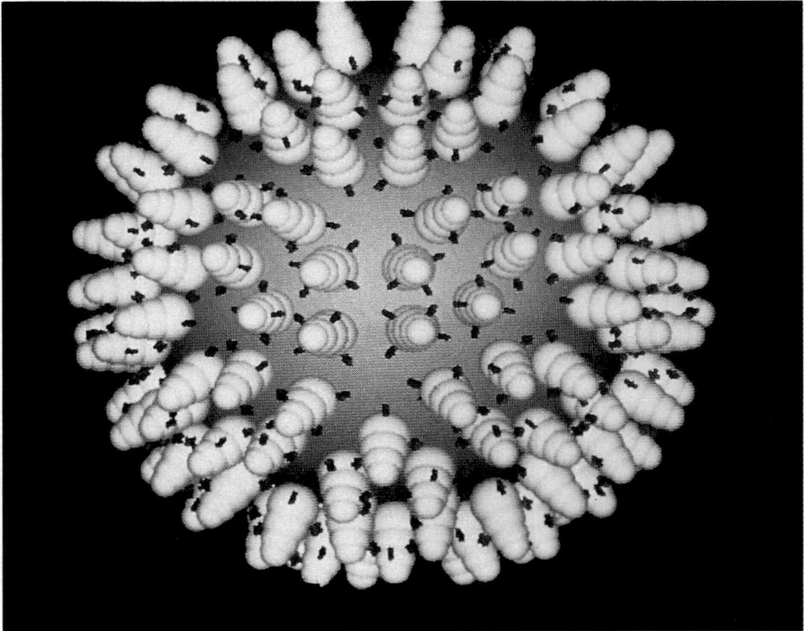

Figura 3–4 *Ten en cuenta que los microscopios son sólo uno de los instrumentos que los científicos usan. La ciencia moderna y la tecnología hacen posible el uso de rayos láser en la cirugía ocular (derecha) e imágenes generadas por computadoras de virus patógenos (izquierda).*

Microscopios electrónicos

Por cierto los microscopios ópticos son muy útiles. Pero su poder de aumento limitado no permite observar objetos pequeñísimos: cosas vivas como los virus o los átomos individuales y las moléculas que componen la materia. Pero estos objetos se han visto. ¿Cómo?

Hoy gran parte de la investigación científica se realiza con el **microscopio electrónico**. Un microscopio electrónico usa un haz de partículas muy pequeñas llamadas electrones en vez de rayos de luz. (Los electrones son unas de las partículas que componen un átomo). El haz de electrones no se enfoca a través de un lente como pasa con el microscopio óptico, sino por imanes. Los objetos observados con un microscopio electrónico pueden aumentarse hasta 1 millón de veces. Por medio de ellos, los científicos pueden observar los organismos más pequeños como también los átomos individuales y las moléculas. La mayoría de las veces, la imagen aumentada se ve en una pantalla de televisión.

Existen varios tipos de microscopios electrónicos. Vas a leer sobre dos de los más comunes.

MICROSCOPIO ELECTRÓNICO DE TRANSMISIÓN Un tipo de microscopio electrónico se llama microsco-

Figura 3–5 *Al usar un TEM los científicos pueden estudiar la estructura interna de organismos como el de esta diatomea unicelular.*

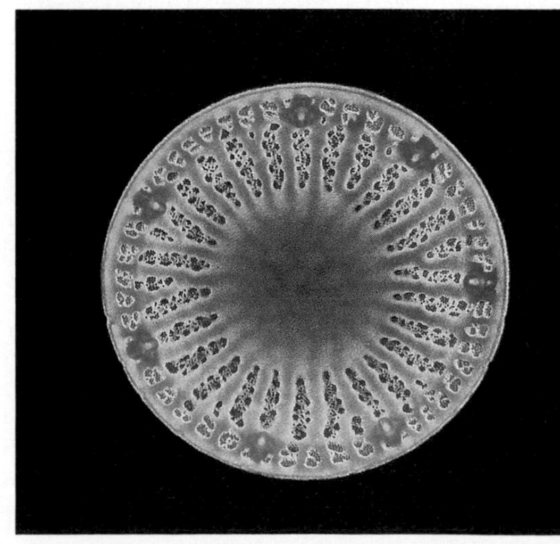

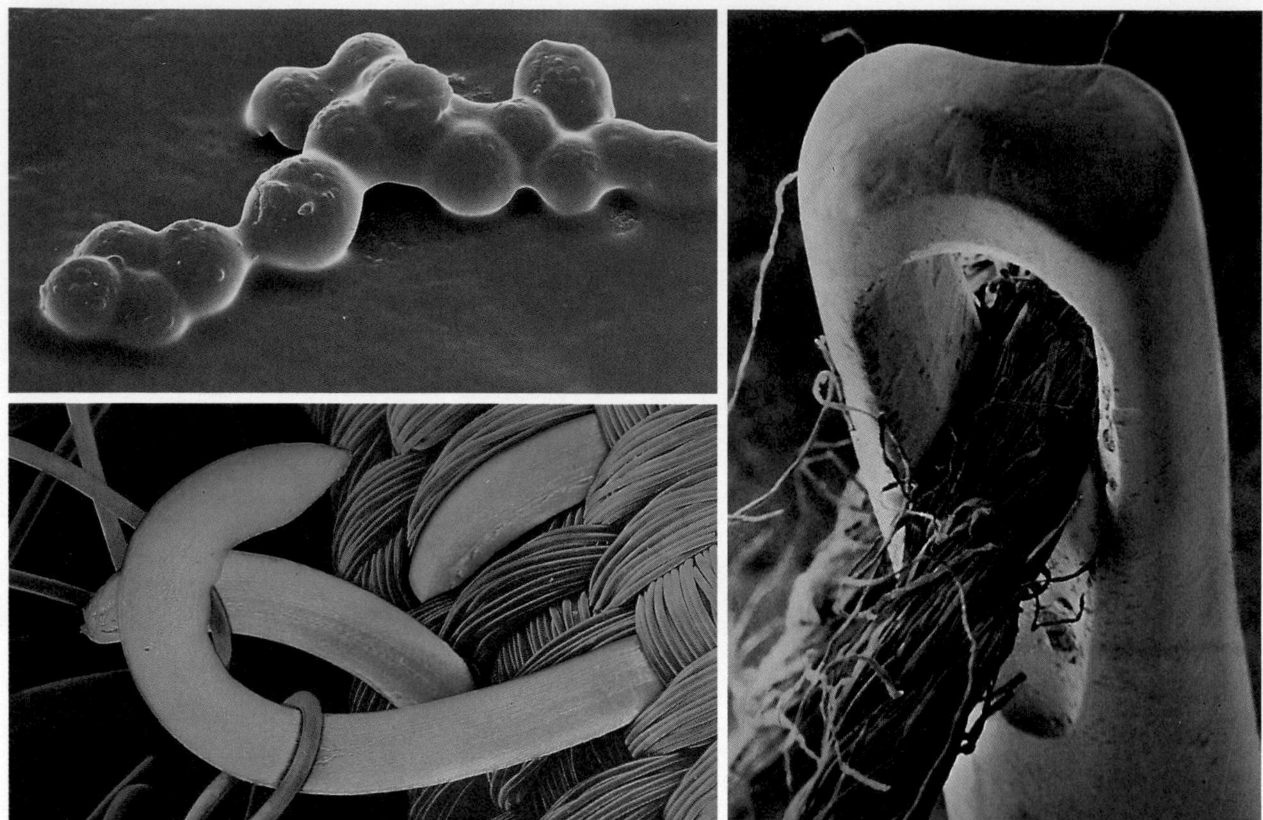

Figure 3–6 *Photographs taken through an SEM can provide amazing 3-D images. Here you see tiny scent globules used on scratch-and-sniff stickers (top left), a Velcro™ hook (bottom left), and a thread passing through a needle (right).*

beamed at an object in much the same way light rays are in a compound light microscope. The magnified image of the object is then observed on a television screen. A photograph of the image can also be produced. TEMs are useful to scientists when observing the inside of an object, such as the structures found in a cell.

SCANNING ELECTRON MICROSCOPE Another type of electron microscope is called the scanning electron microscope (SEM). In an SEM, electrons are beamed at an object and reflected (bounced back) from the object. The reflected electrons produce a three-dimensional photograph of the object. SEMs are useful for observing the outer structure of an object, such as the arrangement of atoms in a solid.

Both TEMs and SEMs do present one problem. The object to be viewed must be sliced into very thin layers and placed in a vacuum (a space from which all air has been removed). As you might expect, such a procedure means that the object cannot be alive. So TEMs and SEMs cannot be used to view living things.

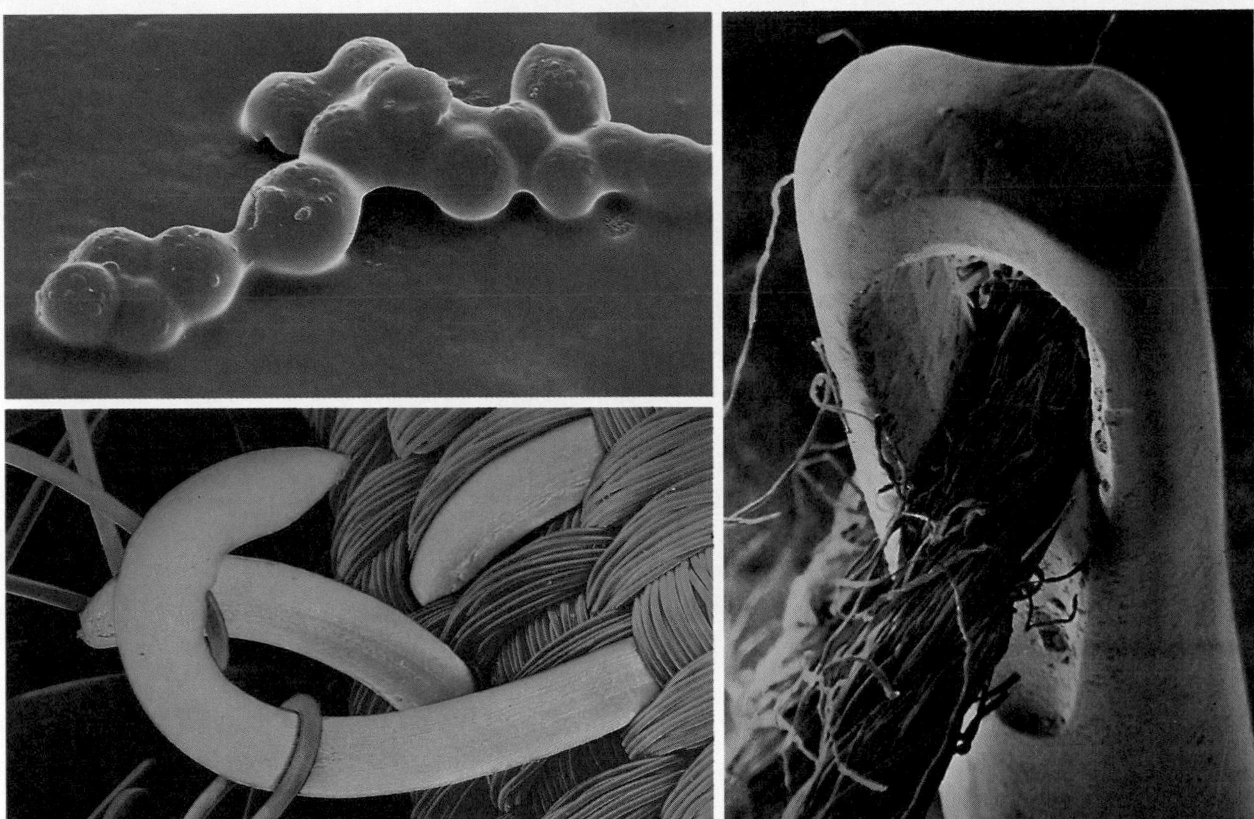

Figura 3–6 *Las fotografías tomadas por medio de un microscopio electrónico con barrido brindan imágenes sorprendentes. Aquí se ven pequeños glóbulos de aroma usados en los parches "raspa y huele" (izquierda arriba), un gancho de Velcro™ (izquierda abajo) y un hilo pasando por una aguja (derecha).*

pio electrónico de transmisión (TEM). En un TEM los electrones se enfocan sobre un objeto igual que los rayos de luz en un microscopio compuesto. La imagen amplificada, que también se puede fotografiar, se observa en una pantalla de televisión. Los TEMs son útiles a los científicos para observar el interior de un objeto como las estructuras dentro de una célula.

MICROSCOPIO ELECTRÓNICO CON BARRIDO Otro microscopio electrónico es el microscopio electrónico con barrido (SEM). En un SEM los electrones se enfocan sobre un objeto y son reflejados (rebotados) por éste. Los electrones reflejados producen una fotografía tridimensional del objeto. Los SEMs son útiles para observar la estructura exterior de un objeto, tal como el ordenamiento de los átomos en un sólido.

Tanto los TEM como los SEM presentan un problema. El objeto a observar debe ser cortado en capas muy finas y puesto al vacío (espacio del que se ha extraído todo el aire). Este procedimiento implica que los TEM y los SEM no pueden usarse para observar objetos vivos.

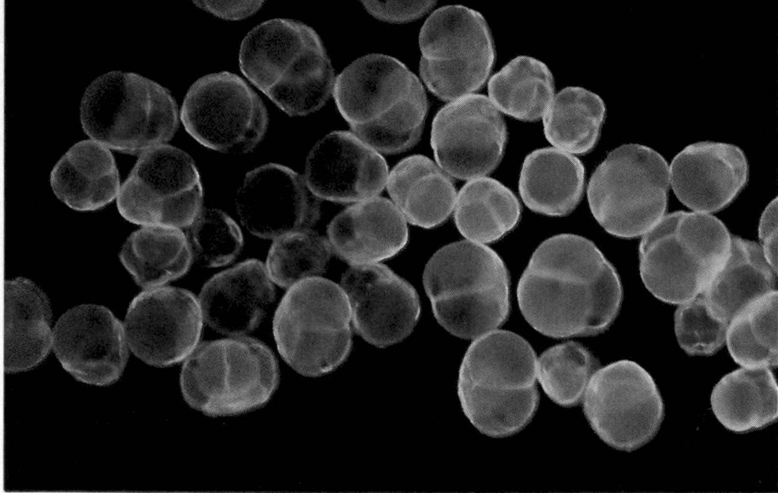

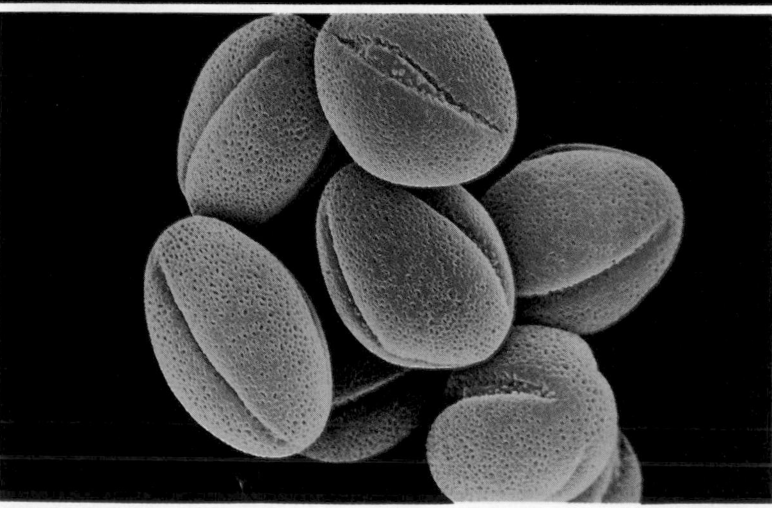

Figure 3–7 *Notice the unmagnified pollen grains visible on the flower (top). Then look at pollen grains that have been magnified 60 times (center). This three-dimensional image of pollen grains (bottom) has been magnified 378 times. What kind of microscope took the photograph at the bottom?*

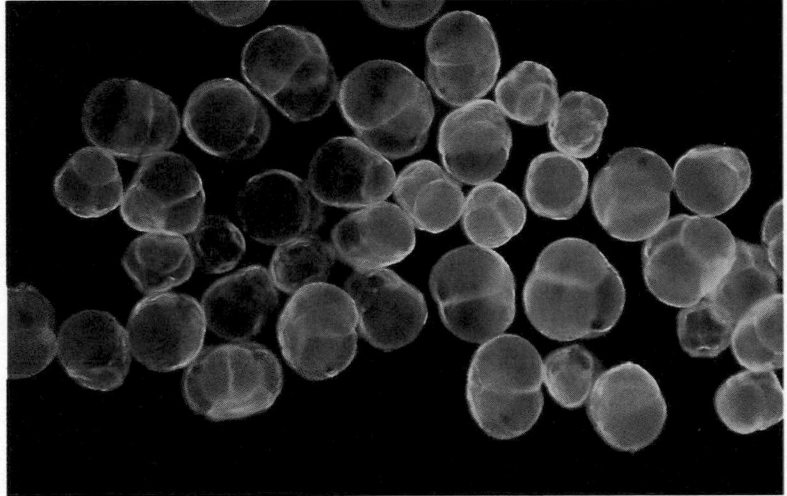

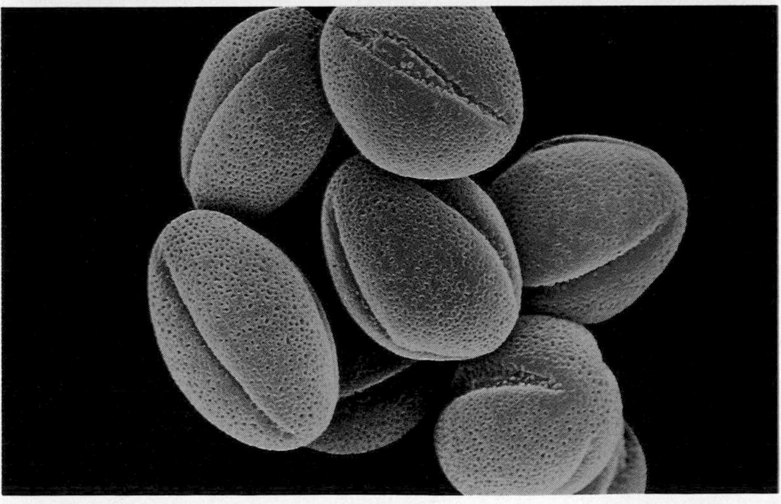

Figura 3–7 *Observa los granos de polen a tamaño natural de la flor (arriba). Luego, mira los granos de polen aumentados 60 veces (centro). La imagen tridimensional de los granos de polen ha sido aumentada 378 veces (abajo). ¿Con qué tipo de microscopio se tomó la fotografía de abajo?*

Figure 3–8 *A new type of electron microscope called the scanning tunneling microscope took this photograph of individual silicon atoms.*

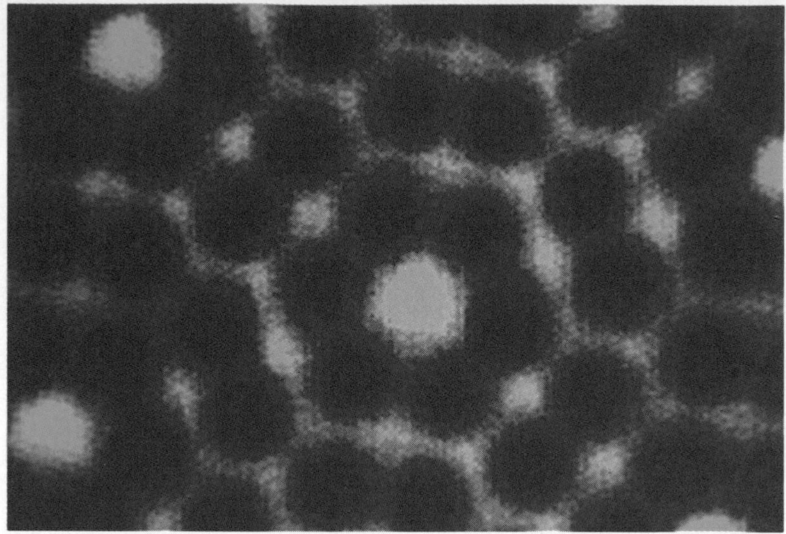

Looking Through Barriers

So far we have been discussing the use of microscopes to produce magnified images of an object. Sometimes, however, scientists do not need to magnify an object but rather to look inside the object. Today there are several tools available that allow scientists to "look through barriers."

X-RAYS Do you know someone who has had a broken bone? Perhaps you have had one yourself. A doctor could cut you open to examine the break, but that would not be a very pleasant experience. As you probably know, there is a better way to do it.

For almost one hundred years, scientists have been using a type of radiation known as X-rays to see through objects. X-rays are similar to light rays, but they are invisible to the eye. Unlike light, however, X-rays pass easily through soft objects such as skin and muscle. But X-rays are blocked by dense objects such as bone. As a result, X-rays can be used to take pictures of bones inside an organism.

CT SCANS Computed Tomography, or CT scan, is a new technique that produces cross-sectional pictures of an object. An X-ray machine in a CT-scanner is used to take up to 720 different exposures of an object. Each picture shows a "slice" of the object. A computer analyzes and combines the exposures to construct a picture. Among its many uses, a CT scan can provide detailed pictures of body parts such as the human brain.

Figure 3–9 *MRI images help scientists study the inside of the body. What important organ can be studied from this MRI?*

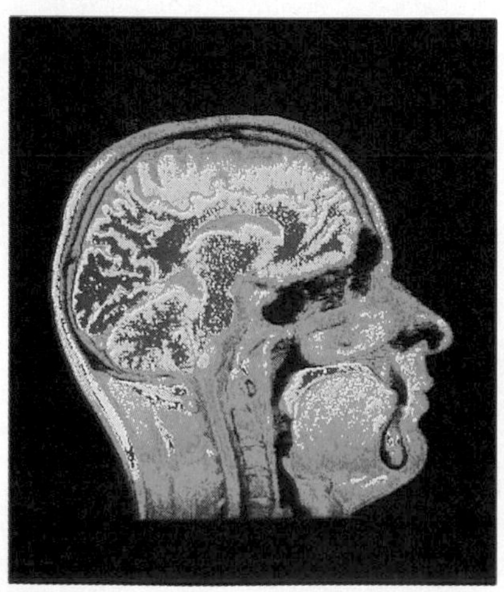

Figura 3–8 *Un nuevo tipo de microscopio electrónico, el microscopio explorativo de túneles tomó esta fotografía de átomos individuales de silicio.*

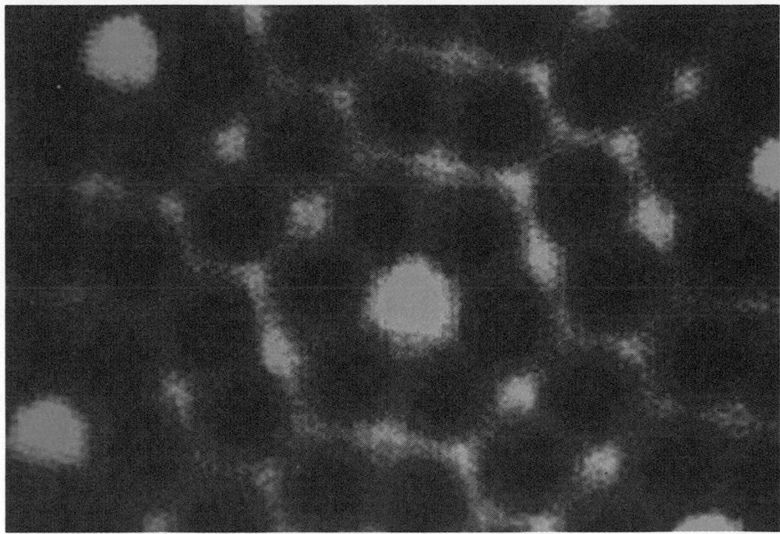

Mirando a través de barreras

Hasta ahora hemos estado viendo el uso de los microscopios para producir imágenes aumentadas de un objeto. A veces, sin embargo, los científicos no necesitan amplificar un objeto sino mirar en su interior. Hay varios instrumentos que permiten "mirar a través de barreras".

LOS RAYOS X ¿Conoces a alguien que se haya roto un hueso? Tal vez, tú mismo. Un doctor podría cortarte para examinar el hueso, lo que no sería agradable. Hay una mejor manera de hacerlo.

Durante casi cien años los científicos han estado usando un tipo de radiación, los rayos X, para ver a través de objetos. Los rayos X son similares a los rayos de luz pero no los podemos ver. Se diferencian de la luz porque pueden pasar fácilmente a través de objetos blandos como la piel y los músculos. Pero como son bloqueados por objetos densos tales como los huesos, los rayos X pueden usarse para sacar fotos de los huesos dentro de un organismo.

Figura 3–9 *Las imágenes MRI ayudan a los científicos a estudiar el interior del cuerpo. ¿Qué órgano importante puede ser estudiado gracias a este MRI?*

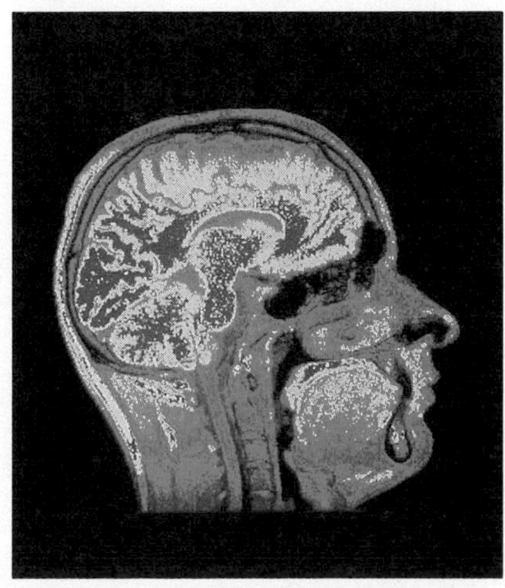

LOS CT SCANS La tomografía computada es una técnica nueva que produce fotografías de cortes transversales de un objeto. Una máquina de rayos X dentro de un "CT scanner" toma 720 exposiciones diferentes de un objeto. Cada fotografía muestra una "capa" del objeto. Una computadora analiza y combina las exposiciones en una fotografía. Entre sus muchos usos, un "CT scanner" sirve para fotografiar en detalle partes del cuerpo, tales como el cerebro.

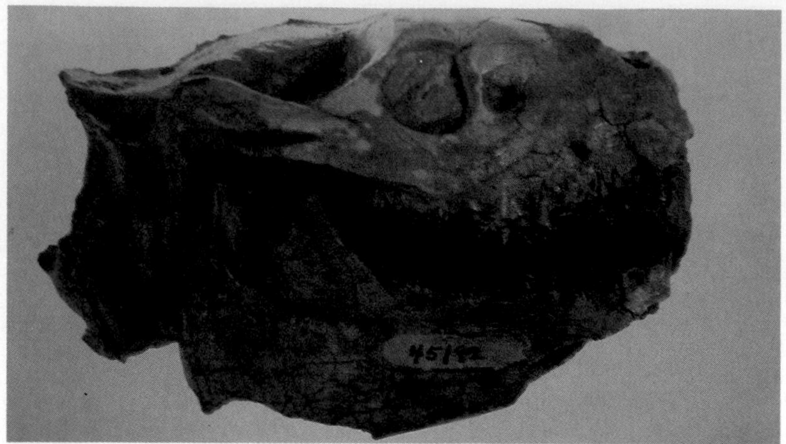

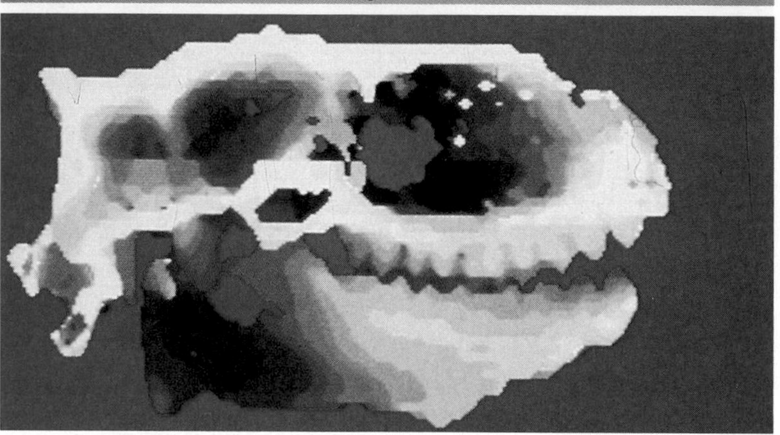

Figure 3–10 *Because this 30-million-year-old skull of a small mammal (top) was a rare find, scientists did not want to break it open. By using a CT scanner, scientists were able to get a three-dimensional view of the inside of the skull (bottom).*

MRI Magnetic resonance imaging, or MRI, is another tool that helps scientists see inside objects. MRI uses magnetism and radio waves to produce images. Scientists can use MRI to study the structure of body cells without harming the living tissue.

3–1 Section Review

1. What is a microscope?
2. Explain the basic difference between a compound light microscope and an electron microscope.
3. Of the three types of microscopes discussed, what kind of research can be performed only by using a compound light microscope?

Connection—*Science and Technology*

4. It has been said that many great discoveries await the tools needed to make them. What does this statement mean to you?

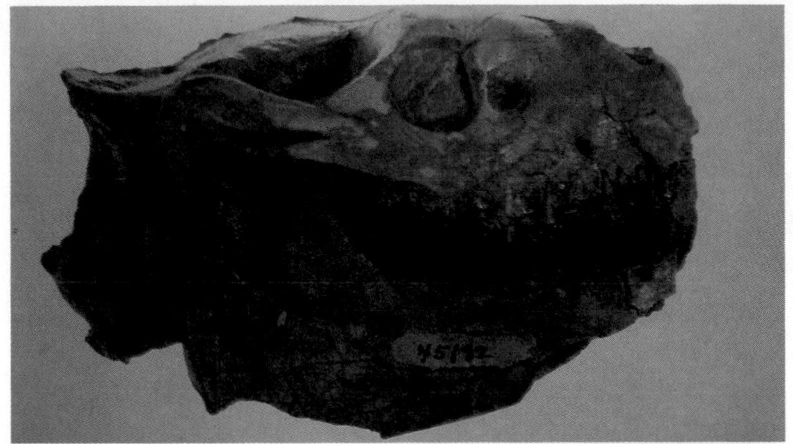

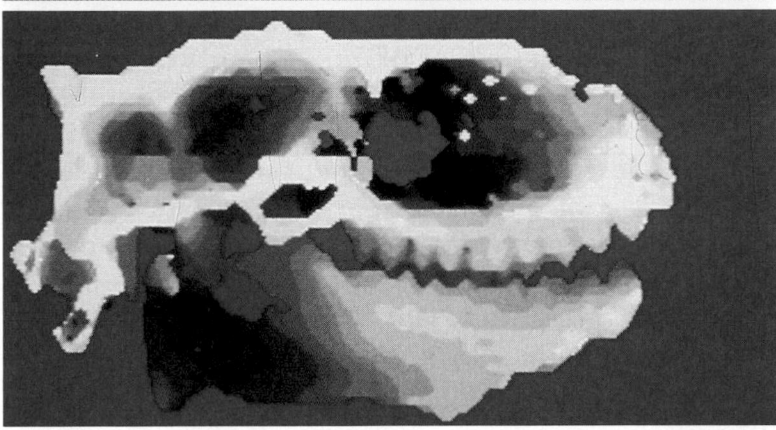

Figura 3–10 *Debido a que el cráneo de este pequeño mamífero (arriba) tiene 30 millones de años y fue un hallazgo poco común, los científicos no lo quisieron romper para estudiarlo. Mediante un "CT scanner" obtuvieron una imagen tridimensional del interior del cráneo (abajo).*

MRI La imagen de resonancia magnética (MRI) es otro de los instrumentos que sirven para ver dentro de los objetos. Produce imágenes por medio del magnetismo y radio ondas. Los científicos pueden usar el MRI para estudiar la estructura del cuerpo celular sin dañar los tejidos vivos.

3–1 Repaso de la sección

1. ¿Qué es un microscopio?
2. Explica la diferencia básica entre un microscopio óptico compuesto y un microscopio electrónico.
3. De los tres tipos de microscopios discutidos, ¿cuál es el único tipo de investigación que puede realizarse con un microscopio óptico compuesto?

Conexión—*Ciencia y tecnología*

4. Se dice que hay muchos grandes descubrimientos a la espera de los instrumentos que los descubran. ¿Qué piensas que significa esta afirmación?

Guide for Reading

Focus on these questions as you read.

- ▶ *What is a telescope?*
- ▶ *How do different types of telescopes provide different views of the universe?*

3–2 Exploring the Universe

As you just learned, the invention of the microscope opened up a previously unknown world. It was not quite the same case with the world beyond planet Earth. People's understanding that the Earth is part of a vast universe did not require any special tools. Even the earliest known records indicate that people wondered about the twinkling lights they observed in the night sky. But knowledge of the universe was quite limited. It was not until the invention of the telescope that people truly began to explore the universe. The moons of Jupiter and the rings of Saturn, for example, did not become visible until the telescope was invented.

The telescope is an instrument used to view and magnify distant objects in space. **Scientists use a variety of telescopes to study the Universe: optical telescopes, radio telescopes, infrared telescopes, ultraviolet telescopes, and X-ray telescopes.** You will now read about these different types of telescopes and discover what kinds of information they provide.

Figure 3–11 *The invention of the telescope opened the door to the incredible vastness of outer space and showed that our sun is but the tiniest drop in an ocean of stars.*

Guía para la lectura

Piensa en estas preguntas mientras leas.

- *¿Qué es un telescopio?*
- *¿Cómo los diferentes tipos de telescopios nos dan visiones diferentes del universo?*

3–2 La exploración del universo

Como has visto, la invención del microscopio abrió las puertas de un mundo antes desconocido. No pasó igual con el mundo más allá de la Tierra. La comprensión de que la Tierra es parte de un vasto universo no requirió instrumentos especiales. Se sabe que la gente se preguntaba acerca de las titilantes luces que observaban en el cielo nocturno. Pero el conocimiento del universo era muy limitado. No fue sino hasta la invención del telescopio que se empezó realmente a explorar el universo. Las lunas de Júpiter y los anillos de Saturno, por ejemplo, no se veían antes de la invención del telescopio.

El telescopio es un instrumento usado para ver y amplificar objetos distantes en el espacio. **Los científicos usan una variedad de telescopios para estudiar el universo: telescopios ópticos, radiotelescopios, telescopios de rayos infrarrojos, telescopios de rayos ultravioleta y telescopios de rayos X.** Ahora vas a leer sobre los diferentes tipos de telescopios y descubrirás qué tipo de información nos dan.

Figura 3–11 *La invención del telescopio abrió la puerta a la increíble inmensidad del espacio y demostró que nuestro sol es una pequeñísima gota en un océano de estrellas.*

Optical Telescopes

The first telescopes used by early astronomers were optical telescopes.(Remember that the term optical refers to light.) An optical telescope collects and focuses visible light from distant objects such as stars and galaxies. Using a series of mirrors, lenses, or a combination of the two, the telescope magnifies the image formed by the light. The two types of optical telescopes are refracting telescopes and reflecting telescopes.

REFRACTING TELESCOPES In a **refracting telescope,** a series of lenses is used to focus light. (You should recall that an optical microscope uses a series of lenses to magnify microscopic objects.) In general, the larger the lens, the greater the light-gathering power of a telescope. The size of a telescope is given as the diameter of its largest lens. The world's largest refracting telescope is the "40-inch" telescope at Yerkes Observatory in Wisconsin. This telescope has a light-gathering power about 40,000 times greater than the human eye!

REFLECTING TELESCOPES In a **reflecting telescope,** a series of mirrors is used to collect and focus light from distant objects. For technical reasons, the mirrors in a reflecting telescope can be built much larger than the lenses in a refracting telescope. One of the world's largest reflecting telescopes is the "200-inch" Hale telescope at Mount Palomar in California. Telescopes like the Hale telescope can observe objects billions of light-years from Earth. They literally open the door to the very edge of the universe.

Figure 3–12 *The Hale Telescope at Mount Palomar in California uses one large mirror. What type of telescope is it?*

Telescopios ópticos

Los telescopios usados por los primeros astrónomos eran telescopios ópticos. (Recuerda: el término óptico se refiere a la luz). Un telescopio óptico recoge y enfoca la luz visible de objetos distantes como estrellas y galaxias. Mediante una serie de espejos, lentes o una combinación de ambos, el telescopio aumenta la imagen que forma la luz. Los telescopios ópticos pueden ser refractores y reflectores.

TELESCOPIO REFRACTOR En un **telescopio refractor** se usa una serie de lentes para enfocar la luz. (Recuerda que un microscopio usa una serie de lentes para aumentar objetos microscópicos). En general, cuánto más grande el lente del telescopio, mayor es su capacidad de captar luz. El tamaño del telescopio está determinado por el diámetro de su lente mayor. El telescopio refractor más grande del mundo es el telescopio de "40 pulgadas" del observatorio Yerkes en Wisconsin. Tiene una capacidad para captar luz casi ¡40,000 veces mayor que el poder del ojo humano!

TELESCOPIO REFLECTOR En un **telescopio reflector** una serie de espejos recogen y enfocan la luz de objetos distantes. Por razones técnicas los espejos de un telescopio reflector pueden ser mucho más grandes que los lentes de un telescopio refractor. Uno de los telescopios reflectores más grandes del mundo es el telescopio Hale de "200 pulgadas" del Monte Palomar en California. Los telescopios como éste pueden observar objetos a billones de años luz de la Tierra. Se puede decir que estos telescopios abren la puerta del último confín del universo.

Figura 3–12 *El telescopio Hale del Monte Palomar en California tiene sólo un gran espejo. ¿Qué tipo de telescopio es?*

Figure 3-13 *The Multiple Mirror Telescope atop Mount Hopkins in Arizona uses six mirrors.*

MULTIPLE MIRROR TELESCOPES Large reflecting telescopes are extremely difficult and expensive to build. The mirrors in such telescopes must be perfectly constructed and flawless. For many years scientists believed that a 5-meter mirror (approximately 200 inches) was about the largest mirror they could construct. To get around that problem, the Multiple Mirror Telescope was constructed. Sitting high atop Mount Hopkins in Arizona, the Multiple Mirror Telescope contains six "72-inch" mirrors. The six mirrors work together to collect light from distant stars and provide even greater power than the single large mirror in the Hale telescope.

NEW ADVANCES IN OPTICAL TELESCOPES Many new types of optical telescopes are being designed and tested throughout the world. How many will go from the drawing board to actual construction remains to be seen. Each of these new types of telescopes uses a different design to enlarge the size of the mirror it houses. One of the new telescopes under development is the Keck telescope in Mauna Kea, Hawaii. The Keck telescope will have a "400-inch" mirror. How have scientists solved the problem of building such a large mirror? In a sense, they haven't. For the Keck telescope will actually contain 36 individual mirror segments joined together in what looks like a beehive. The 36 mirror segments will make the Keck telescope the most powerful optical telescope on Earth—at least until an even newer and larger telescope is built.

Figure 3-14 *When completed, the Keck telescope in Hawaii will house a "400-inch" mirror made up of 36 segments (inset).*

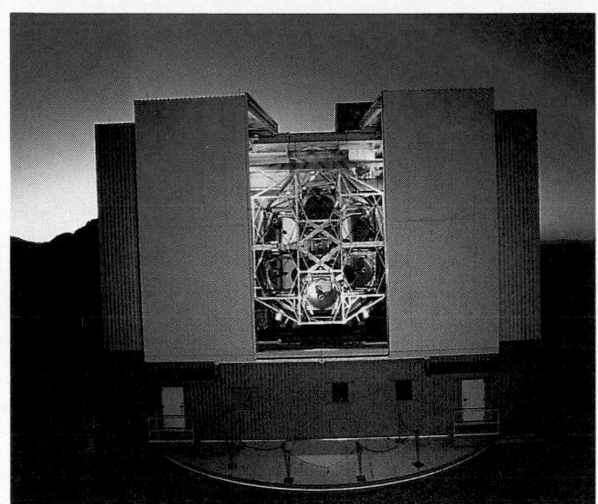

Figura 3–13 *El Telescopio de Espejos Múltiples de la cima del Monte Hopkins en Arizona tiene seis espejos.*

TELESCOPIOS DE ESPEJOS MÚLTIPLES Los grandes telescopios reflectores son muy difíciles y caros de construir. Sus espejos no pueden tener ningún defecto. Durante muchos años, se creía que el espejo más grande que se podía construir era uno de 5 metros (unas 200 pulgadas). Para resolver ese problema se construyó el Telescopio de Espejos Múltiples en la cima del Monte Hopkins en Arizona. Ese telescopio tiene seis espejos de "72 pulgadas" que, en conjunto, captan la luz de estrellas distantes y tienen aun más poder que el gran espejo único del telescopio Hale.

NUEVOS PROGRESOS EN LOS TELESCOPIOS ÓPTICOS Muchos tipos nuevos de telescopios ópticos se están diseñando y probando. Queda por verse cuántos de ellos llegarán al taller de construcción. En cada uno de los modelos se usa un diseño diferente para aumentar el tamaño del espejo. Un nuevo telescopio en desarrollo es el telescopio Keck de Mauna Kea, en Hawai, que tendrá un espejo de "400 pulgadas". ¿Cómo se ha podido construir un espejo tan grande? En realidad, el espejo del telescopio Keck va a contener 36 segmentos unidos en una especie de colmena de abejas. Los 36 segmentos harán del telescopio Keck uno de los telescopios ópticos más poderosos de la Tierra, por lo menos hasta que se construya uno nuevo y más grande.

Figura 3–14 *Cuando esté terminado, el telescopio Keck en Hawai tendrá un espejo de "400 pulgadas" hecho de 36 segmentos (detalle).*

Radio Telescopes

No doubt when you think of stars you think of visible light. After all, that's what you see when you look up at the night sky. Visible light, however, is only one part of the **electromagnetic spectrum.** In addition to visible light, the electromagnetic spectrum includes forms of "light" we cannot detect with our eyes. These forms of invisible light include X-rays, ultraviolet rays and infrared rays, and radio waves. And as it turns out, many stars give off both visible and invisible light. Is there a way to view distant stars using invisible light? Yes, but obviously not with an optical telescope.

In Chapter 1, you learned about the discovery of radio astronomy by Karl Jansky and Grote Reber. At that time we said that radio telescopes opened up a new view of the universe—and oh what a view! Because many stars give off mainly radio waves (not visible light), the invention of the radio telescope provided scientists with an opportunity to study the universe in a new and exciting way. It was almost as if a huge part of the universe had been hidden from us, waiting for the discovery of the radio telescope to reveal itself.

An optical telescope can be thought of as a bucket for collecting light waves from space. A **radio telescope** can be thought of as a bucket for collecting radio waves from space. In most radio telescopes, a curved metal dish gathers and focuses radio waves onto an antenna. The signal picked up

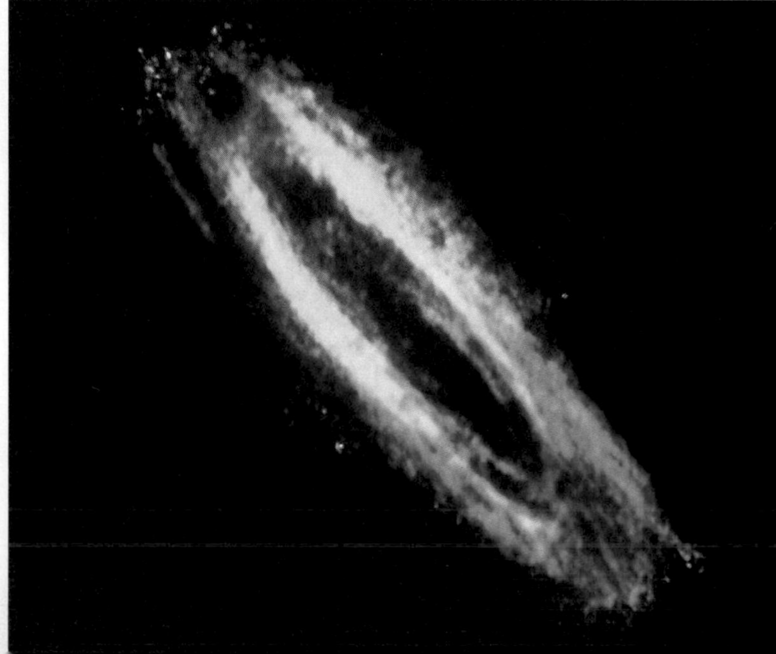

Figure 3–15 *Radio telescopes have produced this image of the Andromeda galaxy, one of our nearest neighbors in space.*

Radiotelescopios

Cuando piensas en las estrellas piensas en luz visible. Eso es lo que tú ves cuando miras el cielo nocturno. La luz visible, sin embargo, es sólo una parte del **espectro electromagnético**. Además de la luz visible, el espectro electromagnético incluye formas de "luz" que no se pueden detectar a simple vista. Estas formas de luz incluyen los rayos X, los rayos ultravioleta, los rayos infrarrojos y las radio ondas. En realidad, muchas estrellas emiten luz visible e invisible. ¿Se pueden observar las estrellas distantes usando luz invisible? Sí, pero no mediante un telescopio óptico.

En el capítulo 1 aprendiste sobre el descubrimiento de la radio astronomía de Karl Jansky y Grote Reber. Dijimos entonces que los radiotelescopios brindaron una nueva visión del universo y, ¡qué visión! Como muchas estrellas emiten principalmente radio ondas (y no luz visible), con la invención del radiotelescopio los científicos tuvieron la oportunidad de estudiar el universo desde una nueva perspectiva. Era como si una enorme parte del universo estuviera escondida esperando el descubrimiento del radiotelescopio.

Un telescopio óptico es como un cubo que sirve para captar las ondas de luz del espacio. Un **radiotelescopio** es como un cubo que capta radio ondas del espacio. En la mayoría de los radiotelescopios un plato curvo de metal recoge y envía las ondas a

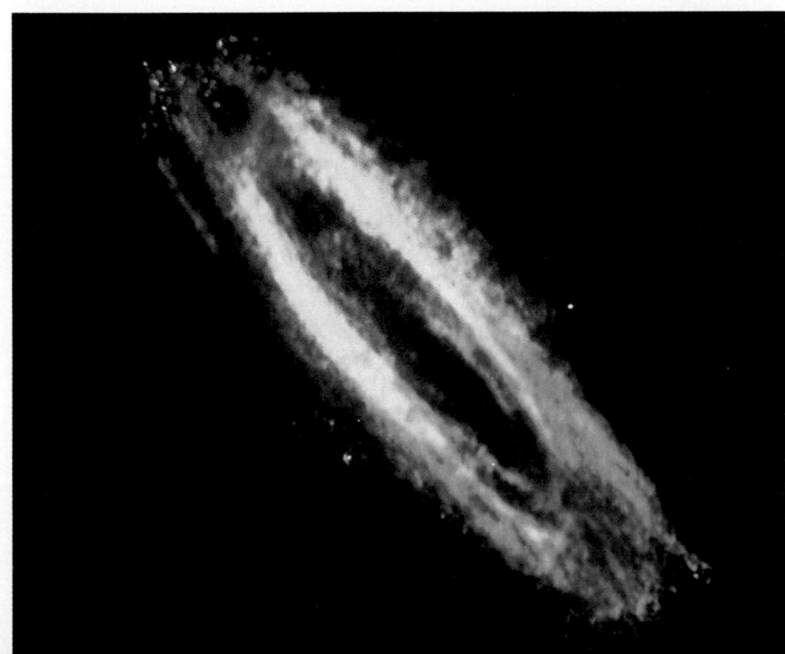

Figura 3–15 *Los radiotelescopios han producido esta imagen de la galaxia Andrómeda, una de nuestras vecinas más cercanas en el espacio.*

Figure 3–16 *The Very Large Array in New Mexico is made up of 27 radio telescopes.*

by the antenna is fed into computers, which then produce an image of the object giving off the radio waves. Radio telescopes are usually mounted on movable supports so they can be directed toward any point in the sky. These telescopes have been able to collect radio waves from objects as far away as 14 billion light-years!

In the desert of New Mexico stands a group of 27 radio telescopes known as the Very Large Array, or VLA. The VLA is extremely useful because it combines the radio-wave detecting power of 27 individual radio telescopes. With the VLA, scientists can get a clearer picture of many objects in space than they can with a single radio telescope.

Infrared and Ultraviolet Telescopes

In general, stars are the only objects in space that give off visible light. And some stars are so dim they do not give off enough visible light to be easily observed. But all objects, even dark, cold objects such as planets, give off infrared rays. Recall that infrared is part of the electromagnetic spectrum. Another term for infrared is heat energy. Unfortunately, infrared rays from distant objects in space are not easily detected once they enter Earth's atmosphere. So telescopes that operate using infrared rays are carried out of the atmosphere.

In January, 1983, the Infrared Astronomy Satellite, or *IRAS,* was launched. *IRAS,* the first **infrared telescope** in space, soon provided scientists with new and exciting information. For example, *IRAS* detected heat waves from newborn stars in clouds of gas and dust 155,000 light-years from Earth. *IRAS* also collected information that suggests that the distant star Vega is surrounded by a giant cloud of matter. This cloud may be an early stage in the development of planets. If so, *IRAS* has given us the first view of planets beyond our solar system.

Like infrared, ultraviolet light is an invisible form of light in the electromagnetic spectrum. In order to detect ultraviolet light given off by objects, scientists have constructed **ultraviolet telescopes.** Ultraviolet rays from space do not pass easily through Earth's atmosphere. So ultraviolet telescopes, like infrared telescopes, are usually carried out of the Earth's

A New Comet

One of the first achievements of IRAS was finding a new comet in our solar system. Using library and other reference sources, find out the name of that comet—and the mystery of its triple name. Report your findings in a brief essay.

Figura 3–16 *La Gran Formación (Very Large Array) de Nuevo México está compuesta por 27 radiotelescopios.*

una antena. La señal que recoge la antena pasa a unas computadoras, que producen una imagen del objeto que envía las ondas. Los radiotelescopios tienen usualmente bases móviles para enfocarlos hacia cualquier punto en el cielo. Estos telescopios han podido captar radio ondas de objetos a una distancia de 14 billones de años luz.

En el desierto de Nuevo México hay un grupo de 27 radiotelescopios conocidos como La Gran Formación o VLA que combina el poder detector de 27 telescopios. Con el VLA se puede obtener una imagen más nítida de muchos objetos en el espacio que la que proporciona un solo radiotelescopio.

Telescopios de rayos infrarrojos y rayos ultravioleta

En general, las estrellas son los únicos objetos en el espacio que emiten luz visible. Pero incluso los objetos oscuros y fríos como los planetas, emiten rayos infrarrojos. Recuerda que el infrarrojo es parte del espectro electromagnético. Otro nombre que se le da es radiación térmica. Desafortunadamente, los rayos infrarrojos de los objetos distantes en el espacio no se detectan fácilmente una vez que penetran en la atmósfera terrestre. Por eso, los telescopios de rayos infrarrojos se instalan fuera de la atmósfera.

En 1983 se lanzó el satélite astronómico infrarrojo *(IRAS)*. Gracias a *IRAS*, el primer **telescopio infrarrojo** en el espacio, se obtuvo nueva y excitante información. Por ejemplo, *IRAS* captó ondas de calor de estrellas recién nacidas en nubes de gas y polvo a 155,000 años luz de la Tierra. También recogió información que sugiere que la distante estrella Vega está rodeada por una enorme nube de materia. Esta nube podría ser el origen de planetas. Si es así, *IRAS* nos ha dado la primera imagen de planetas fuera de nuestro sistema solar.

La luz ultravioleta, como la infrarroja, es una forma de luz invisible del espectro electromagnético. Para captar los rayos ultravioleta, los científicos han construido **telescopios de rayos ultravioleta**. Los rayos ultravioleta del espacio no penetran fácilmente en la atmósfera terrestre. Por eso, los telescopios de rayos ultravioleta, como los de rayos infrarrojos, general-

ACTIVIDAD PARA ESCRIBIR

Un nuevo cometa

Uno de los primeros logros de IRAS fue el descubrimiento de un nuevo cometa en nuestro sistema solar. Averigua el nombre de este cometa y el misterio de su triple nombre. Escribe tus hallazgos en un corto ensayo.

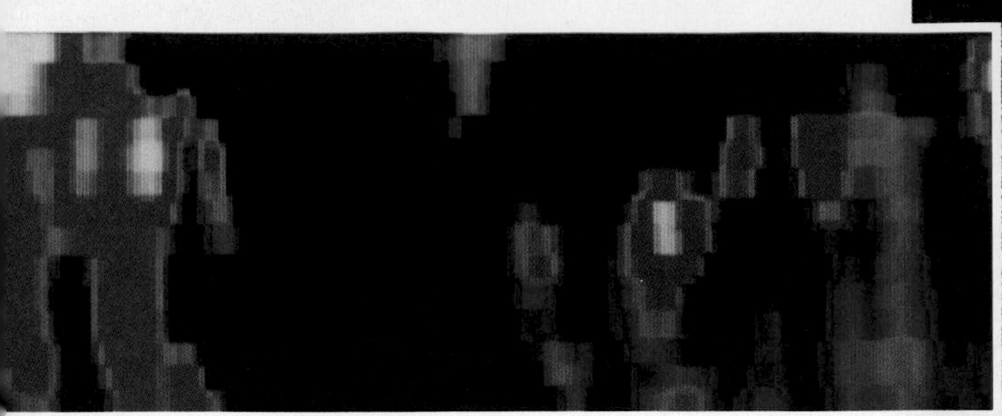

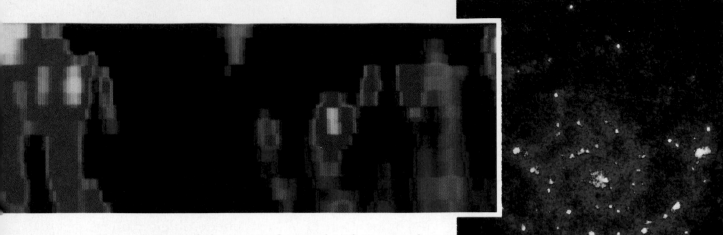

atmosphere. Some of the most dramatic photographs taken with ultraviolet telescopes are of our own sun, which gives off huge amounts of ultraviolet light daily. One of the primary tasks of the *Hubble Space Telescope,* which you will read about shortly, is to detect ultraviolet rays from space using an on-board ultraviolet telescope.

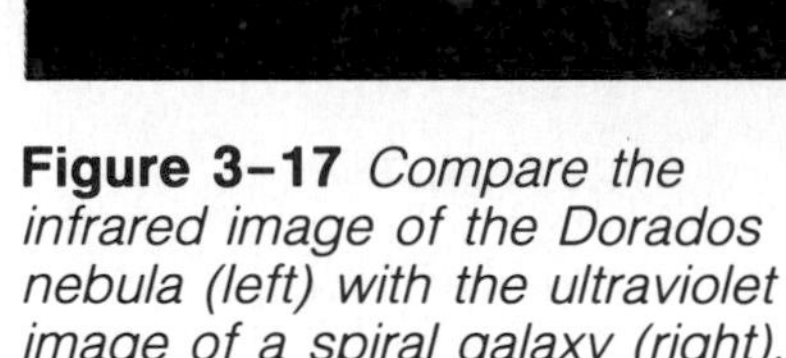

Figure 3–17 *Compare the infrared image of the Dorados nebula (left) with the ultraviolet image of a spiral galaxy (right).*

X-ray Telescopes

X-rays are another form of electromagnetic radiation given off by stars. In fact, almost all stars give off X-rays. By now you should not be surprised to learn that **X-ray telescopes** have been constructed to detect the invisible X-rays from space. Of all the forms of light in the electromagnetic spectrum, X-rays are the least able to pass through Earth's atmosphere. (A good thing because if they did, no life as we know it could survive on Earth.) So X-rays from space can only be detected by X-ray telescopes sent into orbit above the Earth.

In 1970, the first X-ray telescope, called *Uhuru,* was launched. *Uhuru* gave scientists their first clear view of X-ray sources in the sky. *Uhuru* and other orbiting X-ray telescopes have provided a wealth of information about the life cycle of stars, particularly what happens to very massive stars as they begin to age and die.

Figure 3–18 *This X-ray image shows the remains of a star that exploded in what is called a supernova.*

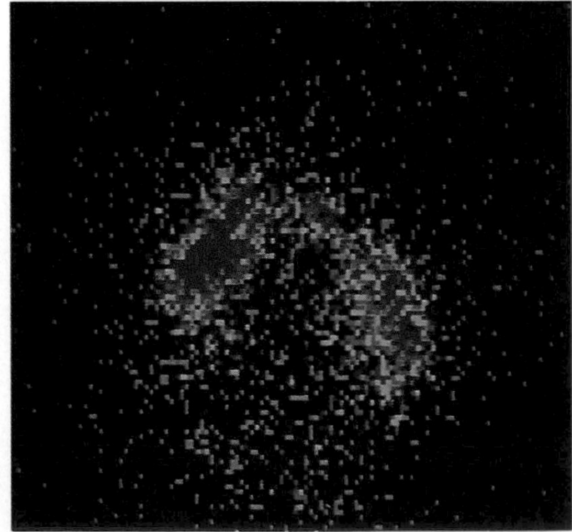

Space Telescope

In Chapter 2, you learned about a flaw in the 2.4-meter mirror of the *Hubble Space Telescope.* What you did not learn at that time was that the *Hubble Space Telescope* also houses several other kinds of

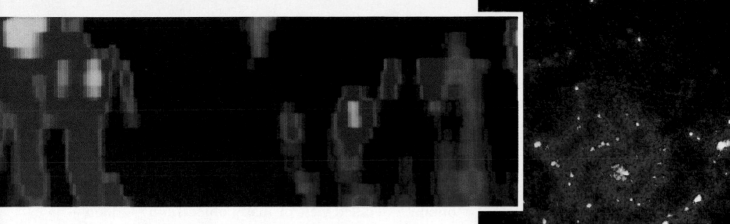

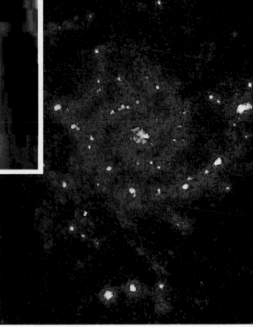

mente se transportan fuera de la atmósfera de la Tierra.

Algunas de las fotografías más espectaculares de nuestro sol, que emite enormes cantidades de luz ultravioleta, se han tomado con telescopios de rayos ultravioleta. Una de las principales tareas del *Telescopio espacial Hubble,* es captar los rayos ultravioleta del espacio con un telescopio de rayos ultravioleta que lleva a bordo.

Figura 3–17 *Compara la imagen infrarroja de la nebulosa del Dorado (izquierda) con la imagen de una galaxia en espiral (derecha).*

Telescopios de Rayos X

Los rayos X son otra forma de radiación electromagnética que emiten las estrellas. De hecho, casi todas las estrellas emiten rayos X. Por supuesto, se han construido **telescopios de rayos X** para detectar los rayos X invisibles del espacio. De todas las formas de luz en el espectro electromagnético, los rayos X son los que menos atraviesan la atmósfera terrestre. (Menos mal, porque si lo hicieran no podría haber vida en la Tierra). Por eso, sólo los telescopios de rayos X pueden captar los rayos X del espacio.

En 1970 se lanzó el *Uhuru.* El *Uhuru* le dio a los científicos la primera imagen clara de las fuentes de rayos X en el cielo. El *Uhuru* y otros telescopios de rayos X en órbita han brindado abundante información sobre el ciclo de vida de las estrellas, particularmente de estrellas muy grandes cuando empiezan a envejecer y mueren.

Figura 3–18 *Esta imagen de rayos X muestra los restos de una estrella que explotó en lo que se llama una supernova.*

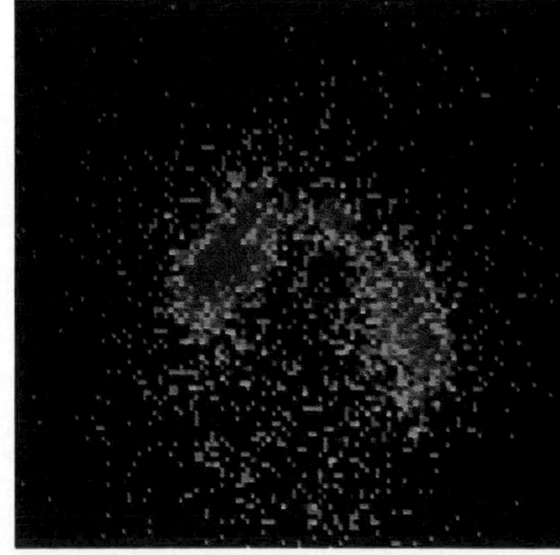

Telescopio espacial

En el capítulo 2 aprendiste sobre un defecto en el espejo de 2.4 metros del *telescopio espacial Hubble.* Lo

Figure 3–19 *Here you see the* Hubble Space Telescope *floating in orbit above the Earth, as photographed from the Space Shuttle.*

telescopes. So you can think of the *Hubble Space Telescope* as a combination of telescopes—each of which provides a different picture of the universe. In fact, one of the first important discoveries of the *Hubble Space Telescope* was made by its ultraviolet telescope. In 1991, the ultraviolet telescope revealed what could be the beginning of a new solar system forming around a star called Beta Pictoris.

Scientists have nicknamed the *Hubble Space Telescope* the "eye in the sky." With it, they can obtain a detailed view of many objects long hidden from earthbound telescopes. Although the primary mirror is not working perfectly, it still enables the *Hubble Space Telescope* to provide excellent photographs of many distant objects. Combined with the other telescopes on board, the *Hubble Space Telescope* promises to expand our knowledge of the universe in as dramatic a fashion as van Leeuwenhoek's microscope opened up the microscopic world.

3–2 Section Review

1. Compare refracting and reflecting telescopes.
2. Name and describe three types of telescopes that detect invisible light.

Connection—*You and Your World*

3. Doctors use X-rays to take pictures of broken bones and other body parts. Why can the doctor's X-rays pass through the atmosphere but X-rays from space cannot?

Guide for Reading

Focus on this question as you read.

▶ *What tools are used by scientists to study the Earth's oceans, crust, and atmosphere?*

3–3 Exploring the Earth

We have learned about a few of the tools scientists use to study the microscopic world and the world of outer space. Now you will spend some time learning about the ways in which scientists explore the planet Earth. **In simple terms, we can think of the Earth as being divided into three main parts—water, land, and air.**

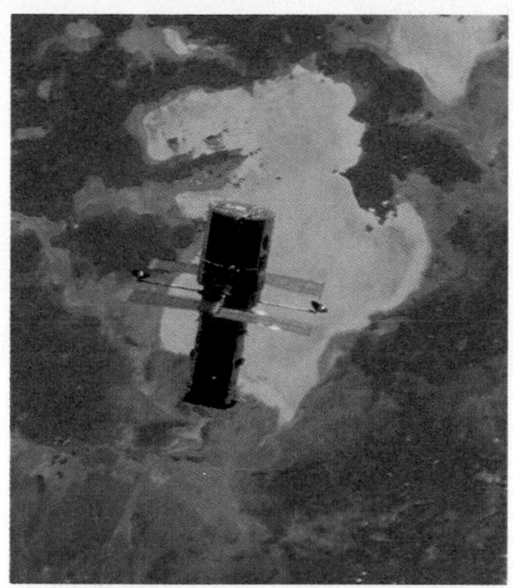

Figura 3–19 *Esta fotografía tomada por el Transbordador espacial muestra el* telescopio espacial Hubble *flotando en órbita sobre la Tierra.*

que no sabes respecto al *telescopio espacial Hubble* es que también contiene varios otros tipos de telescopios. Se puede pensar que *el telescopio espacial Hubble* es una combinación de telescopios, que nos dan cada uno una imagen diferente del universo. Uno de sus descubrimientos más importantes fue hecho por su telescopio de rayos ultravioleta en 1991, que reveló lo que podría ser el comienzo de la formación de un nuevo sistema solar alrededor de una estrella llamada Beta Pictoris.

"Ojo en el cielo" es el sobrenombre que los científicos le han dado al *telescopio espacial Hubble.* Aunque su espejo principal no funciona perfectamente, con él se pueden obtener fotografías muy detalladas de muchos objetos fuera del alcance de los telescopios terrestres. Junto con los otros telescopios que lleva a bordo, el *telescopio espacial Hubble* promete expandir nuestro conocimiento del universo tan dramáticamente como lo hizo el microscopio de van Leeuwenhoek con el mundo microscópico.

3–2 Repaso de la sección

1. Compara los telescopios refractores y los reflectores.
2. Nombra y describe tres tipos de telescopios que captan la luz invisible.

Conexión—*Tú y tu mundo*

3. Los médicos usan rayos X para tomar fotografías de huesos rotos y otras partes del cuerpo. ¿Por qué los rayos X del médico pasan a través de la atmósfera y los rayos X del espacio no?

Guía para la lectura

Piensa en esta pregunta mientras leas.

▶ *¿Qué instrumentos usan los científicos para estudiar los océanos de la Tierra, la corteza terrestre y la atmósfera?*

3–3 La exploración de la Tierra

Hemos visto algunos instrumentos que los científicos usan para estudiar el mundo microscópico y el espacio. Ahora vas a aprender cómo los científicos exploran el planeta Tierra. **En términos muy simples, podemos pensar que la Tierra se divide en tres partes principales—agua, tierra y aire.**

Exploring Earth's Oceans

More than 70 percent of the Earth is covered by water, and most of that water is found in the oceans. It's no wonder, then, that Earth is often referred to as the water planet.

Scientists use research vessels called submersibles to explore the oceans. Some submersibles carry only scientific instruments; others carry people as well. One kind of submersible is called a **bathysphere** (BATH-ih-sfeer). A bathysphere is a small, sphere-shaped diving vessel. It is lowered into the water from a ship by a steel cable. Because it remains attached to the ship, the bathysphere has limited movement.

A **bathyscaph** (BATH-ih-skaf) is a more useful submersible. It is a self-propelled submarine observatory that can move about in the ocean. Bathyscaphs have reached depths of more than 10,000 meters while exploring some of the deepest parts of the ocean.

The bathyscaph *Alvin* has made thousands of dives into the ocean depths. Some of *Alvin's* discoveries have helped scientists learn more about life on the ocean floor. During one dive, scientists aboard

Food From the Ocean

Visit a supermarket or fish market. List the different seafoods available.

■ Develop a classification system to distinguish the types of seafood sold in your local market.

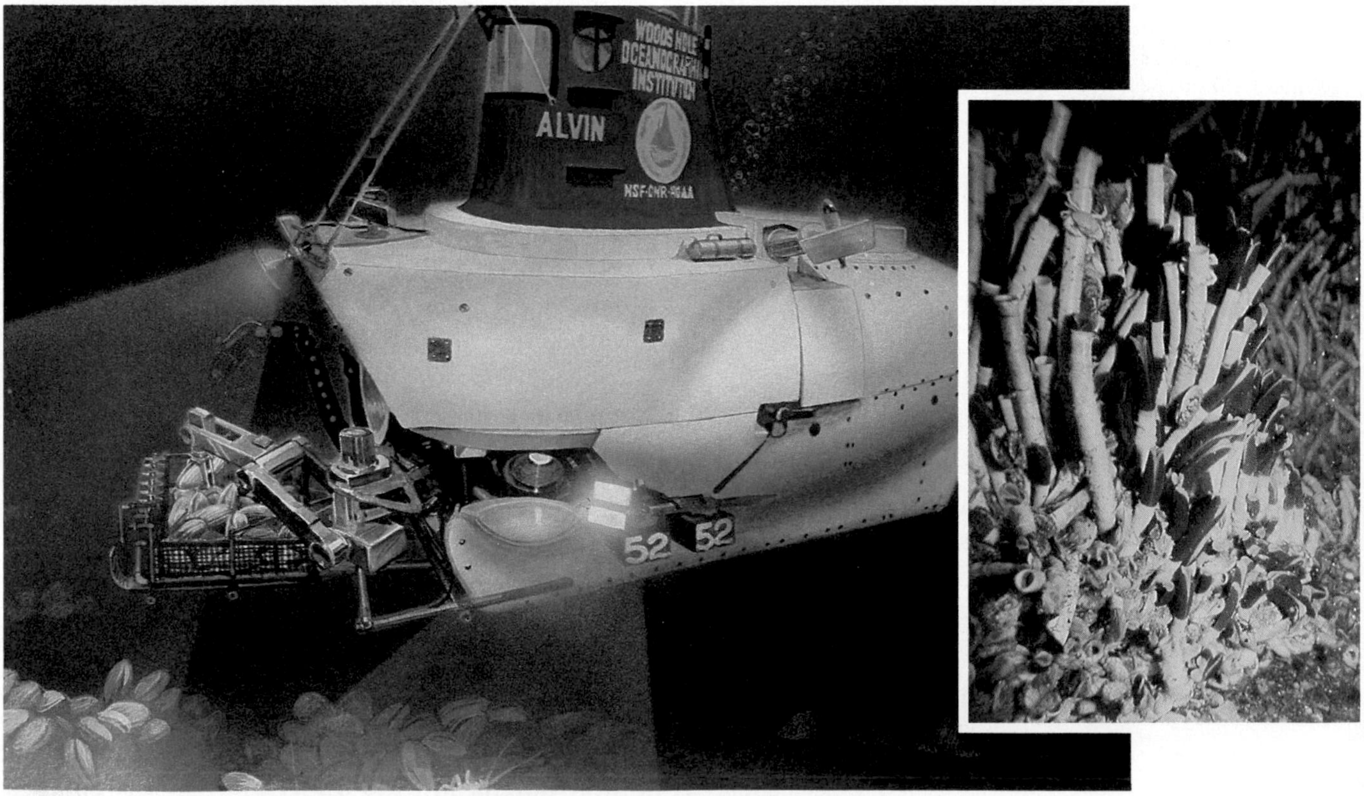

Figure 3–20 *Among the many unusual organisms discovered by the submersible* Alvin *was a new form of life called tube worms.*

Exploración de los océanos de la Tierra

Más del 70 por ciento de la Tierra está cubierta por agua, y la mayor parte se encuentra en los océanos. No debemos asombrarnos si se habla de la Tierra como del planeta de agua.

Para explorar los océanos los científicos usan naves de investigación llamadas sumergibles . Algunos sumergibles llevan sólo instrumentos científicos; otros llevan también personas. Un tipo de sumergible es la **batisfera**, una nave de buceo pequeña y esférica que es sumergida desde un barco por un cable de acero. Como queda unida al barco por el cable, su movimiento es limitado.

Un **batiscafo** es un sumergible más útil. Es un observatorio submarino autodirigido que se mueve libremente en el océano. Los batiscafos han alcanzado profundidades de más de 10,000 metros en algunas de las partes más profundas del océano.

El batiscafo *Alvin* ha hecho miles de exploraciones en las profundidades del océano. Algunos de los descubrimientos del *Alvin* han ayudado a los científicos a aprender más sobre la vida en el fondo del mar. Durante una de las zambullidas, se encontraron

ACTIVIDAD PARA AVERIGUAR

Los alimentos del océano

Ve al supermercado o a una pescadería. Haz una lista de los diferentes pescados y mariscos que hay.

■ Desarrolla un sistema de clasificación para diferenciar los alimentos del mar que se venden en el mercado de tu barrio.

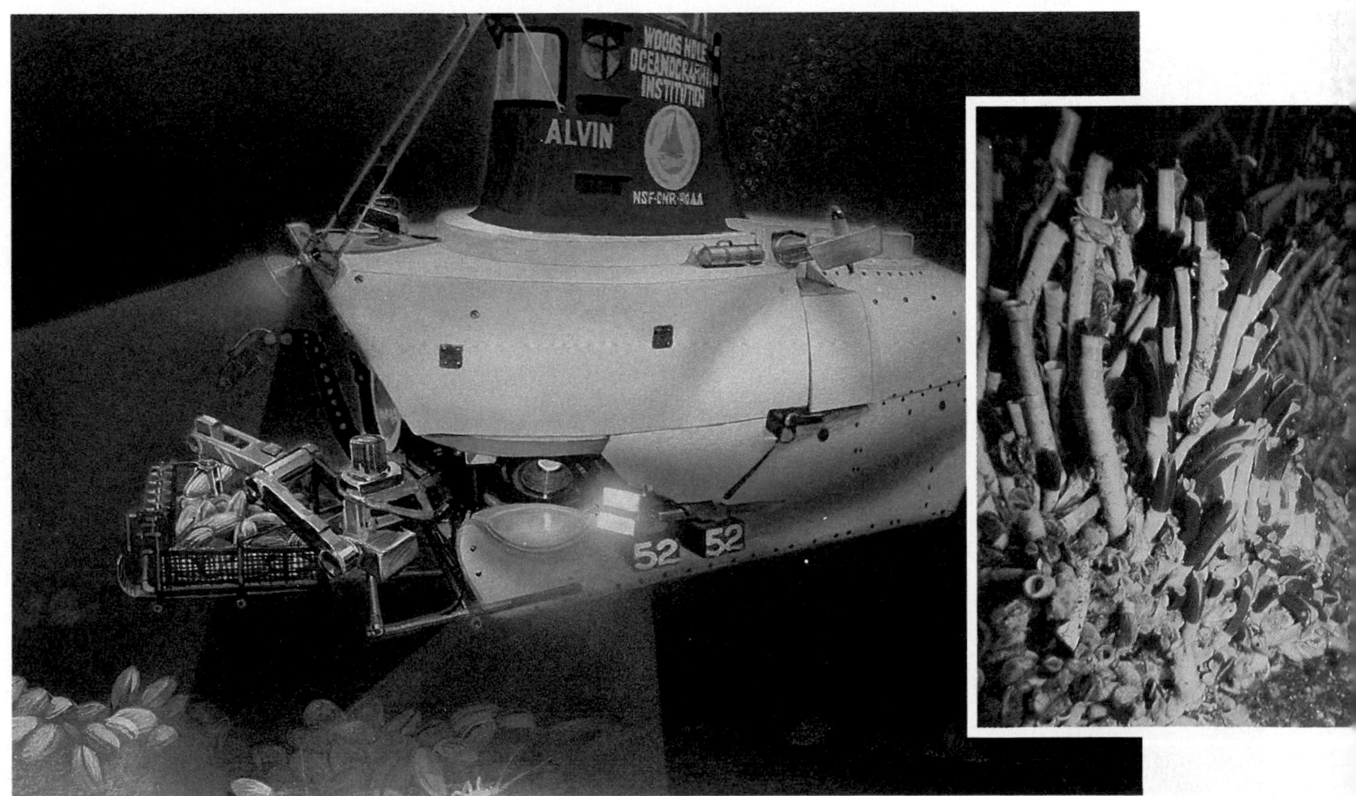

Figura 3–20 *Entre los muchos organismos descubiertos por el sumergible* Alvin *había una nueva forma de vida: las lombrices tubulares.*

Dangerous Depths

Do you love an action-packed adventure story? If so, you will want to read *Twenty Thousand Leagues Under the Sea,* by Jules Verne.

Alvin found several communities of unusual ocean life near vents, or natural chimneys, in the ocean floor. The vents discharge poisonous hydrogen sulfide into the water. Water temperatures near the vents reach 350°C. The combination of high temperatures and deadly hydrogen sulfide should make the existence of life forms near the vents impossible. But as the scientists discovered, giant tube worms, clams, mussels, and other strange life forms make their homes near the vents. These life forms exist without any sunlight. Some scientists suggest that conditions near the vents may be similar to conditions on distant planets. So the discoveries made by *Alvin* may help astronomers study the possibility of life on other worlds.

In September 1985, another submersible made a remarkable discovery. This submersible is a robot craft that can be guided along the ocean floor from a ship on the surface. The robot craft discovered the remains of the famous steamship *Titanic.* The ship was lying on the ocean floor in very deep water off the coast of Newfoundland, Canada. In 1912, on its maiden voyage, the *Titanic* struck an iceberg and quickly sank.

Figure 3–21 *Notice the robot craft as it is about to explore the wreck of the* Titanic.

ACTIVIDAD PARA LEER

Profundidades peligrosas

¿Te gustan las historias de aventuras llenas de acción? Si es así, te gustará leer *Veinte mil leguas de viaje submarino* de Julio Verne.

insólitas comunidades de vida marina cerca de respiraderos, o chimeneas naturales, en el suelo del mar. Los respiraderos despiden sulfuro de hidrógeno venenoso y la temperatura del agua alcanza los 350 C. La combinación de estos dos factores debería imposibilitar cualquier forma de vida cerca de los respiraderos. Sin embargo, los científicos descubrieron allí lombrices tubulares gigantes, almejas, mejillones y otras extrañas formas de vida que existen sin luz solar alguna. Se piensa que ahí las condiciones de vida deben ser similares a las condiciones en planetas distantes. Es así como los descubrimientos hechos por *Alvin* pueden servirles a los astrónomos para estudiar las posibilidades de vida en otros mundos.

En septiembre de 1985 otro sumergible hizo un descubrimiento notable. Este sumergible es una nave robot que puede ser guiada por el suelo oceánico desde un barco. La nave robot descubrió los restos del *Titanic,* un famoso barco a vapor. El barco fue encontrado en aguas muy profundas frente a la costa de Newfoundland en Canadá. En 1912, en su viaje inaugural, el *Titanic* se hundió al chocar con un iceberg.

Figura 3–21 *Observa esta nave robot al disponerse a explorar los restos del* Titanic.

Figure 3–22 *This collapsed California highway is evidence of the tremendous energy unleashed during an earthquake.*

Exploring Earth's Crust

We often tend to take the land we walk on for granted. "Solid as the Earth," is a common phrase. And most of the time, it makes sense. But in the 1980s, residents of Mexico, Armenia, and California (to name just a few places) felt the Earth move beneath their feet. What they felt, in case you haven't guessed, was an earthquake.

Detecting and measuring the strength of earthquakes is an important task for scientists who explore the Earth's crust. One day their studies may enable them to predict earthquakes so that people in the affected area can be warned before the earthquake strikes. Today, unfortunately, our ability to predict earthquakes is limited. But we are well able to detect and measure them using a tool called the **seismograph** (SIGHZ-muh-grahf).

A seismograph is a fairly simple instrument. It consists of a weight attached to a spring or wire. Because the weight is not attached directly to the Earth, it will remain nearly still even when the Earth moves. A pen is attached to the weight. Beside the pen is a rotating drum wrapped with paper.

Earthquake Waves

Earthquake waves, or seismic waves, travel at a speed 24 times the speed of sound. The speed of sound is 1250 km/hr. How fast do seismic waves travel?

Figura 3–22 *Esta carretera derrumbada es señal de la tremenda energía liberada durante un terremoto.*

Exploración de la corteza terrestre

Con frecuencia damos por sentado la solidez de la tierra sobre la cual caminamos. "Tan sólido como la Tierra" es una expresión común. Y la mayor parte del tiempo tiene sentido. Pero en la década de los '80 los residentes de México, Armenia y California (por nombrar sólo unos pocos lugares) sintieron moverse el piso bajo sus pies. Lo que sintieron, si no lo adivinaste, fue un terremoto.

Detectar y medir la fuerza de un terremoto es una tarea importante de los científicos que exploran la corteza terrestre. Un día sus estudios quizás les permitan predecir los terremotos para prevenir a la gente de la zona. Desgraciadamente, hoy en día nuestra capacidad de predecir los terremotos es limitada. Pero podemos detectarlos y medirlos con un instrumento: **el sismógrafo**.

Un sismógrafo es un instrumento bastante simple. Consiste en un peso unido a un resorte o alambre. Como el peso no está atado directamente a la Tierra permanece quieto incluso cuando la Tierra se mueve. Un lapicero está unido al peso. Al lado del lapicero hay un tambor giratorio envuelto en papel.

Ondas sísmicas

Las ondas sísmicas viajan a una velocidad 24 veces más rápida que la del sonido. La velocidad del sonido es de 1250 km/hora. ¿A qué velocidad viajan las ondas sísmicas?

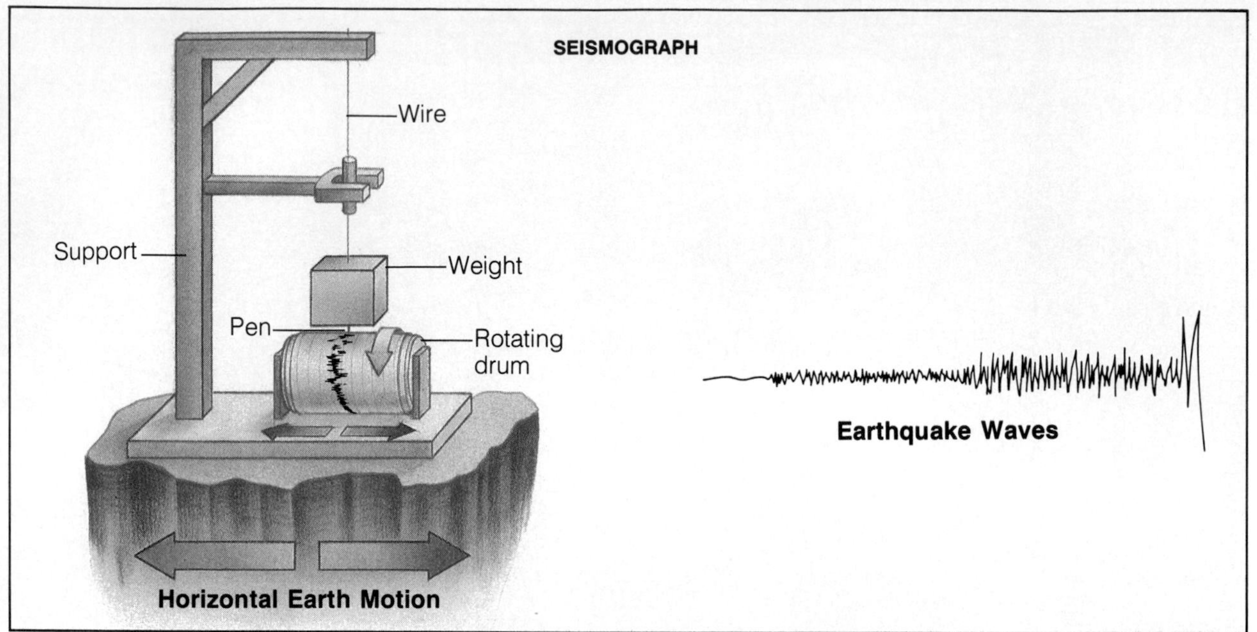

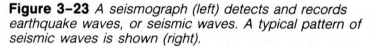

Figure 3–23 *A seismograph (left) detects and records earthquake waves, or seismic waves. A typical pattern of seismic waves is shown (right).*

Because the pen is attached to the weight, it also remains nearly still when the Earth moves. But not so for the drum, which is attached to the Earth and moves with the Earth. When the Earth is still, the pen records an almost straight line on the rotating drum. However, when an earthquake occurs, the pen records a wavy line as the drum moves with the Earth. What kind of line would be recorded during a violent earthquake?

Scientists can determine the strength of an earthquake by studying the height of the wavy lines recorded on the drum. The higher the wavy lines, the stronger the earthquake. Using the seismograph, scientists can detect an earthquake at almost the instant it occurs—anywhere on Earth!

Exploring Earth's Atmosphere

Scientists use many tools to study the Earth's atmosphere. Weather balloons and satellites transmit data to weather tracking stations around the world, enabling scientists to predict the weather far better than they could in the past. Wind vanes measure the speed and direction of the wind, an important thing to know if you are trying to determine if a nearby

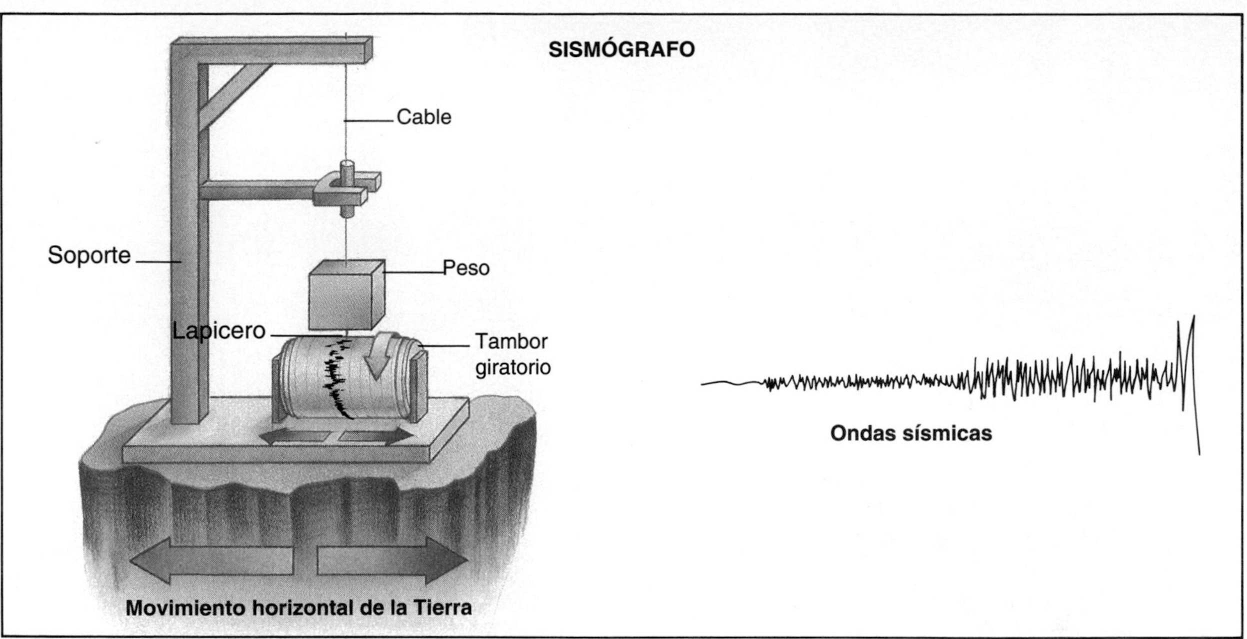

Figura 3–23 *Un sismógrafo (izquierda) detecta y registra ondas sísmicas. Un patrón típico de ondas sísmicas se puede ver a la derecha.*

Debido a que el lapicero está unido al peso, se mantiene casi inmóvil cuando la tierra se mueve. El tambor que está adherido a la tierra se mueve con ella. Cuando la tierra está quieta el lapicero marca una línea recta. Pero, cuando hay un terremoto el lapicero registra una línea ondulante causada por el movimiento del tambor. ¿Qué línea marcará durante un terremoto violento?

Los científicos pueden determinar la fuerza de un terremoto por la altura de las líneas ondulantes marcadas en el tambor. Cuánto más altas las líneas, más intenso es el terremoto. Gracias al sismógrafo los científicos pueden detectar un terremoto casi instantáneamente—¡en cualquier parte de la Tierra!

Exploración de la atmósfera terrestre

Los científicos usan muchos instrumentos para estudiar la atmósfera de la Tierra. Los globos dirigibles y los satélites transmiten datos a las estaciones metereológicas de todas partes del mundo, lo que permite predecir el tiempo mucho mejor de lo que podía hacerse en el pasado. Las veletas miden la

Figure 3–24 *Among the most modern scientific tools are weather satellites which, among other things, can be used to track potentially dangerous hurricanes.*

storm is coming your way. Other instruments measure the humidity (amount of moisture in the atmosphere) and air temperature. The list of instruments to study the atmosphere goes on and on. In this section, we will learn about one instrument you may already be familiar with—the **barometer.**

A barometer is a device that measures air pressure. Although you probably don't often think about it, air is a form of matter and therefore has mass. And as you learned in Chapter 1, the Earth's gravity pulls matter toward the Earth. In simple terms, air pressure is a measure of the force of the atmosphere pushing down on every point on the Earth due to gravity.

There are two different types of barometers. One type is a mercury barometer. A mercury barometer consists of a glass tube closed at one end and filled with mercury (a silvery liquid). The open end of the glass tube is placed in a container of mercury. At sea level, air pushing down on the mercury in the container supports the column of mercury in the glass tube at a certain height. As the air pressure decreases, the column of mercury drops. What will happen if the air pressure increases?

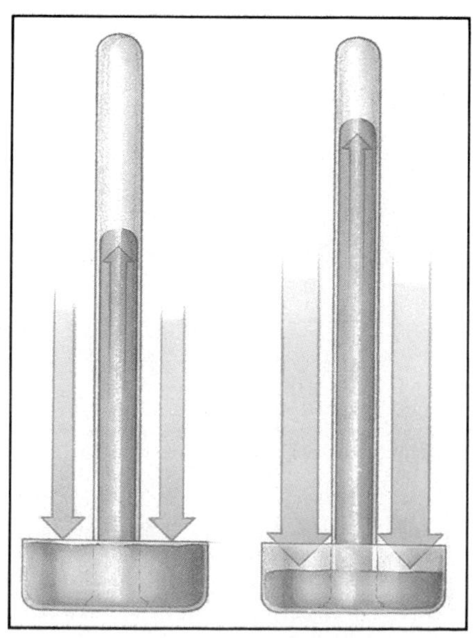

Figure 3–25 *When air pressure increases, the column of mercury rises in the barometer tube (right). What happens when air pressure decreases (left)?*

Figura 3–24 *Entre los instrumentos más modernos están los satélites metereológicos que pueden seguir el curso de huracanes potencialmente peligrosos.*

velocidad y dirección del viento, lo que es importante para determinar si una tormenta se avecina. Otros instrumentos miden la humedad de la atmósfera y la temperatura del aire. La lista de instrumentos para estudiar la atmósfera es interminable. En esta sección vas a aprender sobre un instrumento que quizás conozcas—el **barómetro**.

Un barómetro es un aparato que mide la presión del aire. Aunque no lo parece, el aire es una forma de materia y por lo tanto tiene masa. Como viste en el capítulo 1, la gravedad de la Tierra atrae hacia ella la materia. Es decir, la presión atmosférica es una medida de la fuerza que ejerce la atmósfera sobre cada punto de la Tierra debido a la gravedad.

Existen dos tipos diferentes de barómetros. Uno es el de mercurio. Un barómetro de mercurio es un tubo de vidrio cerrado en un extremo y lleno de mercurio (un líquido plateado). Se coloca el tubo boca abajo en un recipiente de mercurio. A nivel del mar, la presión del aire sobre el mercurio del recipiente mantiene la columna de mercurio del tubo a una cierta altura. A medida que la presión disminuye, baja el nivel de la columna. ¿Qué pasará si aumenta la presión atmósferica?

Figura 3–25 *Al aumentar la presión atmosférica, la columna de mercurio del barómetro sube (derecha). ¿Qué pasa cuando la presión disminuye? (zquierda)*

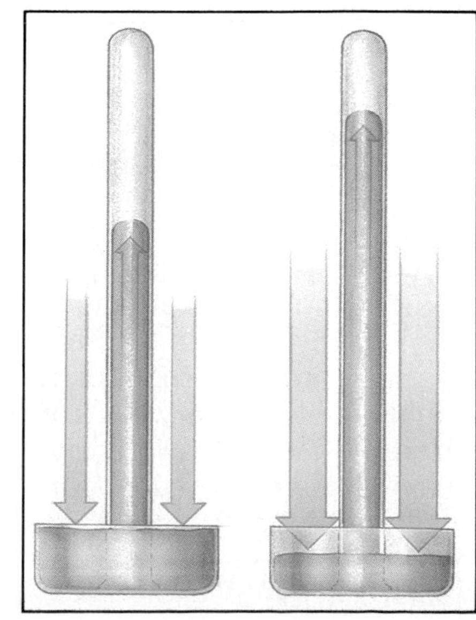

Figure 3–26 *An aneroid barometer (inset) is used to measure air pressure anywhere from your hometown to the foggy banks off Kruzof Island in Alaska.*

A more common type of barometer is called an aneroid (AN-er-oid) barometer. See Figure 3–26. An aneroid barometer consists of an airtight metal box from which most of the air has been removed. A change in air pressure causes a needle to move and indicate the new air pressure. Perhaps you have an aneroid barometer at home or in your school. If so, see if you can discover for yourself the relationship between rising and falling air pressure and the weather in your area.

A Water Barometer

Mercury has a density of 13.5 g/cm^3. Water has a density of 1.0 g/cm^3. If standard air pressure supports a column of mercury 76 cm high, how high would a column of water be supported at this pressure?

3–3 Section Review

1. What are some of the tools used to explore the Earth's oceans, crust, and atmosphere?
2. Can a seismograph be used to predict earthquakes? Explain your answer.

Critical Thinking—*Applying Concepts*

3. Using the term density, explain why air pressure is related to altitude (distance above sea level).

Figura 3–26 *Un barómetro aneroide (detalle) puede medir la presión atmosférica en cualquier lugar: en tu ciudad o en los bancos de neblina de la isla Kruzof en Alaska.*

Un tipo de barómetro más común es el barómetro aneroide. Véase la Figura 3-26. Un barómetro aneroide es una caja de metal hermética de la cual se ha extraido la mayor parte del aire. Al cambiar la presión atmosférica una aguja se mueve indicando la nueva presión del aire. Quizás tengas un barómetro aneroide en tu casa o en tu escuela. Si es así, trata de descubrir por tu cuenta la relación que hay entre el clima y los cambios de presión atmosférica de tu zona.

ACTIVIDAD PARA CALCULAR

Un barómetro de agua

El mercurio y el agua tienen una densidad de 13.5 g/cm^3 y 1.0 g/cm^3 respectivamente. Si la presión atmosférica estándar mantiene una columna de mercurio a 76 cm de altura, ¿a qué altura mantendría una columna de agua la misma presión?

3–3 Repaso de la sección

1. ¿Qué instrumentos se usan para explorar los océanos, la corteza terrestre y la atmósfera?
2. ¿Se puede usar un sismógrafo para predecir los terremotos? Explica tu respuesta.

Pensamiento crítico—*Aplicación de conceptos*

3. Usando el término densidad explica por qué la presión atmosférica está relacionada con la altitud (la distancia sobre el nivel del mar).

CONNECTIONS

Modern Medicine—Ancient Cure

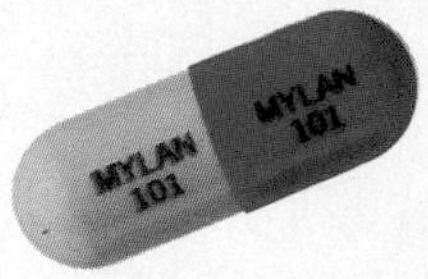

While preparing bone specimens for microscopic study, a young college student in Detroit made a fascinating discovery. She found that shining ultraviolet light on the bones made them glow yellow-green. The yellow-green color was characteristic of a *modern medicine* called tetracycline used to combat disease. But the bone specimen was over 1600 years old and was part of a skeleton found in the Nubian desert in Africa. How could ancient bones contain a modern medicine?

The answer to the puzzling question lies with bacteria called *Streptomyces*, which produce tetracycline naturally. Species of *Streptomyces* also make up about 60 percent of the bacteria living in Nubian soil. Scientists believe that the streptomyces flourished at the bottom of mud bins used to store grain.

Normally, tetracycline leaves a bitter taste in food. So it is unlikely the people of that time ate the contaminated grain at the bottom of the bin—if they could avoid it. However, every few years that region suffered through serious famines and food became very scarce. At such times we would normally expect disease to rise as people's strength was sapped by the lack of food. But it was during such famines that people were willing to eat the contaminated grain. After all, bitter food is better than no food at all. The ancient people in the Nubian desert could not know how fortunate they were. For just when they needed it most, they ate the grain with the life-saving medicine—without ever realizing how a bacterium was protecting them from disease!

CONEXIONES

Medicina moderna— Remedio antiguo

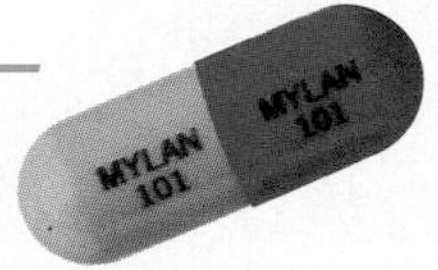

Mientras preparaba muestras óseas para un análisis microscópico, una joven estudiante en Detroit hizo un descubrimiento fascinante. Al iluminar los huesos con una luz ultravioleta brillante, éstos daban un brillo amarillo-verdoso. Ese color es el de la tetraciclina, *un medicamento moderno*. Pero la muestra ósea pertenecía a un esqueleto de más de1600 años encontrado en el desierto de Nubia, en África. ¿Sería posible que esta muestra contuviera un medicamento moderno?

La respuesta está en una bacteria, *Streptomyces*, que producen tetraciclina en forma natural. Cerca del 60 por ciento de las bacterias vivas del suelo nubiense son especies de *Streptomyces*. Se cree que estas bacterias se desarrollaron en el fondo de los depósitos de barro usados para guardar granos.

La tetraciclina le da un sabor amargo a los alimentos. Es probable que si podían evitarlo, la gente de la época no comiera el grano del fondo de los depósitos. Pero hubo años en que la región sufrió severas hambrunas. Sin embargo, en esos períodos las enfermedades no proliferaban, pues la gente prefería comer del grano amargo a no comer. Los habitantes del desierto de Nubia no podían saber lo afortunados que eran. Sin darse cuenta, al comer de ese grano, una bacteria benigna los protegía de las enfermedades.

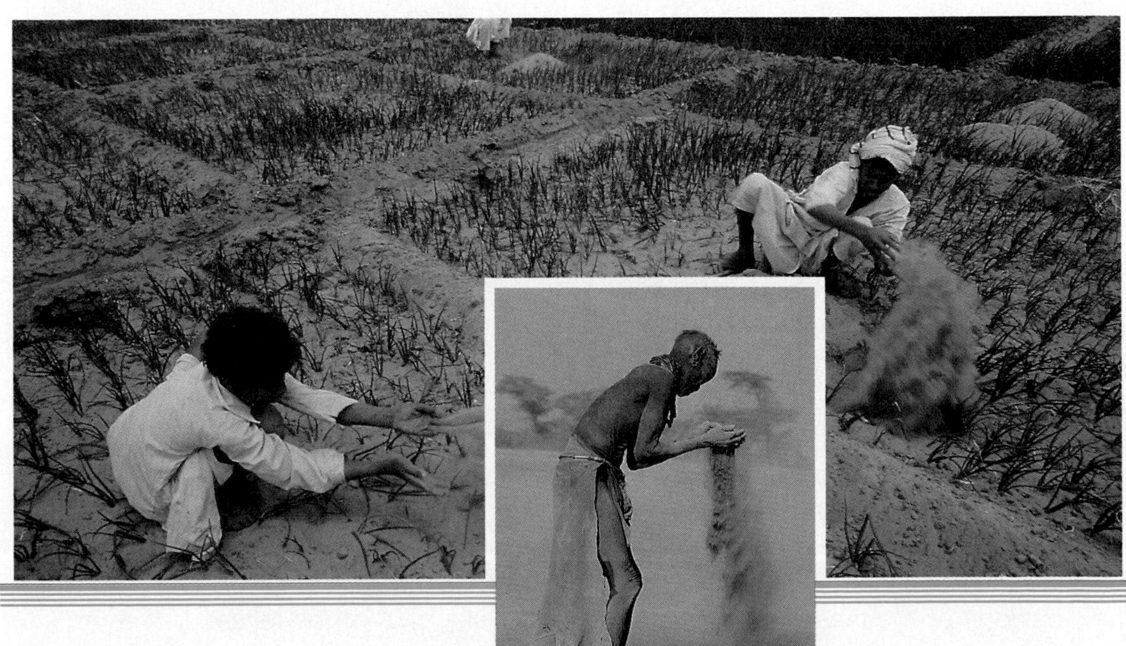

Laboratory Investigation

Constructing a Telescope

Problem

How does a refracting telescope work?

Materials *(per group)*

meterstick
2 lens holders
2 convex lenses or magnifying glasses of different sizes
unlined index card (to be used as a screen)
card holder

Procedure

1. Put the two lenses in the lens holders and place them on the meterstick. Put the index card in its holder and place it between the two lenses.
2. Aim one end of the meterstick at a window or an electric light about 3 to 10 meters away. Light given off or reflected by an object will pass through the lens and form an image of the object on the screen (index card). Carefully slide the lens nearer to the light source back and forth until a clear, sharp image of the light source forms on the screen.
3. The distance between the center of the lens and the sharp image is called the focal length of the lens. Measure this distance to obtain the focal length of that lens. Record your measurement.
4. Turn the other end of the meterstick toward the light source. Without disturbing the screen or the first lens, determine the focal length of the second lens.
5. Point the end of the meterstick that has the lens with the longer focal length toward a distant object. Without changing the positions of the lenses, take the screen out of its holder and look at the distant object through both lenses. You may have to adjust the lenses slightly to focus the image. You have now constructed a refracting telescope.

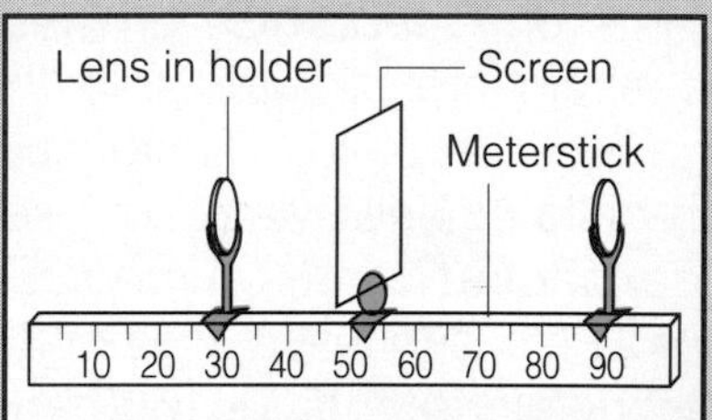

Observations

1. What was the focal length of the first lens? The second lens?
2. How does the image seen through the lens with the shorter focal length differ from the image seen through the lens with the longer focal length?
3. How does the image of an object seen through the lens with the longer focal length appear different from the object itself?

Analysis and Conclusions

1. In a telescope, the lens with the shorter focal length is called the eyepiece. The lens with the longer focal length is called the objective. You can calculate the magnifying power of your telescope by using the following formula:

$$\textbf{Magnifying power} = \frac{\textbf{Focal length of objective}}{\textbf{Focal length of eyepiece}}$$

   Using the formula, calculate the magnifying power of your telescope.
2. **On Your Own** What is the relationship between the telescope's magnifying power and the ratio between the focal lengths of the lenses?

Investigación de laboratorio

Construir un telescopio

Problema

¿Cómo funciona un telescopio refractor?

Materiales *(para cada grupo)*

varilla graduada
2 portalentes
2 lentes convexas o lupas de distintos tamaños
tarjeta de índice sin líneas (para usarla como pantalla)
portatarjeta

Procedimiento

1. Pon los dos lentes en los portalentes y colócalos sobre la varilla graduada. Pon la tarjeta en el portatarjeta y colócala entre los dos lentes.
2. Apunta uno de los extremos de la varilla hacia una ventana o una luz eléctrica aproximadamente entre 3 y10 metros de distancia. La luz emitida o reflejada por un objeto pasará a través de el lente y formará una imagen del objeto sobre la pantalla (tarjeta índice). Desliza el lente más cercano a la fuente de luz con cuidado hacia adelante y hacia atrás hasta que se forme una imagen clara y nítida de la fuente de luz sobre la pantalla.
3. La distancia entre el centro de el lente y la imagen se llama distancia focal. Mide esta distancia para obtener la distancia focal de ese lente. Anota la medida.
4. Vuelve el otro extremo de la varilla hacia la fuente de luz. Sin alterar la pantalla ni el primer lente, determina la distancia focal de el otro lente.
5. Apunta el extremo de la varilla que tiene la distancia focal más larga hacia un objeto distante. Sin cambiar la posición de los lentes, quita la tarjeta del portatarjeta y mira el objeto distante a través de los dos lentes. Quizás necesites ajustar levemente los lentes para enfocar la imagen. Has construido un telescopio refractor.

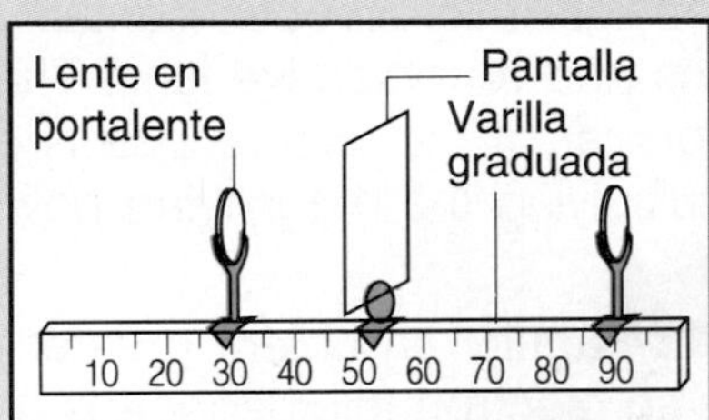

Observaciones

1. ¿Cuál fue la distancia focal de el primer lente? ¿De el segundo?
2. ¿En qué se diferencia la imagen vista a través de el lente con la distancia focal más corta de la imagen vista a través de el lente con la distancia focal más larga?
3. ¿En qué se diferencia la imagen de un objeto visto a través de el lente de distancia focal más larga del objeto mismo?

Análisis y conclusiones

1. En un telescopio el lente con la distancia focal corta se llama ocular. El lente con la distancia focal más larga se llama objetivo. El poder de aumento del telescopio se calcula con esta fórmula:

$$\textbf{Aumento} = \frac{\textbf{Distancia focal del objectivo}}{\textbf{Distancia focal del ocular}}$$

   Con esta fórmula calcula el aumento de tu telescopio.

2. Por tu cuenta ¿Cuál es la relación entre el aumento del telescopio y el coeficiente de las distancias focales de los lentes?

Study Guide

Summarizing Key Concepts

3–1 Exploring the Microscopic World

▲ A microscope is an instrument that produces larger-than-life images of an object.

▲ A magnifying glass is a simple optical microscope with a single lens.

▲ Compound light microscopes contain an eyepiece lens and an objective lens. The magnifying power of the microscope is determined by multiplying the magnifying powers of the lenses.

▲ In order to magnify an object greater than 1000 times, an electron microscope is used. Electron microscopes use a beam of electrons, rather than light, to magnify an object.

▲ The two main types of electron microscopes are the transmission electron microscope (TEM) and the scanning electron microscope (SEM).

▲ X-rays, CT scans, and MRI scans are some of the tools scientists use to look "inside" an object.

3–2 Exploring the Universe

▲ A telescope is an instrument used to view and magnify distant objects.

▲ The two types of optical telescopes are the refracting telescope, which uses a series of lenses, and the reflecting telescope, which uses a series of mirrors to magnify an object.

▲ The electromagnetic spectrum includes visible light as well as infrared, ultraviolet, X-rays, and radio waves.

▲ Many objects in space give off radio waves, which can be observed through the use of a radio telescope.

▲ Infrared, ultraviolet, and X-ray telescopes each provide a different view of the universe.

3–3 Exploring the Earth

▲ In general terms, the Earth can be divided into water, land, and atmosphere.

▲ Scientists use submersibles such as the bathysphere and the bathyscaph to explore ocean depths.

▲ The seismograph is an instrument that detects and measures earthquakes.

▲ One of the most important tools used to study the atmosphere is the barometer, which measures air pressure.

Reviewing Key Terms

Define each term in a complete sentence.

3–1 Exploring the Microscopic World

lens
compound light microscope
electron microscope

3–2 Exploring the Universe

refracting telescope
reflecting telescope
electromagnetic spectrum
radio telescope
infrared telescope
ultraviolet telescope
X-ray telescope

3–3 Exploring the Earth

bathysphere
bathyscaph
seismograph
barometer

Guía para el estudio

Resumen de conceptos claves

3–1 La exploración del mundo microscópico

▲ Un microscopio es un instrumento que produce una imagen amplificada de un objeto.

▲ Una lupa es un microscopio óptico simple con un solo lente.

▲ Los microscopios ópticos compuestos tienen un ocular y un objetivo. El poder de aumento del microscopio se determina multiplicando los poderes de aumento de las lentes.

▲ Un microscopio electrónico se usa para aumentar un objeto más de 1000 veces. Para esto, los microscopios electrónicos usan un rayo de electrones en vez de luz.

▲ Los dos tipos principales de microscopios electrónicos son el microscopio electrónico de transmisión (TEM) y el microscopio electrónico con barrido (SEM).

▲ Los rayos X, los CT scans y los MRI son unos de los instrumentos que los científicos usan para mirar "dentro" de un objeto.

3–2 La exploración del universo

▲ Un telescopio es un instrumento que se usa para ver y amplificar objetos distantes.

▲ Los dos tipos de telescopios ópticos son el refractor, que usa una serie de lentes y el reflector, que usa una serie de espejos para aumentar un objeto.

▲ El espectro electromagnético incluye tanto la luz visible como los rayos infrarrojos, los rayos ultravioleta, los rayos X y las radio ondas.

▲ Muchos objetos en el espacio emiten radio ondas que pueden ser observadas por medio de un radiotelescopio.

▲ Los telescopios de rayos infrarrojos, rayos ultravioleta y de rayos X nos dan cada uno una visión diferente del universo.

3–3 La exploración de la Tierra

▲ A grandes rasgos, la Tierra puede ser dividida en agua, tierra y atmósfera.

▲ Los científicos usan sumergibles como la batisfera y el batiscafo para explorar el mar.

▲ El sismógrafo es un instrumento que detecta y mide terremotos.

▲ Uno de los instrumentos más importantes para estudiar la atmósfera es el barómetro, que mide la presión atmosférica.

Repaso de palabras claves

Define cada palabra o palabras con una oración completa.

3–1 La exploración del mundo microscópico

lente
microscopio óptico compuesto
microscopio electrónico

3–2 La exploración del universo

telescopio refractor
telescopio reflector
espectro electromagnético
radiotelescopio
telescopio de rayos infrarrojos
telescopio de rayos ultravioleta
telescopio de rayos X

3–3 La exploración de la Tierra

batisfera
batiscafo
sismógrafo
barómetro

Chapter Review

Content Review

Multiple Choice

Choose the letter of the answer that best completes each statement.

1. A telescope that uses a series of mirrors to collect and magnify light from distant objects is called a
   a. compound light telescope.
   b. refracting telescope.
   c. reflecting telescope.
   d. none of these
2. A magnifying glass uses
   a. two lenses. c. a single lens.
   b. a single mirror. d. two mirrors.
3. The highest magnifying power of a compound light microscope is
   a. 100. c. 10,000.
   b. 1000. d. 100,000.
4. To observe the outer structure of a virus, you would use a(an)
   a. TEM.
   b. compound light microscope.
   c. SEM.
   d. MRI.
5. Which telescope would be best placed in outer space?
   a. X-ray telescope
   b. infrared telescope
   c. ultraviolet telescope
   d. all of these
6. Optical telescopes detect
   a. X-rays. c. infrared energy.
   b. visible light. d. radio waves.
7. The strength of an earthquake is measured by a(an)
   a. seismograph. c. MRI.
   b. bathyscaph. d. series of lenses.
8. A barometer measures
   a. weather conditions.
   b. temperature.
   c. air pressure.
   d. precipitation.

True or False

If the statement is true, write "true." If it is false, change the underlined word or words to make the statement true.

1. In a compound light microscope, the lens closest to the object being observed is called the <u>objective lens</u>.
2. The magnifying power of a microscope is found by <u>dividing</u> the power of the objective lens by the power of the eyepiece lens.
3. One type of <u>compound light microscope</u> is the TEM.
4. The <u>magnetoelectric</u> spectrum includes both visible and invisible light.
5. A submersible that is attached directly to a ship on the ocean's surface is called a <u>bathyscaph</u>.

Concept Mapping

Complete the following concept map for Section 3–1. Refer to pages A6–A7 to construct a concept map for the entire chapter.

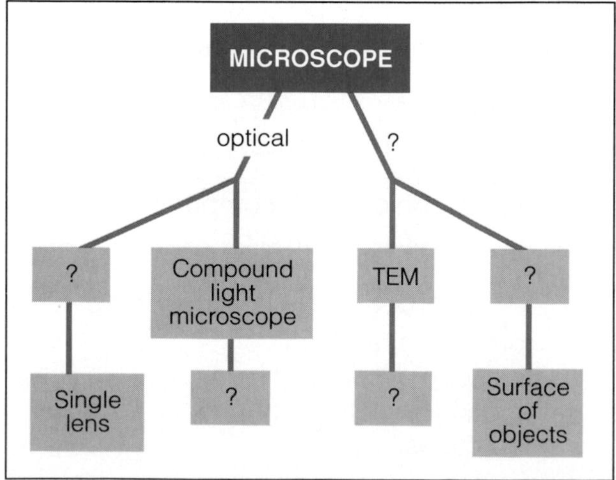

Repaso del capítulo

Repaso del contenido

Elección múltiple

Escoge la letra de la respuesta que complete mejor cada frase.

1. Un telescopio que usa una serie de espejos para recoger y aumentar la luz de objetos distantes es
a. telecopio óptico compuesto.
b. telescopio refractor.
c. telescopio reflector.
d. ninguno de éstos

2. Una lupa utiliza
a. dos lentes.
b. un solo espejo.
c. un solo lente.
d. dos espejos.

3. El poder de aumento más alto de un microscopio óptico es
a. 100.
b. 1,000.
c. 10,000.
d. 100,000.

4. Para observar la estructura externa de un virus usarías un
a. TEM
b. microscopio óptico compuesto
c. SEM
d. MRI

5. ¿Cuál telescopio es más útil en el espacio?
a. telescopio de rayos X
b. telescopio de rayos infrarrojos
c. telescopio de rayos ultravioleta
d. todos ellos

6. Los telescopios ópticos detectan
a. rayos X.
b. luz visible.
c. radiación infrarroja.
d. radio ondas.

7. La intensidad de un terremoto se mide con un(a)
a. sismógrafo.
b. batiscafo.
c. MRI.
d. serie de lentes.

8. Un barómetro mide
a. las condiciones metereológicas.
b. la temperatura.
c. la presión atmosférica.
d. la precipitación.

Verdadero o falso

Si la afirmación es verdadera, escribe "verdad." Si es falsa, cambia las palabras subrayadas para que sea verdadera.

1. En un microscopio óptico compuesto el lente más cercana al objeto observado se llama <u>objetivo</u>.
2. El poder de aumento de un microscopio se puede calcular <u>dividiendo</u> el poder de aumento del objetivo por el poder del ocular.
3. Un tipo de <u>microscopio óptico compuesto</u> es el TEM.
4. El espectro <u>electromagnético</u> incluye tanto la luz visible como la luz invisible.
5. Un sumergible unido directamente a un barco en la superficie del océano se llama un <u>batiscafo</u>.

Mapa de conceptos

Completa el mapa de conceptos siguiente para la Sección 3–1. Consulta las páginas A6–A7 para construir un mapa de conceptos para todo el capítulo.

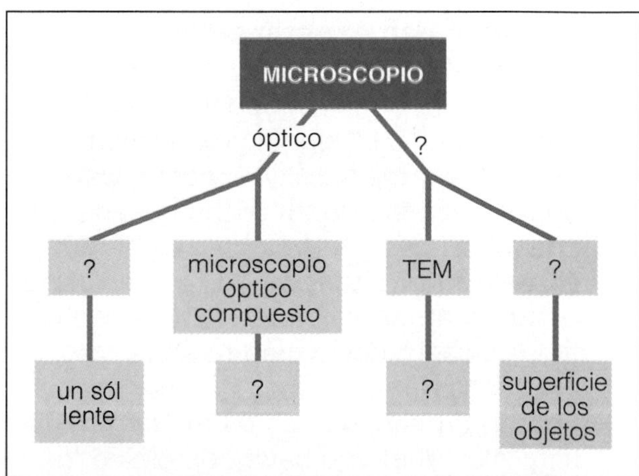

Concept Mastery

Discuss each of the following in a brief paragraph.

1. Discuss the uses and limitations of a compound light microscope, an SEM, and a TEM.
2. Van Leeuwenhoek's experiments with a drop of water have been compared to suddenly discovering that an entire family has been living in your house without your knowledge. Explain the meaning of this comparison.
3. How has our understanding of objects in space been limited by the tools we can use?
4. Explain the meaning of the statement, "There is more to light than meets the eye."
5. Describe the relationship between air pressure and density.

Critical Thinking and Problem Solving

Use the skills you have developed in this chapter to answer each of the following.

1. **Making charts** Construct a chart that shows the different types of telescopes and the kinds of energy each type can detect.
2. **Expressing an opinion** A great deal of money is spent each year on space exploration. Many people feel that this money could be better spent improving conditions on Earth. Other people feel that knowledge gained from space exploration will ultimately bring great benefits to human society. Still others suggest that scientific knowledge is valuable for its own sake and should not be thought of in terms of dollars and cents. What is your opinion? Explain your answer.
3. **Designing an experiment** Ocean water, unlike fresh water, contains salt. The amount of salt in ocean water is called salinity. Design an experiment to determine if the salinity of ocean water changes as the depth of the ocean changes.
4. **Drawing conclusions** At the beginning of this chapter we stated that the way the Anasazi Indians tried to solve the mysteries of nature may not be very different from those used by modern scientists. Now that you have completed the chapter, explain whether you agree or disagree with that statement.
5. **Using the writing process** If telescopes could talk, what stories would they tell? Write a telescope story. *Hint:* First decide what type of telescope you are.
6. **Using the writing process** You have been given the opportunity to travel back to the age of dinosaurs. Which of the tools discussed in this chapter would be most useful in your travels? Explain your answer.

Dominio de conceptos

Discute cada una de las afirmaciones siguientes en un párrafo breve.

1. Discute los usos y las limitaciones de un microscopio óptico, un SEM y un TEM.
2. Se dice que los experimentos de van Leeuwenhoek con una gota de agua fueron como si de repente descubrieras que toda una familia ha estado viviendo en tu casa sin darte cuenta. Explica el significado de esta comparación.
3. ¿Cómo los instrumentos que usamos han limitado nuestra comprensión del espacio?
4. Explica el significado de la afirmación: "Hay mucho más en la luz que lo que se ve."
5. Describe la relación entre la presión atmosférica y la densidad.

Pensamiento crítico y solución de problemas

Usa las destrezas que has desarrollado en este capítulo para resolver lo siguiente.

1. **Hacer tablas** Construye una tabla que muestre los diferentes tipos de telescopios y los tipos de energía que cada uno puede captar.
2. **Expresar una opinión** Cada año se gasta mucho dinero en la exploración espacial. Mucha gente opina que se podría usar para mejorar las condiciones de vida en la Tierra. Otra gente piensa que el conocimiento adquirido en la exploración espacial será beneficioso para toda la humanidad . Otros sugieren que el conocimiento científico es valioso y no debe ser evaluado en dólares y centavos. ¿Cuál es tu opinión? Explica tu respuesta.
3. **Diseñar un experimento** A diferencia del agua dulce, el agua del océano contiene sal. La cantidad de sal en el agua del mar se llama salinidad. Diseña un experimento para determinar si la salinidad cambia a medida que cambia la profundidad del mar.
4. **Sacar conclusiones** Al principio de este capítulo dijimos que la forma en que los Anasazi resolvían los misterios de la naturaleza no era tan diferente a cómo lo hacen los científicos modernos. Ahora que has completado este capítulo, explica si estás de acuerdo o no con esta afirmación.
5. **Usar el proceso de la escritura** Si los telescopios pudieran hablar ¿qué historias contarían? Escribe el relato de un telescopio. Pista: Primero decide qué tipo de telescopio eres.
6. **Usar el proceso de la escritura** Tienes la oportunidad de retroceder en el tiempo a la época de los dinosarios. ¿Cuál de los instrumentos discutidos en este capítulo te sería más útil en tus viajes? Explica tu respuesta.

STEPHEN HAWKING: Changing Our View of the Universe

Scientists have long struggled to find the connection between two branches of physics. One of these branches deals with the forces that rule the world of atoms and subatomic particles. The other branch deals with gravity and its role in the universe of stars and galaxies. Physicist Stephen Hawking has set himself the task of discovering the connection. Leading theoretical physicists agree that if anyone can discover a unifying principle, it will certainly be this extraordinary scientist.

Dr. Hawking's goal, as he describes it, is simple. "It is complete understanding of the universe, why it is as it is and why it exists at all." In order to achieve such an understanding, Dr. Hawking seeks to "quantize gravity." Quantizing gravity means combining the laws of gravity and the laws of quantum mechanics into a single universal law.

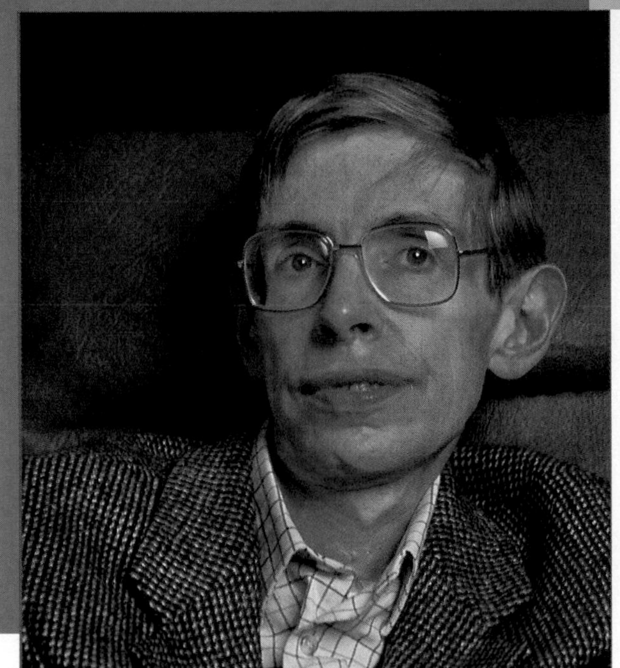

▲ **Stephen Hawking is a Lucasian professor of mathematics at Cambridge University—a position once held by Isaac Newton. Hawking has received numerous prizes for his work.**

Dr. Hawking and other theoretical physicists believe that with such a law, the behavior of all matter in the universe, and the origin of the universe as well, could be explained.

Dr. Hawking's search for a unifying theory has led him to study one of science's greatest mysteries: black holes. A black hole is an incredibly dense region in space whose gravitational pull attracts all nearby objects, virtually "swallowing them up." A black hole is formed when a star uses up most of the nuclear fuel that has kept it burning. During most of its life as an ordinary star, its nuclear explosions exert enough outward force to balance the powerful inward force of gravity. But when the star's fuel is used up, the outward force ceases to exist. Gravity takes over and the star collapses into a tiny core of extremely dense material, possibly no bigger than the period at the end of this sentence.

Hawking has already proved that a black hole can emit a stream of electrons.Prior to this discovery, scientists believed that nothing, not even light, could escape from a black hole. So scientists have hailed Hawking's discovery as "one of the most beautiful in the history of physics."

Probing the mysteries of the universe is no ordinary feat. And Stephen Hawking is no ordinary man. Respected as one of the most brilliant physicists in the world, Hawking is considered one of the most remarkable. For Dr. Hawking suffers from a serious disease of the nervous system that has confined him to a wheelchair, and he is barely able to move or speak. Although Dr. Hawking gives numerous presentations and publishes countless articles and papers, his addresses must be translated and his essays written down by other hands.

Hawking became ill during his first years at Cambridge University in England. The disease progressed quickly and left the young scholar quite despondent. He even considered giving up his research, as he thought he would not live long enough to receive his Ph.D. But in 1965, Hawking's life changed. He married Jane Wilde, a fellow student and language scholar. Suddenly life took on new meaning. "That was the turning point," he says. "It made me determined to live, and it was about that time that I began making professional progress." Hawking's health and spirits improved. His studies continued and reached new heights of brilliance. Today, Dr. Hawking is a professor of mathematics at Cambridge University who leads a full and active life.

Dr. Hawking believes that his illness has benefited his work. It has given him more time to think about physics. So although his body is failing him, his mind is free to soar. Considered to be one of the most brilliant physicists of all times, Dr. Hawking has taken some of the small steps that lead science to discovery and understanding. With time to ponder the questions of the universe, it is quite likely that Stephen Hawking will be successful in uniting the world of the tiniest particles with the world of stars and galaxies.

Are We Destroying the Greatest Creatures of the Sea?

During the late 1860s, a Norwegian inventor, Svend Foyn, invented a harpoon with a tip that exploded when it hit its target: a whale. This new weapon enabled whalers to kill their prey much faster and easier than ever before. Foyn's harpoon led to the development of modern whaling and the slaughter of the world's whales.

Since the beginning of this century, more than three million whales have been killed. Several species are now endangered. The number of blue whales, the largest living creatures, has dropped from 100,000 to less than 1,000. There are only small numbers of right whales and bowheads left. Many other species also are declining in number.

Most countries that once carried on commercial whaling, including the United States, have long since stopped. But a few, such as Japan and Norway, continue to hunt whales for profit. Whaling nations contend that they do not hunt endangered species, only those species that are still common. Conservationists argue that even whales of common species are dropping too rapidly in number. These people believe that, for several years at least, no whales of any species should be hunted.

STOPPING THE SLAUGHTER

In response to conservationists, the International Whaling Commission voted in 1982 to ban commercial whaling starting in 1986. Set up to regulate whaling, the commission has members from more than two dozen nations, the United States and whaling countries among them. But the ban does not guarantee that the killing will stop. For one thing, a country can withdraw from the commission at any time and kill all the whales it wants to.

Moreover, within 90 days after the ban was voted upon, Norway, Japan, and other whaling nations filed protests against it with the commission. Under commission rules, this exempts them from the ban.

Even so, however, the nations that protested may choose not to take advantage of their exemption. If they did take advantage of their exemption, their actions could

◀ One job of The International Whaling Commission is to control the killing of whales, such as these sperm whales.

prompt a strong reaction from the United States, which led the campaign for the ban. Both private businesses in the United States and the federal government have been urged by conservationists to boycott products from countries that continue to kill whales. In fact, our government can even place fishing restrictions on nations that break whaling commission rules. These restrictions would apply only in United States waters. Our government can also bar fish imports from nations that ignore the commission.

Japan fishes heavily in United States waters. Norway and Japan sell millions of dollars of fish products to the United States each year. If they do not go along with the whaling ban, they could lose a great deal.

There is a chance, however, that the whaling countries could take a position on the ban that the United States might find hard to criticize. The commission allows certain groups of people, such as Alaskan Eskimos, to hunt a limited number of whales for their own use. The Eskimos, the commission reasons, need whale oil and meat to live.

Japan and Norway contend that many whalers in their countries need to hunt whales commercially to live. Whaling is a tradition for these people just as it is for the Eskimos. Why not, ask the Japanese and Norwegians, give their whalers the same consideration as the Eskimos and let them kill and sell a limited number of whales?

To do so, says environmentalist Allan Thornton, in a report for the conservation group Defenders of Wildlife, would "be a disaster for whale conservation." He warns it would be impossible to police the limits on small-scale commercial whaling. Even hunting by Eskimos, he adds, is endangering some whales. All whaling, not just commercial whaling, needs a second look, according to Thornton.

▲ The huge humpback whale is at the top of an important food chain. If whales vanished, the balance of life in the sea might be forever changed.

AN AGE THAT HAS PASSED

Whaling was once a worldwide business, and brave men in sailing vessels roamed the globe to hunt the huge creatures. Oil from whales was burned in lamps. Whalebone was used in making women's undergarments. The teeth of some whales were used to make piano keys. Today, however, many whale products can be or have been replaced by other materials. But whale meat still has a market, most notably in Japan. So whaling can still be profitable, even if not as profitable as in the past.

Even in Japan, however, whale meat accounts for less than 1 percent of the protein eaten by the Japanese. Echoing conservationists, United States Representative Don Bonker noted in Congress, "There is no reason to continue commercial whaling at any level."

Conservationists view whales as a symbol. If people cannot preserve the largest animals on Earth, they say, there is little hope for any other part of nature.

Whales, moreover, play an important part in keeping the ocean environment balanced. Thc largest whales, such as the blue whale, feed on tiny shrimplike creatures and other small organisms, collectively known as krill. The whales obtain the krill by straining it from the water with huge sievelike structures in their mouths called baleen, or whalebone.

The baleen whales are at the top of an important food chain. They eat krill, which feed on microscopic plants, which in turn convert the sun's energy and sea salts into food. The waste excreted by whales provides nutrients for microscopic plants and other organisms in the water. All in all, the relationship between the whale and the other organisms in the food chain is a neatly balanced natural cycle that constantly renews the food resources of the sea.

If the baleen whales disappear, the cycle will be broken. What will happen then? Scientists are not sure. But there is no doubt that the fragile balance of nature in the ocean would tip—and not in our favor.

▼ If the hunting of whales is not stopped, scenes such as this humpback whale in Alaska may not be seen in the future.

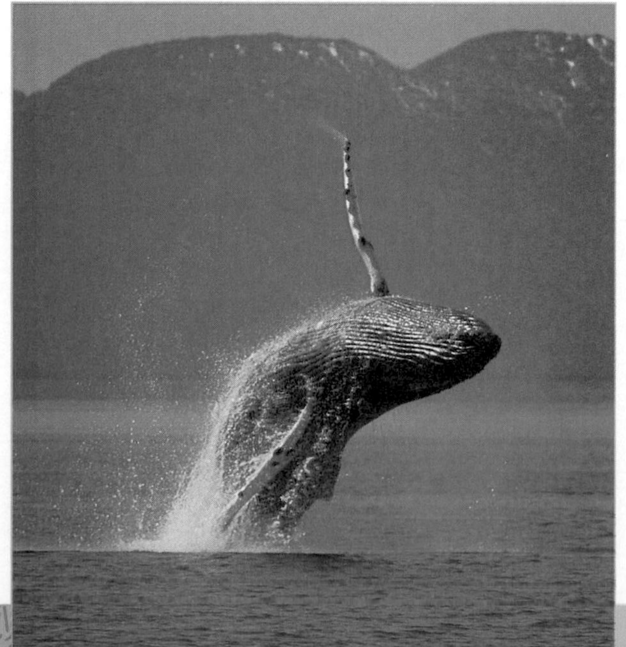

WANTED!

Space Pioneers

Kansas City Star: January 12, 2021

WANTED:
Moon Miners and Engineers to provide new space colony with building materials. We're looking for people who can turn moon rocks and lunar topsoil into usable metals such as aluminum, magnesium, and titanium. These metals will be used to make tools and to build support structures for the colony. We also want workers who can extract silicon from the moon's silicates. Silicon is needed to make solar cells and computer chips. Glass that will be used for windows in space colony homes also comes from lunar silicates. And iron and carbon mined from the moon need to be turned into steel.

In addition, we're looking for lunar gold miners to search the moon's surface for deposits of gold, as well as nickel and platinum. And oxygen, which will be used for both life-support systems and rocket fuel, needs to be extracted from moon rocks.

Terry had answered the advertisement. Now, in the year 2024, she was hard at work at Moon Mine Alpha.

Terry expertly plunged the heavy shovel of her bulldozer into the soil to pick up another load of valuable material. When she raised the shovel, it was filled with moon rocks and lunar dust. Terry dumped her cargo into her lunar hauler. "My last truck-load of the day," she thought, jumping down from the bulldozer. "Now I can go watch the mass driver in action."

Terry swung into the driver's seat of the lunar hauler. Soon she was bumping along the moon highway, a dusty path her hauler and others like it had carved out of the lunar topsoil over the past few months.

A typical lunar colony with all the comforts of home!

Fifteen minutes later, she spotted the huge piece of machinery known as the mass driver. She saw the "flying buckets" of the mass driver suspended magnetically above special tracks. The buckets, filled with packages of lunar rocks, soon would be sent speeding along above these tracks by powerful magnetic forces. When the buckets reached high enough speed, they would fling their contents into space at 2.4 kilometers per second. At this speed, an object can escape the moon's gravity. Hundreds or thousands of kilometers away, a mass catcher would be waiting to grab the lunar cargo. The lunar materials would then be turned into fuel or building materials for a new space colony. Surely the mass driver, developed in the 1970s at the Massachusetts Institute of Technology, had proved to be a valuable tool for space colonization.

What will this space colony be like? Stationed nearly 400,000 kilometers from the Earth, a huge sphere more than 1.5 kilometers in diameter will rotate in space. The rotation will create artificial gravity on the inner surface of the sphere. Here 10,000 people or more will live and work inside an earthlike environment powered by the sun. The Space Colony will be constructed of materials mined almost entirely on the moon.

RESOURCES IN SPACE

As many scientists see it, our growing needs for raw materials, energy, and jumping-off places for journeys to the planets and stars make us look into space. Where else is there a free, continuous supply of solar energy, uninterrupted by darkness or weather? Where else does weightlessness, which will aid in the construction of huge structures, exist? Where else is there an untapped source of minerals?

A wealth of energy and materials is available in space. Let's start with the moon, a mere 356,000 kilometers away. This natural satellite could be an important source of aluminum, iron, silicon, and oxygen. A permanent base established on the moon could supply all the resources needed to support space settlement and exploration. Although these resources are abundant on the Earth, bringing millions of tons of materials into space is out of the question!

The moon could become a gigantic "supply station" in the sky. Metals and lunar soil could be mined to build huge structures inside of which comfortable, earthlike homes would be constructed. Since the moon's grav-

▶ **Mining the asteroids yields precious metals, minerals, and water.**

itational force is one sixth the strength of the Earth's, it would be cheaper and easier to build such space factories and colonies on the moon. These buildings could become part of the permanent moon base.

Almost half of the moon is made up of oxygen. This oxygen could be used to make rocket fuel. Liquid hydrogen mixed with liquid oxygen is a basic rocket fuel. Rockets bound for the outer planets could be launched more easily from the moon than from Earth, where the pull of gravity is six times greater.

A NEW FRONTIER

The moon is not the only source of natural materials in near space. Asteroids are also vast treasure houses of minerals. They contain metals such as nickel, iron, cobalt, magnesium, and aluminum. Phosphorus, carbon, and sulfur are also present on asteroids. And they may contain the precious metals gold, silver, and platinum. Asteroids are also important sources of water. One small asteroid can perhaps yield between 1 and 10 billion tons of water.

"Hey, Terry, how's it going?" The voice belonged to Bill, one of the workers who ran the mass driver.

"Oh, I still like being a moon miner," Terry answered, "but a few years from now, I hope to be mining the asteroids instead. It should be a challenge trying to capture a small asteroid or land on a big one."

"I hope you like traveling, Terry," Bill said with a worried look. "The trip could take months or years."

"It would be worth it," said Terry as she waved to Bill and headed to her two-room apartment under the plastic dome of Hadleyville. Turning on her TV set to watch live coverage from Earth of the 2024 Summer Olympics, Terry tuned in the *Moon Miner's Daily Herald*, a TV "newspaper." Suddenly, an advertisement caught her eye.

WANTED:
Asteroid Miners and Engineers to capture small asteroids and collect samples from larger asteroids. Workers must be willing to spend long periods of time far from home. Travel to the asteroid belt, which lies between the orbits of Mars and Jupiter about 160 to 300 million kilometers away, is required.

"Why not?" Terry thought as she began to type out a reply on her computer.

STEPHEN HAWKING: Cambia nuestra visión del universo

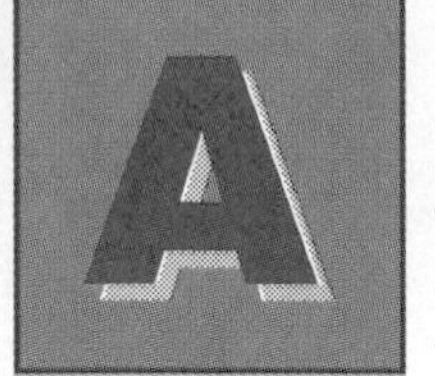

Por mucho tiempo los científicos han estado tratando de encontrar la conexión entre dos ramas de la física. Una de ellas es la de las fuerzas que rigen el mundo de los átomos y las partículas subatómicas. La otra, la de la gravedad y su rol en el universo de las estrellas y de las galaxias. El físico Stephen Hawking se ha impuesto la tarea de descubrir esa conexión. Los científicos teóricos están de acuerdo en que Hawking es la persona indicada para encontrarla.

La meta del Dr. Hawking es, según sus palabras: "La comprensión total del universo, por qué es como es, y por qué existe." Para llegar a esa meta, el Dr. Hawkings intenta "cuantificar la gravedad". Esto quiere decir, combinar las leyes de la gravedad y las leyes de la mecánica cuántica en una sola ley universal.

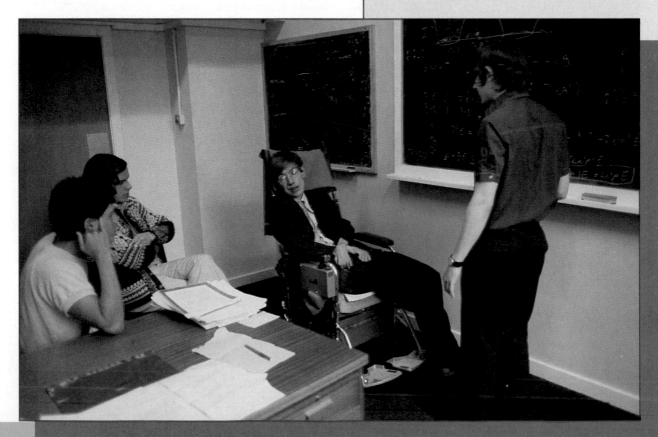

▲ **El puesto de profesor de matemáticas que tiene Hawkings en la Universidad de Cambridge lo ocupó una vez Isaac Newton. Hawkings ha recibido numerosos premios por su trabajo.**

El Dr. Hawkings y otros físicos teóricos creen que con una ley así podría explicarse tanto el comportamiento de toda la materia como el origen del universo.

La búsqueda de Hawkings de una teoría unificadora lo llevó a estudiar uno de los más grandes misterios de la ciencia: los agujeros negros. Un agujero negro es una región del espacio de increíble densidad cuya fuerza gravitatoria atrae a todos los objetos cercanos "tragándoselos". Un agujero negro se forma cuando una estrella ha consumido casi todo su combustible. Durante su vida, la fuerza externa que ejercen sus explosiones nucleares equilibra la atracción ejercida por la gravedad interna. Pero la fuerza externa deja de existir al consumirse el combustible. La gravedad se impone y la estrella se convierte en un diminuto núcleo de material sumamente denso, no más grande que el punto final de esta oración.

Hawkings probó que un agujero negro puede emitir una corriente de electrones. Antes de este descubrimiento, los científicos creían que nada, ni siquiera la luz, podía escapar de un agujero negro. Así es que los científicos han acogido su descubrimiento como "uno de los más apasionantes en la historia de la física".

Indagar los misterios del universo no es nada común. Tampoco lo es Stephen Hawkings. Respetado como uno de los físicos más brillantes del mundo, el Dr. Hawkings sufre de una grave enfermedad del sistema nervioso que lo ha restringido al uso de una silla de ruedas, y apenas puede moverse o hablar. Aunque realiza numerosas presentaciones y publica artículos e informes constantemente, sus discursos deben interpretarse y otras personas transcriben sus ensayos.

Hawkings se enfermó al comienzo de sus estudios en la Universidad de Cambridge, en Inglaterra. El rápido avance de la enfermedad desalentó profundamente al joven estudioso. Consideró abandonar su investigación, pues no creía que iba a poder vivir hasta recibirse. Pero, en 1965, su vida cambió. Se casó con Jane Wilde, una compañera de estudios dedicada a la lingüística. "Ese fue el momento decisivo", dice Hawkings. Me propuse vivir, y fue entonces que comencé a avanzar profesionalmente". Su salud y su ánimo mejoraron. Prosiguió sus estudios y alcanzó nuevas metas. Hoy, el Dr. Hawkings lleva una vida sumamente activa.

Cree que su enfermedad ha beneficiado su trabajo. Le ha dado más tiempo para pensar en la física. Aunque su cuerpo no le responde, su mente sí. Considerado uno de los físicos más brillantes de la historia, el Dr. Hawkings ha emprendido el camino que lleva la ciencia al descubrimiento y a la comprensión. Con tiempo para pensar en las grandes preguntas del universo, es muy posible que llegue a unir el mundo de las partículas más pequeñas con el de las estrellas y galaxias.

TEMAS CIENTÍFICOS

¿Estamos destruyendo las criaturas más grandes del mar?

Alrededor de 1870, un inventor noruego, Svend Foyn, inventó un arpón cuya punta explotaba al dar en el blanco. Esta nueva arma hizo que los balleneros pudieran matar a sus presas, las ballenas, con más rapidez y facilidad que nunca. Con el invento de Foyn se inició la caza de ballenas actual y la matanza de las ballenas del mundo.

Desde el comienzo del siglo, se han matado más de tres millones de ballenas. Varias especies están en peligro. El número de ballenas azules, los seres vivos más grandes, se ha reducido de 100,000 a menos de 1,000. Sólo queda una pequeña cantidad de ballenas francas y cabezas arqueadas. El número de otras especies también está disminuyendo.

La mayoría de los países que se dedicaban a la caza comercial, como los Estados Unidos, la han abandonado. Pero unos pocos, como Japón y Noruega, todavía continúan. Las naciones balleneras aducen que no cazan las especies en peligro, sino sólo las comunes. Los conservacionistas argumentan que también las especies comunes se están reduciendo rápidamente. Creen que, por lo menos por varios años, no se debería cazar ninguna especie.

EL CESE DE LA MATANZA

Como respuesta a los conservacionistas, la Comisión Ballenera Internacional decidió en 1982 prohibir la caza de ballenas a partir de 1986. La comisión, establecida para regular la caza, cuenta con miembros de más de veinte países, entre los que se cuentan los Estados Unidos. Pero la prohibición no asegura que la matanza se detenga. Un país se puede retirar de la comisión y matar todas las ballenas que quiera.

Lo que es más, antes de 90 días después de la votación, Noruega, Japón y otros países balleneros registraron sus protestas en contra. De acuerdo a las reglas de la comisión, eso los exime de la prohibición.

Aun así, los países que protestaron pueden decidir no ejercer su exención. Si la usaran, sus acciones podrían provocar una potente

◄ Una de las tareas de la Comisión Ballenera Internacional es controlar la matanza de las ballenas.

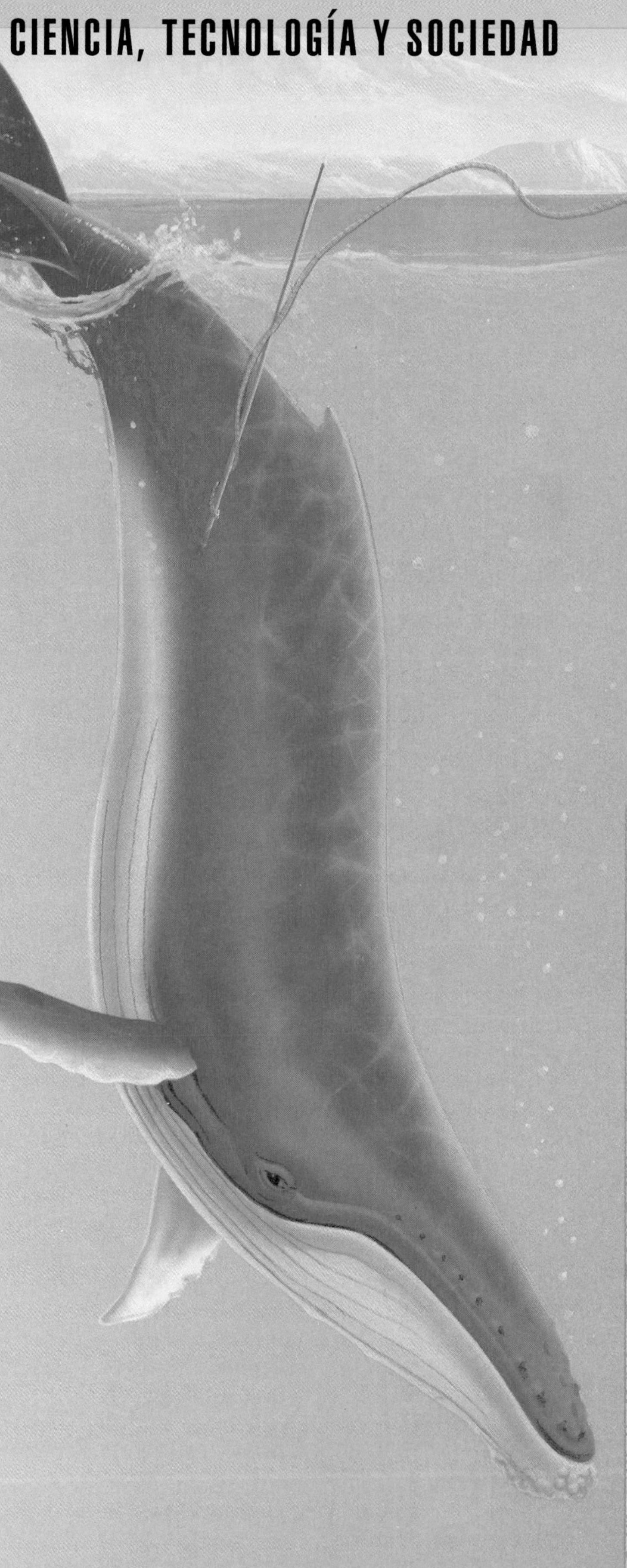

reacción de los Estados Unidos, que encabezó la campaña de prohibición. Los conservacionistas han pedido tanto a compañías privadas como al gobierno federal que boicoteen los productos de los países que siguen matando ballenas. El gobierno puede también aplicar restricciones a la pesca o impedir las importaciones de pescado de un país que no respete las normas de la comisión. Las restricciones sólo se pueden aplicar en aguas de los Estados Unidos.

El Japón pesca mucho en esas aguas. Noruega y Japón venden cada año productos pesqueros por un valor de millones de dólares a los Estados Unidos. Pueden perder mucho si no respetan la prohibición.

Los países balleneros podrían asumir una posición contra la que no podrían hacer mucho los Estados Unidos. La comisión permite a ciertos grupos, como a los esquimales de Alaska, cazar un número limitado de ballenas para su propio uso. Eso se debe, según la comisión, a que los esquimales necesitan el aceite y la carne de la ballena para vivir.

Japón y Noruega sostienen que muchos de sus balleneros necesitan del comercio de la caza para vivir. ¿Por qué no se les da a sus balleneros la misma consideración que a los esquimales y se les permite matar y vender cierto número de ballenas?

Hacer eso, dice el especialista en el medio ambiente Allan Thorton, sería "un desastre para la conservación de la ballena". Advierte además que sería imposible controlar la caza comercial de ballenas en pequeña escala. Afirma que la caza que realizan los esquimales pone en peligro de extinción a algunas ballenas. Y, según Thornton, toda la caza de ballenas, no sólo la comercial, debe considerarse con mucho cuidado.

▲ La enorme ballena jorobada está a la cabeza de una importante cadena alimenticia. Si la ballena desapareciera, el equilibrio de la vida marina podría alterarse para siempre.

UNA ÉPOCA PASADA

La caza de ballenas era en una época un comercio mundial, y valientes hombres recorrían los mares para darles caza. Las lámparas daban luz gracias a su aceite. Sus barbas se usaban en la ropa interior de las mujeres. Con los dientes de algunas se hacían teclas de piano. Pero hoy, muchos de esos productos pueden ser o han sido reemplazados. Todavía hay mercado para la carne de ballena, sobre todo en el Japón. Todavía se puede ganar dinero de la caza de ballena, aunque no tanto como en el pasado.

Pero aun en el Japón, la carne de ballena es menos del 1 por ciento de la proteína que se come. Haciendo eco a los conservacionistas, el representante Don Bonker dijo ante el Congreso de los Estados Unidos: "No existe ninguna razón para continuar con la caza comercial de ballenas a ningún nivel".

Los conservacionistas ven a la ballena como un símbolo. Si no podemos proteger a los animales más grandes de la Tierra, dicen, no hay mucha esperanza para el resto de la naturaleza.

Las ballenas, además, juegan un papel importante en el equilibrio del medio ambiente oceánico.

Las ballenas más grandes, como las ballenas azules, se alimentan de unos diminutos seres semejantes a un camarón y de otros organismos pequeños, a los que se les da el nombre de krill. Para obtenerlo, lo sacan del agua con una estructura tipo colador que tienen en la boca: las barbas.

Las ballenas con barba están a la cabeza de una importante cadena alimenticia. Comen el krill que se alimenta de plantas microscópicas, que a su vez convierten la energía del sol y las sales del mar en comida. El excremento de las ballenas sirve de nutriente para plantas microscópicas y otros organismos acuáticos. En resumen, la relación entre la ballena y los otros organismos de la cadena alimenticia es un ciclo natural muy bien balanceado que renueva constantemente los recursos alimenticios del mar.

Si las ballenas desaparecen, ese ciclo terminará. ¿Qué pasará entonces? Los científicos no están seguros. Pero no hay duda que el frágil equilibrio de la naturaleza en el mar va a variar—y no en nuestro favor.

▼ Una ballena jorobada, Alaska. Si no se detiene la caza de ballenas, no se verán más escenas como ésta.

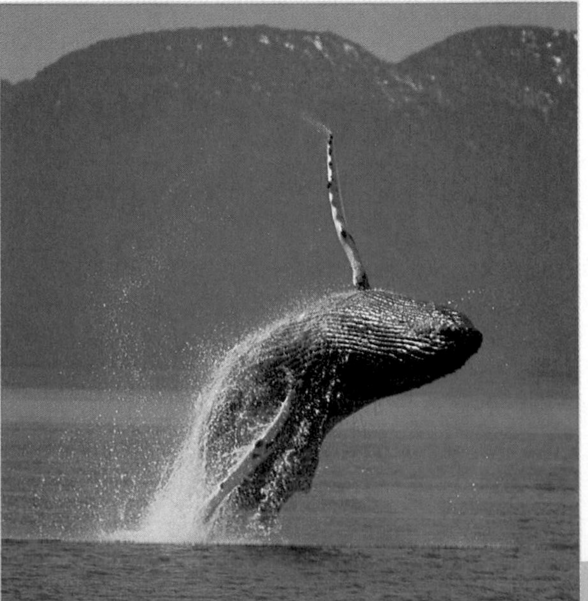

¡SE BUSCAN!

Pioneros del espacio

La Estrella de Kansas: 12 de enero 2021

SE BUSCAN:

Mineros(as) e ingenieros(as) lunares para proveer de materiales de construcción a una nueva colonia espacial. Se necesitan personas capaces de convertir las rocas y el suelo de la luna en metales como aluminio, magnesio y titanio. Los metales se usarán para hacer herramientas y construir estructuras de apoyo en la colonia. También buscamos obreros para extraer silicio de los silicatos lunares. El silicio se necesita para hacer células solares y fichas para computadoras. De los silicatos se saca el vidrio usado en las ventanas de las casas de la colonia espacial. Y el hierro y el carbón extraídos de la luna se deben transformar en acero.

Además, se necesitan rastreadores de oro que para buscar depósitos de oro, níquel y platino. Necesitamos extraer de las rocas lunares oxígeno que se usará tanto para mantener la vida como para combustible.

Rita había contestado el anuncio. Ahora, en el año 2024, estaba trabajando en Alfa, una mina lunar.

Con gran pericia, Rita hundió en el suelo la pala de su topadora. Cuando la levantó estaba llena de piedras y de polvo lunar. Vació su carga en el acarreador lunar y pensó, bajando en un salto de la topadora: "La última carga del día. Ahora tengo tiempo para ir a ver el conductor de masa."

Se montó con agilidad en el acarreador y tomó el volante. Pronto estaba sacudiéndose por la carretera, un surco polvoriento que su acarreador y otros semejantes habían formado en los últimos meses en el suelo lunar.

◀ Una típica colonia lunar, ¡con todo el confort de un verdadero hogar!

Más de 10,000 personas podrán vivir y trabajar en ella, en un ambiente similar al de la Tierra, con la energía del sol. La colonia será construida con materiales extraídos de la superficie de la luna.

Quince minutos después tenía ante sí al conductor de masa, una impresionante maquinaria. Vio los "cubos voladores" del conductor suspendidos magnéticamente sobre rieles especiales. Muy pronto, poderosas fuerzas magnéticas lanzarían los cubos, llenos de paquetes con rocas. Cuando los cubos alcanzaran la velocidad suficiente, vertirían su contenido en el espacio a 2.4 kilómetros por segundo. A esta velocidad, eludirían la gravedad lunar. A cientos o miles de kilómetros de distancia, un receptor de masa recogería la carga. Los materiales lunares se convertirían en combustible o en materiales de construcción para una nueva colonia espacial. Sin duda, el conductor de masa, desarrollado en el Instituto Tecnológico de Massachusetts en los años 70 del siglo pasado había resultado de gran valor para la colonización del espacio.

¿Y cómo será esta colonia espacial? A casi 400,000 kilómetros de la Tierra, una enorme esfera de más de 1.5 kilómetros de diámetro girará en el espacio. Su rotación creará una fuerza de gravedad artificial en su interior.

LOS RECURSOS DEL ESPACIO

Muchos científicos piensan que los requerimientos de materia prima, energía y plataformas de lanzamiento para viajar a otros planetas y a las estrellas nos hacen elevar los ojos al espacio. ¿Dónde más hay continua energía solar gratis, sin interrupciones de oscuridad ni de clima? ¿Dónde más existe la ingravidez, que facilitará la construcción de estructuras enormes? ¿Dónde más hay una fuente de minerales sin explotar?

En el espacio existen energía y materiales en abundancia. Consideremos la luna, a sólo 356,000 kilómetros. Nuestro satélite podría ser una importante fuente de aluminio, hierro, silicio y oxígeno. Una base lunar permanente nos permitiría contar con todos los recursos necesarios para colonizar y explorar el espacio. No es que estos recursos no existan en la Tierra, pero ¡sería muy difícil llevar millones de toneladas al espacio!

La luna serviría de gigante "estación abastecedora." Los metales y el suelo lunar podrían explotarse para construir estructuras enormes en las que se podrían construir casas con todas las comodidades terrestres.

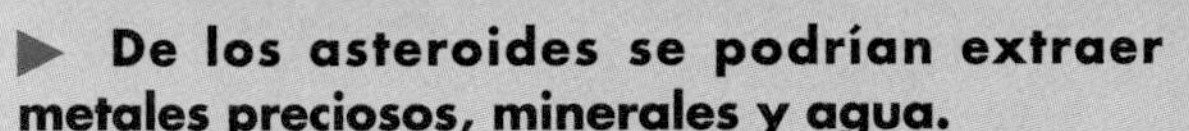

▶ **De los asteroides se podrían extraer metales preciosos, minerales y agua.**

Como la luna tiene un sexto de la fuerza de gravedad de la Tierra, sería más barato y más fácil construir fábricas y colonias espaciales en la luna. Esos edificios podrían ser parte de una base lunar permanente.

El oxígeno, que constituye casi la mitad de la luna, se podría usar como combustible. El combustible básico usado por los cohetes espaciales es una mezcla de hidrógeno líquido y de oxígeno líquido. Y sería mucho más fácil lanzar esos cohetes hacia otros planetas desde la luna, ya que en la Tierra la fuerza de gravedad es seis veces mayor.

UNA NUEVA FRONTERA

No es la luna la única fuente de materiales en el espacio cercano. En los asteroides también abundan los minerales. Hay metales como níquel, hierro, cobalto, magnesio y alumninio. Existen además fósforo, carbono y sulfuro. Y puede que haya metales preciosos: oro, plata y platino. Los asteroides son también fuentes importantes de agua. Un asteroide pequeño podría producir entre 1 y 10 billones de toneladas de agua.

—¡Hola, Rita! ¿Qué cuentas?—Era la voz de Max, uno de los operarios del conductor de masa.

—Bueno, no está mal ser minera en la luna,—le contestó Rita—pero en unos años quisiera trabajar en los asteroides. Sería interesantísimo tratar de capturar un asteroide pequeño o aterrizar en uno grande.

—¿Te gusta viajar, no?—le preguntó Max preocupado. El viaje puede durar meses o años.

—¡Valdría la pena!—contestó Rita mientras se alejaba hacia su apartamento, situado bajo la cúpula plástica de Hadleyville. Al encender su televisor, y antes de ver las Olimpíadas de Verano 2024, transmitidas en directo de la Tierra, sintonizó el "periódico" televisivo "Noticias del Minero Lunar." De pronto, un anuncio llamó su atención.

SE NECESITAN:

Mineros e ingenieros de asteroides interesados en apresar asteroides pequeños y recoger muestras de los más grandes. Los interesados deberán estar dispuestos a pasar largo tiempo lejos de sus casas. Se requiere viajar al cinturón de asteroides, situado entre las órbitas de Marte y Júpiter, a una distancia de 160 a 300 millones de kilómetros de la Tierra.

—¿Por qué no?—pensó Rita, mientras se disponía a responder al anuncio en su computadora.

For Further Reading

If you have been intrigued by the concepts examined in this textbook, you may also be interested in the ways fellow thinkers—novelists, poets, essayists, as well as scientists—have imaginatively explored the same ideas.

Chapter 1: What Is Science?

Adamson, Joy. *Born Free, a Lioness of Two Worlds.* New York: Pantheon.

Ames, Mildred. *Anna to the Infinite Power.* New York: Scribner.

Doyle, Sir Arthur Conan. *Adventures of Sherlock Holmes.* New York: Berkley Pub.

Freeman, Ira, and Mae Freeman. *Your Wonderful World of Science.* New York: Random House.

Chapter 2: Measurement and the Sciences

Clarke, Arthur C. *2001: A Space Odyssey.* New York: New American Library.

Duder, Tessa. *In Lane Three, Alex Archer.* Boston: Houghton-Mifflin.

Kohn, Bernice. *The Scientific Method.* Englewood Cliffs, NJ: Prentice-Hall.

Merrill, Jean. *The Toothpaste Millionaire.* Boston: Houghton-Mifflin.

Chapter 3: Tools and the Sciences

Asimov, Isaac. *Fantastic Voyage.* Boston: Houghton-Mifflin.

Merle, Robert. *The Day of the Dolphin.* New York: Simon & Schuster.

Walsh, Jill Paton. *Toolmaker.* New York: Seabury.

Otras lecturas

Si los conceptos que has visto en este libro te han intrigado, puede interesarte ver cómo otros pensadores —novelistas, poetas, ensayistas y también científicos — han explorado con su imaginación las mismas ideas

Capítulo 1: ¿Qué es la ciencia?

Adamson, Joy. *Born Free, a Lioness of Two Worlds.* New York: Pantheon.

Ames, Mildred. *Anna to the Infinite Power.* New York: Scribner.

Doyle, Sir Arthur Conan. *Adventures of Sherlock Holmes (Las aventuras de Sherlock Holmes).* New York: Berkley Pub.

Freeman, Ira, and Mae Freeman. *Your Wonderful World of Science.* New York: Random House.

Capítulo 2: Las medidas y las ciencias

Clarke, Arthur C. *2001: A Space Odyssey. (2001: Odisea del espacio)* New York: New American Library.

Duder, Tessa. *In Lane Three, Alex Archer.* Boston: Houghton-Mifflin.

Kohn, Bernice. *The Scientific Method.* Englewood Cliffs, NJ: Prentice-Hall.

Merrill, Jean. *The Toothpaste Millionaire.* Boston: Houghton.

Capítulo 3: Los instrumentos y las ciencias

Asimov, Isaac. *Fantastic Voyage.* Boston: Houghton-Mifflin.

Merle, Robert. *The Day of the Dolphin.* New York: Simon & Schuster.

Walsh, Jill Paton. *Toolmaker.* New York: Seabury.

Activity Bank

Welcome to the Activity Bank! This is an exciting and enjoyable part of your science textbook. By using the Activity Bank you will have the chance to make a variety of interesting and different observations about science. The best thing about the Activity Bank is that you and your classmates will become the detectives, and as with any investigation you will have to sort through information to find the truth. There will be many twists and turns along the way, some surprises and disappointments too. So always remember to keep an open mind, ask lots of questions, and have fun learning about science.

Pozo de actividades

¡Bienvenido al Pozo de actividades! Es una parte muy amena de tu libro de ciencias. Por medio del Pozo de actividades tendrás oportunidad de hacer diferentes e interesantes observaciones científicas. Lo mejor del Pozo de actividades es que tú y tus compañeros podrán hacer de detectives, y como pasa en la investigación de cualquier misterio, tendrán que examinar toda la información para descubrir la verdad. Encontrarán muchos desvíos y vueltas en el camino, y también los esperan sorpresas y desencantos. Pero recuerden que es importante mantenerse alertas, hacer montones de preguntas, y divertirse mientras aprenden ciencias.

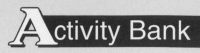

OBSERVING A FISH

Many people keep fish in an aquarium. To be successful, you have to have a good idea of the kind of conditions a fish needs to survive. In this activity you will observe a fish in an environment you create. This is actually a long-term investigation because you will be responsible for caring for your fish after this activity is over. You and your classmates might want to keep records about the growth of your fish, the amounts and kinds of foods eaten, and any changes in your fish's behavior over time. In a later activity you will examine some of the water in your fish's aquarium under a microscope. Then you will use another tool of the scientist.

Materials

aquarium or large unbreakable clear plastic container
gravel
water plants
several rocks
small goldfish
fish food
hand lens
brown paper bag (slit along the sides)
plastic bucket
pitcher (1L)

Procedure

1. Wash the aquarium or jar thoroughly. Use table salt on a sponge to clean the glass. Do not use soap. Thoroughly rinse the aquarium or jar when you are finished. Place the aquarium or jar near a window where it will get some light for part of the day. **CAUTION:** *Do not try to move the aquarium or jar when it is filled with water.*
2. Place the gravel in a plastic bucket. Place the bucket in a sink. Let cold water run into the bucket. (You may also do this in the backyard if you have access to a garden hose.) Put your hand into the bucket and gently move the gravel around. The gravel dust will become suspended in the water and will be carried away as the water runs over the top of the bucket. You can stop rinsing the gravel when clear water runs out. Carefully empty the water out of the bucket.
3. Pour the gravel into the aquarium or jar. Smooth it out.
4. Place the sheet of brown paper over the gravel. Use a pitcher to gently pour water onto the paper in the aquarium or jar. Stop adding water when the aquarium or jar is two-thirds full. Remove the paper.

5. Position the rocks in the gravel. Place the plants in the gravel. Try to make your underwater scene look realistic. Now gently add water almost to the top edge of the aquarium or jar. Do not add fish to the aquarium or jar for a few days. (During this time the water may become cloudy. It will clear up over time.)

OBSERVANDO UN PEZ

Mucha gente tiene una pecera en casa. Para tener éxito debes saber cuáles son las condiciones que necesita un pez para sobrevivir. En esta actividad, vas a observar un pez en un ambiente creado por ti. Esta es una investigación a largo plazo porque deberás seguir cuidando el pez después que la investigación haya terminado. Tú y tus compañeros podrán llevar un registro del crecimiento del pez, la cantidad y el tipo de comida que consume y sus cambios de conducta. Más adelante, en otra actividad, vas a examinar bajo el microscopio el agua de la pecera. Luego vas a usar otro instrumento empleado por los científicos.

Materiales

- pecera o recipiente irrompible de plástico transparente
- grava
- plantas acuáticas
- piedras
- pececillo de colores
- comida para peces
- lupa
- bolsa de papel madera (abierta en los lados)
- balde plástico
- jarra de 1 litro

Procedimiento

1. Lava el acuario o el recipiente con cuidado.Pon sal de mesa en una esponja para limpiar la pecera. No uses jabón. Enjuágala bien. Coloca la pecera cerca de una ventana donde reciba luz durante el día. *No muevas la pecera una vez que esté llena de agua.*
2. Coloca la grava en el balde plástico. Pon el balde bajo un grifo y deja que corra el agua fría. (Puedes hacer esto en el jardín con una manguera). Revuelve un poco la grava con la mano. El polvo de la grava va a quedar suspendido en el agua. Al rebasar el agua del balde, arrastrará el polvo. Cuando el agua salga limpia, deja de enjuagar. Saca el agua del balde con cuidado.
3. Pon la grava en la pecera. Alísala.
4. Coloca el papel sobre la grava. Con la jarra, vierte agua sobre el papel. Cuando la pecera esté dos tercios llena, no eches más agua. Saca el papel.

5. Pon las piedras sobre la grava. Coloca las plantas. Trata de diseñar un decorado que parezca real. Ahora puedes agregar agua con cuidado hasta casi el borde de la pecera. Deja pasar un par de días antes de poner el pez. (Si el agua se enturbia, se aclarará sola con el tiempo.)

6. A salesperson in a pet store will place the fish you select in a plastic bag. Float the plastic bag in the aquarium or jar for 20 minutes to allow the temperature of the water in the bag and in the aquarium or jar to equalize. Open the bag and let your fish swim into its new home. Allow the fish a few minutes of quiet time to explore its new surroundings.

7. Now add a small pinch of food to the surface of the water.

8. Use the hand lens to observe the fish's head.

Observations

1. How did the fish behave in its new home?
2. What fins did the fish use to move itself forward in the water? What fins did it use to remain in the same place?
3. How did the fish behave when you placed a pinch of food in the tank?
4. Describe what you observed when you used the hand lens to examine the fish's head.
5. In what part of the aquarium or jar does the fish spend most of its time?

Analysis and Conclusions

1. In what ways is a fish able to live in water?
2. How does your fish get food?

Going Further

You might like to read more about keeping fish. Your library or pet shop will have a selection of books about how to keep and raise fish. Report to your class on what you learn.

6. En la tienda de animales, te darán tu pez en una bolsa de plástico. Déjala flotar en la pecera por unos 20 minutos para que la temperatura de la bolsa y la de la pecera se equilibren. Abre la bolsa y deja que el pez nade tranquilo por unos minutos, para darle tiempo a explorar su nuevo ambiente.

7. Pon una pizca de comida en la superficie del agua.

8. Observa la cabeza del pez con la lupa.

Observaciones

1. ¿Cómo se comportó el pez en su nueva casa?
2. ¿Qué aleta usó el pez para moverse hacia adelante en el agua? ¿Y para quedarse en el mismo sitio?
3. ¿Qué hizo cuando le pusiste comida?
4. Describe lo que observaste cuando enfocaste la cabeza del pez con la lupa.
5. ¿En qué lugar de la pecera pasa más tiempo el pez?

Análisis y conclusiones

1. ¿Cómo es que puede un pez vivir en el agua?
2. ¿Cómo se alimenta el pez?

Investiga más

Si quieres leer más del mantenimiento de una pecera y cómo mantener y criar peces, puedes encontrar libros del tema en una biblioteca o una tienda de animales. Cuenta en tu clase lo que aprendas.

WHAT DO SEEDS NEED TO GROW?

If you completed the investigation on page A34, you are now familiar with some of the conditions molds need in order to grow. In this activity you will learn about conditions that must be present in order for plant seeds to grow. You may wish to do this investigation with several classmates. Each person can grow a different kind of seed, or each person can test a different variable. Share your information with one another and with the rest of the class when the activity is completed.

You Will Need

4 plastic flowerpots or 4 plastic food containers
tray or 4 saucers
potting soil
bean or radish seeds
2 thermometers
masking tape

Procedure

1. If you use plastic food containers, make sure they are clean. Have an adult punch some holes in the bottom of the containers. The holes will let excess water drain out of the containers. Use the saucers or tray to collect any water that runs out of the pots when they are watered.
2. Fill the pots or containers almost to the top with potting soil.
3. Place several seeds in each pot. Gently press the seeds into the soil. You may wish to add a thin layer of soil on top of the seeds.
4. Use the masking tape to label the pots A through D.
5. Water pot A and place it on a windowsill. This is your control plant. Water this plant when the soil feels dry to the touch.
6. Water pot B and place it in a dark place. Make sure this pot also receives water when the top of the soil feels dry to the touch.
7. Tape a thermometer to the outside of pot C. Do not water pot C now or for the duration of the activity. Place it on a windowsill next to pot A. The thermometer will provide the temperature for all the pots placed on the windowsill.
8. Tape the other thermometer to pot D. Water pot D and place it in a refrigerator.
9. In a data table similar to the one shown on page 103, record the temperature of each pot as indicated by its attached thermometer. Continue to take the temperature of the pots each day for three weeks. Record these readings.

Pozo de actividades

¿QUÉ NECESITAN LAS SEMILLAS PARA CRECER?

Si has hecho la investigación de la página A34, conoces cuáles son algunas de las condiciones necesarias para que el moho crezca. En esta actividad, vas a aprender qué condiciones requiere una semilla para crecer. Puedes trabajar con otros compañeros(as) de la clase. Cada uno(a) puede ocuparse de una semilla diferente o probar con una variable diferente. Al terminar, compartan la información entre sí y con el resto de la clase.

Se necesitarán

4 tiestos o recipientes de plástico
1 bandeja o 4 platos
tierra para plantas
semillas de frijoles o de rábano
2 termómetros
cinta adhesiva

Procedimiento

1. Si usas recipientes de plástico como tiestos, limpíalos antes de comenzar. Pide a un adulto que haga unas perforaciones en la base de los recipientes. Las mismas servirán de desagüe. Usa los platos o la bandeja para que acumulen el agua que salga de las plantas cuando se rieguen.
2. Pon la tierra en los tiestos hasta que estén casi llenos.
3. Coloca varias semillas en cada tiesto. Mételas en la tierra con cuidado. Puedes poner una capa fina de tierra sobre las semillas.
4. Usa la cinta adhesiva para rotular los tiestos A, B, C y D.
5. Riega el tiesto A y colócalo en la ventana. Esta va a servir de planta de control. Riégala cuando la tierra esté seca al tocarla.
6. Riega el tiesto B y colócalo en un lugar oscuro. Debes regarlo como al tiesto A.
7. Pega un termómetro en la parte de afuera del tiesto C. No lo riegues nunca. Colócalo en la ventana junto al tiesto A. El termómetro va a indicar la temperatura de los tiestos de la ventana.
8. Pega otro termómetro en el tiesto D. Riégalo y colócalo en el refrigerador.
9. En una tabla de datos como la que se ve en la página 103, anota la temperatura de cada tiesto, de acuerdo a lo indicado por el termómetro. Sigue tomando la temperatura por tres semanas. Regístrala en la tabla.

DATA TABLE

TEMPERATURE		
Day	**Windowsill**	**Refrigerator**
1		
2		
3		
4		
5		
6		
7		
8		
9		
10		
11		
12		
13		
14		
15		
16		
17		
18		
19		
20		
21		

Observations

1. What did you observe in each pot?
2. In which pots did the seeds grow best?
3. Which pots showed the poorest results?
4. Why is pot A considered a control?

Analysis and Conclusions

1. Why did you need a control?
2. What variable were you testing in pot B?
3. What variable were you testing in pot C?
4. What variable were you testing in pot D?
5. On the basis of your observations, what conditions do seeds need to begin to grow well?
6. It might be argued that there were two variables in pot D. What was the other variable? Was it a critical factor in the activity? Why or why not?

TABLA DE DATOS

TEMPERATURA		
Día	**Ventana**	**Refrigerador**
1		
2		
3		
4		
5		
6		
7		
8		
9		
10		
11		
12		
13		
14		
15		
16		
17		
18		
19		
20		
21		

Observaciones

1. ¿Qué observaste en cada tiesto?
2. ¿En qué tiestos crecieron mejor las semillas?
3. ¿En qué tiestos fue peor el resultado?
4. ¿Por qué sirvió de control el tiesto A?

Análisis y conclusiones

1. ¿Por qué se necesitaba un control?
2. ¿Cuál era la variable del tiesto B?
3. ¿Cuál era la variable del tiesto C?
4. ¿Cuál era la variable del tiesto D?
5. Según tus observaciones, ¿qué condiciones necesitan las semillas para crecer bien?
6. Puede decirse que el tiesto D presentaba dos variables. ¿Cuál era la otra variable? ¿Era un factor crítico de la actividad? ¿Por qué?

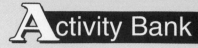

CALCULATING DENSITY

Calculating the density of a regular solid such as a cube is easy. Measure the sides of the object with a metric ruler and calculate the volume. Place the object on a balance to determine its mass. Then use the formula D = M/V to calculate the object's density. But can you determine the density of an object that has an irregular shape and is not easy to measure? A rock, for example. It's easy when you know how. Follow along and you can become the density calculator for your class.

Materials

graduated cylinder
rock
small piece of metal pipe
large nut or bolt
triple-beam balance
metric ruler
string

Procedure and Observations

1. Select one of the objects whose density you wish to calculate. Place the object on a balance and determine its mass. Enter the mass in a data table similar to the one shown on page 105.
2. Place some water in the graduated cylinder. Look at the water in the cylinder from the side. The water's surface will be shaped like a saucer. Notice that the water level dips slightly in the center. Add water carefully until the lowest part of the water's surface (the bottom of the dip) is at one of the main division lines on the side of the graduated cylinder. Enter the water-level reading in your data table.
3. You are going to determine the volume of your irregularly shaped object by water displacement. To do this, first tie a piece of string around the object you are going to use. Make sure the string is well tied.
4. Hold the end of the string and carefully lower the object into the water in the graduated cylinder. Read the new water level. Enter this reading in your data table. Subtract the first water-level reading from the second to determine the volume of the object. Enter this volume in your data table.

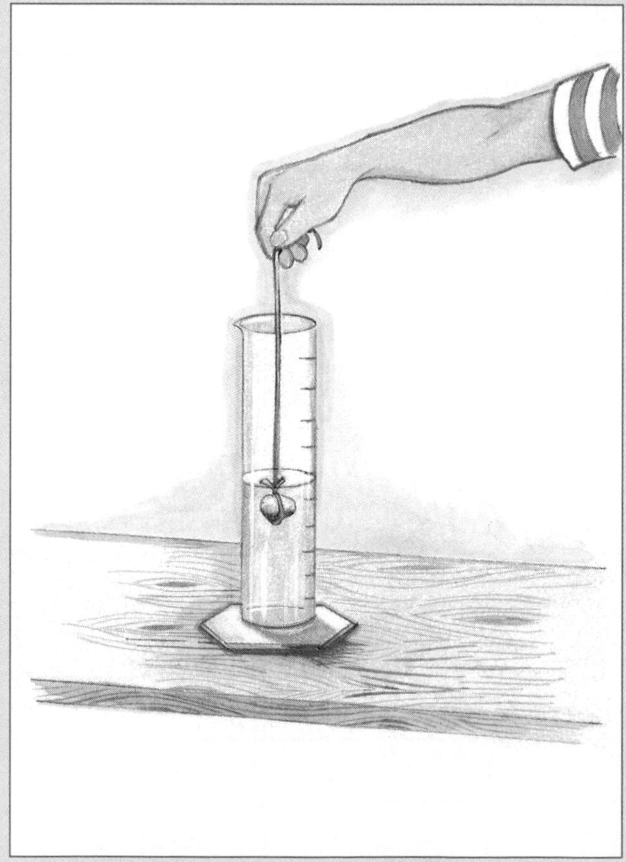

5. Repeat this procedure for each remaining object.
6. Use the formula D = M/V to calculate the density of each object you selected.

CALCULO DE DENSIDAD

Es fácil calcular la densidad de un sólido regular, como un cubo. Mide los lados del objeto con una regla métrica y calcula el volumen. Pon el objeto en una balanza para determinar su masa. Luego, usa la fórmula D = M/V para calcular su densidad. ¿Pero, se puede determinar la densidad de un objeto de forma irregular que no es fácil de medir? ¿Una piedra, por ejemplo? Sí, se puede, y vas a ver qué fácil es.

Materiales

cilindro graduado
piedra
pieza pequeña de caño de metal
tornillo grande
balanza de tres brazos
regla métrica
cordel

Procedimiento y observaciones

1. Escoge uno de los objetos cuya densidad quieras calcular. Determina su masa en la balanza. Registra el resultado en una tabla de datos como la que aparece en la página A 105.
2. Pon agua en el cilindro graduado. Si miras el costado del cilindro, la superficie del agua parecerá un plato. El nivel del agua es menor en el centro. Con cuidado, agrega un poco más de agua hasta que la parte más baja de su superficie coincida con una de las líneas divisorias del cilindro. Registra en la tabla el nivel del agua.
3. Vas a determinar el volumen del objeto de acuerdo con el desplazamiento del agua. Primero, ata un cordel alrededor del objeto. El cordel debe estar bien seguro.
4. Pon tu objeto en el agua con cuidado, sosteniéndolo por la punta del cordel. Observa el nivel al que llega el agua. Regístralo en la tabla de datos. Para determinar el volumen del objeto, debes restar el primer volumen del agua del segundo. Registra el volumen en la tabla de datos.

5. Repite el procedimiento con los demás objetos.
6. Usa la fórmula D = M/V para calcular la densidad de cada objeto.

DATA TABLE

Object	Mass	First Water Level	Second Water Level	Water Displaced (mL)

Analysis and Conclusions

1. What is the volume of an object whose dimensions are 1.0 cm × 6.0 cm × 2.0 cm? Remember to include the proper units.
2. If the mass of this object is 60 g, what is its density?
3. What are the densities of the objects you measured?
4. Which object is made of the densest material?

Think About This

1. If an object with a density of 10 g/cm^3 is cut into two equal pieces, what is the density of each piece? Why?
2. Could the water displacement method be used to determine the volume of a rectangular object as well as an irregularly shaped object?
3. Why is the density of a substance important?

TABLA DE DATOS

Objeto	Masa	Primer nivel del agua	Segundo nivel del agua	Agua desplazada (mL)

Análisis y conclusiones

1. ¿Cuál es el volumen de un objeto cuyas dimensiones son 1.0 cm × 6.0 cm × 2.0 cm? Usa las unidades apropiadas.
2. Si la masa de ese objeto es 60 g., ¿cuál es su densidad?
3. ¿Cuáles son las densidades de los objetos que mediste?
4. ¿Qué objeto tiene el material más denso?

Piensa un poco

1. Si se corta un objeto con una densidad de 10 g/cm^3 en dos partes iguales, ¿cuál es la densidad de cada parte. ¿Por qué?
2. ¿Podría usarse el método del desplazamiento del agua para determinar el volumen de un objeto rectangular y el de un objeto de forma irregular?
3. ¿Por qué es importante la densidad de una sustancia?

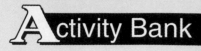

DAZZLING DISPLAYS OF DENSITIES

Throw a rock into a pond and it sinks beneath the surface of the water. Throw a rubber ball into a pond and it bobs along on the surface. Why do some things float in water while others sink? The answer has to do with density. An object floats only if it is less dense than the substance it is in. In this activity you will make your own investigation into density.

Materials

2 250-mL beakers
cooking oil (about 125 mL)
ice cube
salt
spoon or small sheet of tissue paper (optional)
hard-boiled egg or small uncooked potato
medicine dropper
dishwasher liquid
food coloring

Procedure

1. Fill a beaker half-full with cooking oil. Very gently place an ice cube on the surface of the oil. What happens to the ice cube? Watch the ice cube for the next 15 to 20 minutes. What happens as the ice cube melts?

2. Use the dishwasher liquid to thoroughly clean the beaker. Fill the beaker half-full with water. Make sure you measure the amount of water you put into the beaker.
3. Add plenty of table salt to the water. Stop adding salt when the water becomes cloudy. The amount of salt you add will vary depending upon the amount of water you use.
4. Add the same amount of water you used in step 2 to another beaker. Do not add salt to the water in this beaker. Slowly and gently pour the unsalted water into the beaker that contains the water you added salt to. You may need to pour the water onto a spoon or piece of tissue paper so that it hits the salt water more gently.
5. Gently place the egg or small potato in the beaker. Describe and draw what you see.
6. Clean the two beakers. Add a small amount of hot tap water, about 10 mL, to one of the beakers. Add a few drops of food coloring to the hot water. Make sure you add enough food coloring so that the color can easily be seen.

Pozo de actividades

DESPLIEGUE DE DENSIDADES

Si tiras una piedra a un lago, se hunde en el agua. Si tiras una pelota de goma se queda flotando. ¿Por qué algunas cosas se hunden y otras flotan? Eso está relacionado con la densidad. Un objeto flota si es menos denso que la sustancia en la cual está immerso. En esta actividad, vas a investigar la densidad por tu cuenta.

Materiales

2 cubetas de 250 mL
aceite de cocina (unos 125 mL)
cubo de hielo
sal
cuchara o papel de seda (a opción)
huevo duro o papa sin cocer
gotero medicinal
detergente para lavar platos
colorantes de comida

Procedimiento

1. Llena una cubeta hasta la mitad con aceite de cocina. Coloca con cuidado un cubo de hielo en el aceite. ¿Qué le pasa al cubo de hielo? Obsérvalo de 15 a 20 minutos. ¿Qué pasa cuando se va derritiendo?

2. Usa el detergente para limpiar bien la cubeta. Llénala de agua hasta la mitad. Debes medir la cantidad de agua que pones en la cubeta.
3. Agrega bastante sal de mesa al agua. Cuando el agua se enturbie, no le eches más sal. La cantidad de sal que agregues variará según la cantidad de agua que uses.
4. Pon en otra cubeta la misma cantidad de agua del paso 2. No le agregues sal al agua. Vierte lentamente y con cuidado el agua sin salar en la cubeta con agua salada. Tal vez necesites usar una cuchara o papel de seda para que el agua vaya cayendo de a poco.
5. Con cuidado, coloca el huevo o la papa en la cubeta. Describe y dibuja lo que ves.
6. Limpia las dos cubetas. Pon un poco de agua caliente, unos 10 mL, en una de las cubetas. Añade unas gotas del colorante al agua caliente, lo suficiente como para que el color pueda verse bien.

7. Fill the other beaker with cold tap water.

8. Use the medicine dropper to pick up a few drops of the hot colored water.
9. Place the tip of the medicine dropper in the middle of the cold water in the other beaker. Slowly squeeze a drop of the hot colored water into the cold water. Describe and draw a picture of what you observe.

Analysis and Conclusions

1. Explain what you observed when you watched the ice cube in the oil in step 1.
2. Explain your observations regarding the egg in the beaker of water.
3. What does this investigation tell you about the density of hot water compared to the density of cold water?
4. Predict what will happen if you repeat steps 6 through 9, but this time add a drop or two of cold colored water to a beaker of hot water.

7. Llena la otra cubeta con agua fría.

8. Con el gotero, saca unas gotas del agua caliente coloreada.
9. Pon la punta del gotero en el centro de la cubeta con agua fría. Deja caer una gota del agua coloreada en el agua fría. Describe y dibuja lo que observas.

Análisis y conclusiones

1. Describe lo que observaste al poner el cubo de hielo en el aceite en el paso 1.
2. Explica tus observaciones respecto al huevo en la cubeta con agua.
3. ¿Qué te indica esta investigación acerca de la densidad del agua caliente comparada con la del agua fría?
4. Predice lo que pasará si repites los pasos 6 a 9, poniendo esta vez una o dos gotas de agua fría coloreada en una cubeta de agua caliente.

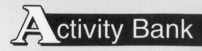

LIFE IN A DROP OF WATER

Just as good building tools can help a carpenter produce a fine home, so can good scientific tools aid a scientist in a variety of endeavors.

In this activity you will use one of the basic tools of life science: a microscope, a tool that lets scientists study worlds too small to be seen with the unaided eye.

You Will Use

microscope
glass slide
coverslip
water from your aquarium or pond water
medicine dropper

CAUTION: *Before you begin, make sure that you understand how to use a microscope.* Follow your teacher's instructions exactly. Examine the illustration of a microscope in Appendix D. A microscope is an expensive and valuable tool. Exercise care when using it and when using the slide and coverslip as well.

Now You Can Begin

1. Make sure that your microscope is in the correct position before you use it. Have your teacher check your setup before you begin. Use the illustration on page 115 in your textbook to familiarize yourself with the parts of your microscope.
2. There are several lenses on a microscope. The lens nearest the eye is called the ocular. The lenses closest to the slide are called the objectives. Note that each lens has a number etched on it. The number tells you how many times a particular lens magnifies the image that is viewed through it. Note the number on the ocular and the number on the smallest objective lens. Multiply one number by the other. This will tell the total magnification when these two lenses are used together. Enter the magnification near any drawing you make of what you observe.
3. Pick up a glass slide from your supply table. You will make a slide of a drop of water from your aquarium. (If you do not have an aquarium you can examine pond water that your teacher will supply. **CAUTION:** *Do not try to collect pond water without the help of an adult.*) Place one drop of aquarium water in the center of your slide.

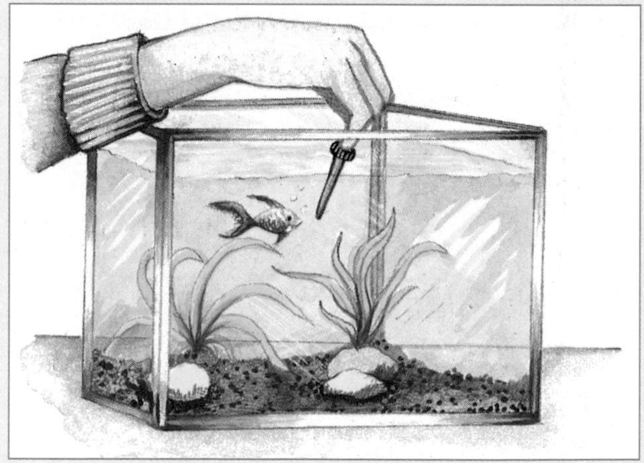

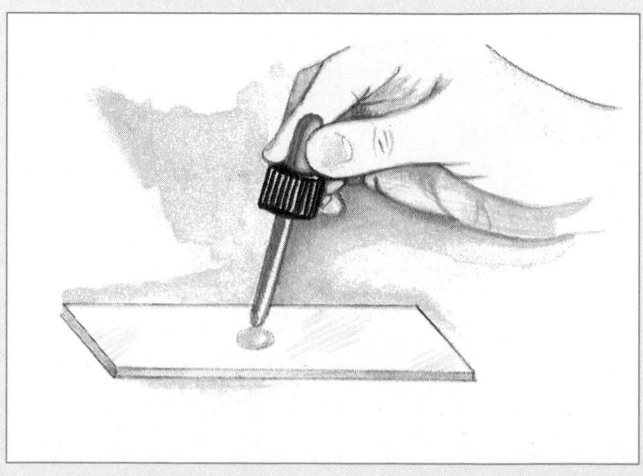

Pozo de actividades

LA VIDA EN UNA GOTA DE AGUA

Así como las herramientas apropiadas facilitan el trabajo de un carpintero, los buenos instrumentos son de gran ayuda para los científicos.

En esta actividad vas a usar una de los instrumentos básicos de las ciencias de la vida: un microscopio, instrumento que permite estudiar mundos que son demasiado pequeños para verlos a simple vista.

Vas a necesitar

microscopio
portaobjetos
cubreobjetos
agua de la pecera o agua de charco
gotero medicinal

PRECAUCIÓN: *Antes de comenzar, debes saber cómo se usa un microscopio.* Sigue las indicaciones de tu profesor(a) atentamente. Mira el microscopio del Apéndice D. Un microscopio es un instrumento costoso. Ten cuidado al usarlo y también al usar el porta objetos y el cubreobjetos.

Ahora puedes comenzar

1. Tu microscopio debe estar en la posición correcta. Antes de comenzar, pide a tu profesor(a) que lo controle. Usa la ilustración de la página 115 para familiarizarte con las partes del microscopio.
2. Un microscopio tiene varias lentes. La lente más cercana al ojo es el ocular. Las lentes cercanas al objeto son los objetivos. Cada lente tiene un número grabado. Ese número indica cuántas veces la lente aumenta la imagen. Mira el número que tiene el ocular y el número del objetivo más pequeño. Multiplica esos números. El resultado indica el aumento total al usarse ambas lentes. Debes anotar ese número al lado de cualquier dibujo que hagas de lo que observes.
3. Toma un portaobjetos. Vas a hacer una placa de una gota de agua de la pecera. (Si no tienes pecera, podrás examinar agua de charco. **PRECAUCIÓN:** *No recojas agua de charco sin la supervisión de un adulto.*) Coloca una gota de agua en el centro del portaobjetos.

4. Pick up one of the coverslips and hold it as shown in the illustration. Carefully lower the coverslip onto the drop of water.

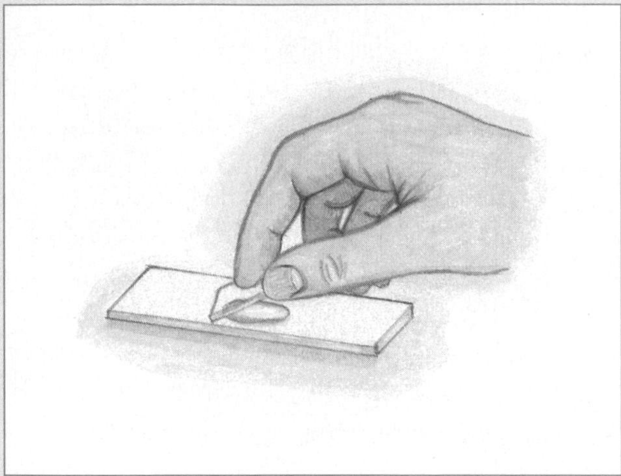

5. Place the slide on the microscope. Make sure the smallest, or low-power, lens is in position. Look through the ocular. Carefully turn the coarse adjustment knob until the image is in focus. Use the fine adjustment knob to get a clear image. Move the slide slowly back and forth. Draw what you observe.
6. Repeat the procedure with a drop of tap water.
7. When you are finished, follow your teacher's instructions for cleaning up.

Observations

1. What kinds of things did you observe in the drop of water from the aquarium?
2. Did these organisms move around or remain in one place?
3. What did you observe in the drop of tap water?

Analysis and Conclusions

1. How has the microscope helped scientists to study the natural world?
2. How can you explain the differences you observed in the aquarium water and the tap water?

Going Further

You can examine some other substances. Make a plan of study and check with your teacher before you proceed.

4. Toma un cubreobjetos como lo indica la ilustración. Colócalo sobre la gota de agua con cuidado.

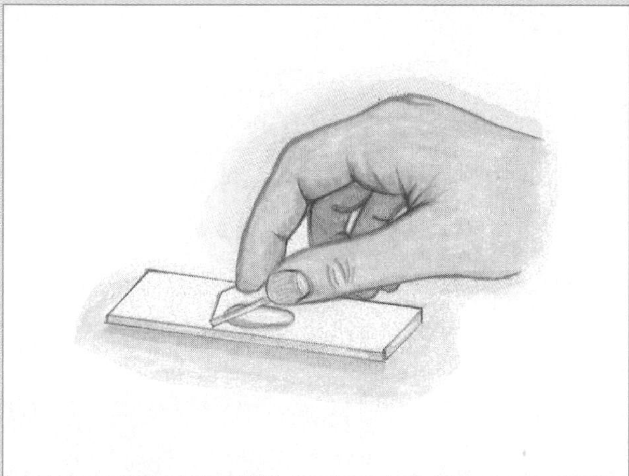

5. Coloca el portaobjetos en el microscopio. La lente de menor poder debe estar en la posición adecuada. Mira a través del ocular. Con cuidado, da vuelta el tornillo de ajuste inicial hasta enfocar la imagen. Usa el de enfoque para obtener una imagen más clara. Mueve el portaobjetos para atrás y adelante con mucho cuidado. Dibuja lo que ves.

6. Repite el mismo procedimiento con una gota de agua de grifo.

7. Cuando termines, limpia según las instrucciones de tu profesor(a).

Observaciones

1. ¿Qué tipo de cosas observaste en la gota de agua de la pecera?
2. ¿Se movían estos organismos o permanecían en el mismo sitio?
3. ¿Qué observaste en la gota de agua?

Análisis y conclusiones

1. ¿De qué manera ha servido el microscopio para el estudio del mundo natural?
2. ¿Cómo puedes explicar las diferencias que observaste entre las dos gotas de agua?

Investiga más

Puedes investigar otras sustancias. Propone un plan de investigación y preséntalo a tu profesor o profesora antes de realizarlo.

Appendix A

THE METRIC SYSTEM

The metric system of measurement is used by scientists throughout the world. It is based on units of ten. Each unit is ten times larger or ten times smaller than the next unit. The most commonly used units of the metric system are given below. After you have finished reading about the metric system, try to put it to use. How tall are you in metrics? What is your mass? What is your normal body temperature in degrees Celsius?

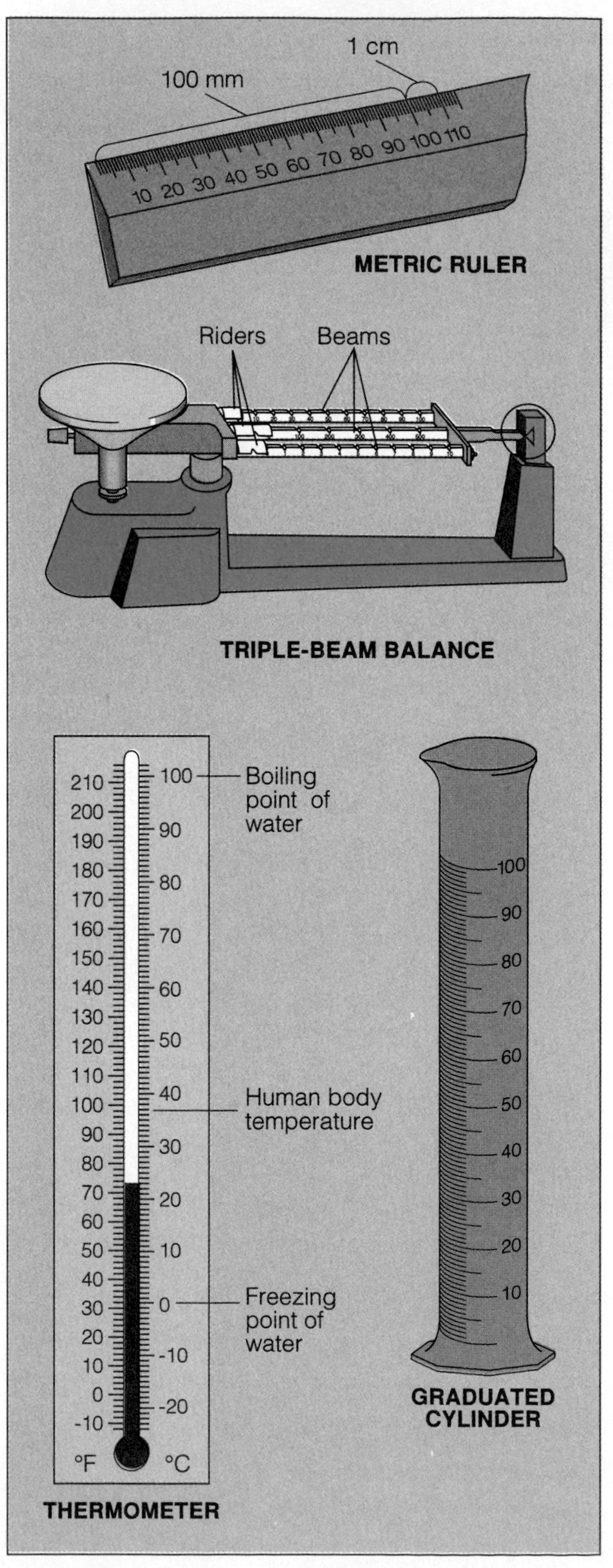

Commonly Used Metric Units

Length The distance from one point to another

meter (m)	A meter is slightly longer than a yard. 1 meter = 1000 millimeters (mm) 1 meter = 100 centimeters (cm) 1000 meters = 1 kilometer (km)

Volume The amount of space an object takes up

liter (L)	A liter is slightly more than a quart. 1 liter = 1000 milliliters (mL)

Mass The amount of matter in an object

gram (g)	A gram has a mass equal to about one paper clip. 1000 grams = 1 kilogram (kg)

Temperature The measure of hotness or coldness

degrees Celsius (°C)	0°C = freezing point of water 100°C = boiling point of water

Metric–English Equivalents

2.54 centimeters (cm) = 1 inch (in.)
1 meter (m) = 39.37 inches (in.)
1 kilometer (km) = 0.62 miles (mi)
1 liter (L) = 1.06 quarts (qt)
250 milliliters (mL) = 1 cup (c)
1 kilogram (kg) = 2.2 pounds (lb)
28.3 grams (g) = 1 ounce (oz)
°C = 5/9 x (°F – 32)

Apéndice A

EL SISTEMA MÉTRICO

Los científicos de todo el mundo usan el sistema métrico. Está basado en unidades de diez. Cada unidad es diez veces más grande o más pequeña que la siguiente. Abajo se pueden ver las unidades del sistema métrico más usadas. Cuando termines de leer sobre el sistema métrico, trata de usarlo. ¿Cuál es tu altura en metros? ¿Cuál es tu masa? ¿Cuál es tu temperatura normal en grados Celsio?

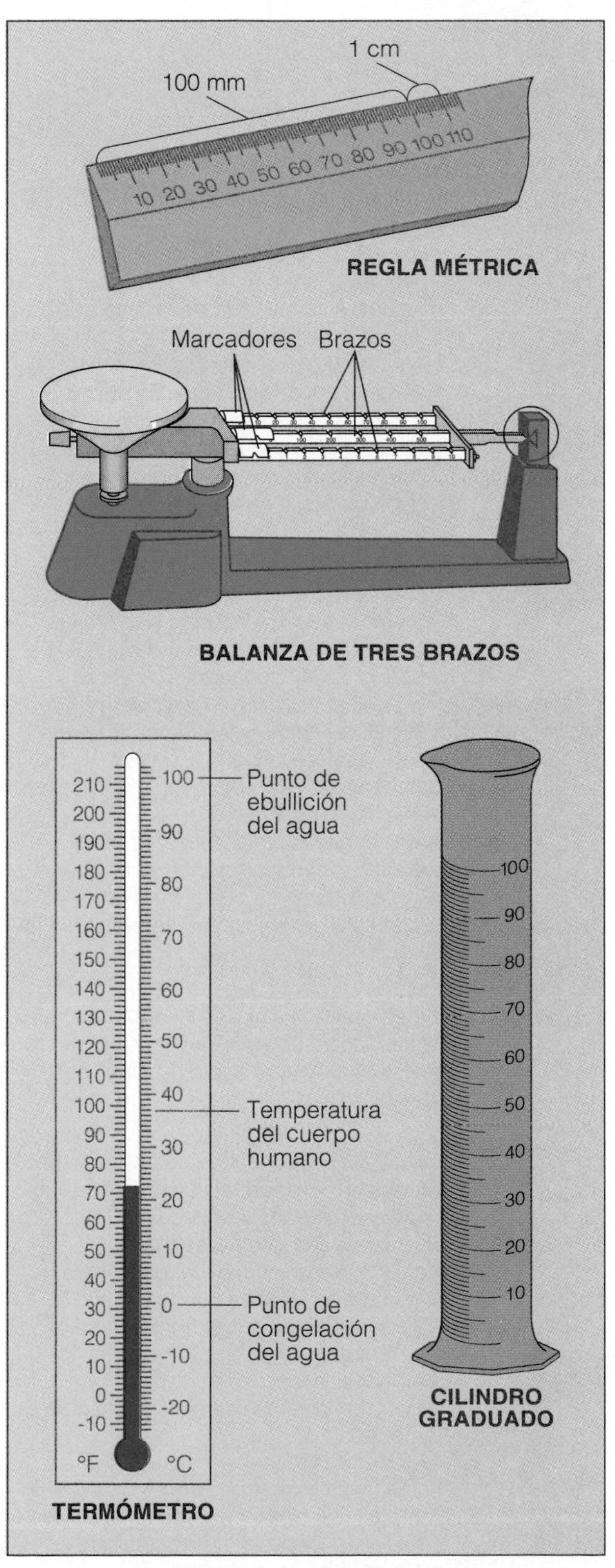

Unidades métricas más comunes

Longitud Distancia de un punto a otro

metro (m) Un metro es un poco más largo que una yarda.
1 metro = 1000 milímetros (mm)
1 metro = 100 centímetros (cm)
1000 metros = 1 kilómetro (km)

Volumen Cantidad de espacio que ocupa un objeto

litro (L) Un litro es un poco más que un cuarto de galón.
1 litro = 1000 mililitros (mL)

Masa Cantidad de materia que tiene un objeto

gramo (g) El gramo tiene una masa más o menos igual a la de una presilla para papel.
1000 gramos = kilogramo (kg)

Temperatura Medida de calor o frío

grados Celsio (°C)
0°C = punto de congelación del agua
100°C = punto de ebullición del agua

Equivalencias métricas inglesas

2.54 centímetros (cm) = 1 pulgada (in.)
1 metro (m) = 39.37 pulgadas (in.)
1 kilómetro (km) = 0.62 millas (mi)
1 litro (L) = 1.06 cuarto (qt)
250 mililitros (mL) = 1 taza (c)
1 kilogramo (kg) = 2.2 libras (lb)
28.3 gramos (g) = 1 onza (oz)

Appendix B

LABORATORY SAFETY
Rules and Symbols

Glassware Safety

1. Whenever you see this symbol, you will know that you are working with glassware that can easily be broken. Take particular care to handle such glassware safely. And never use broken or chipped glassware.
2. Never heat glassware that is not thoroughly dry. Never pick up any glassware unless you are sure it is not hot. If it is hot, use heat-resistant gloves.
3. Always clean glassware thoroughly before putting it away.

Fire Safety

1. Whenever you see this symbol, you will know that you are working with fire. Never use any source of fire without wearing safety goggles.
2. Never heat anything—particularly chemicals—unless instructed to do so.
3. Never heat anything in a closed container.
4. Never reach across a flame.
5. Always use a clamp, tongs, or heat-resistant gloves to handle hot objects.
6. Always maintain a clean work area, particularly when using a flame.

Heat Safety

Whenever you see this symbol, you will know that you should put on heat-resistant gloves to avoid burning your hands.

Chemical Safety

1. Whenever you see this symbol, you will know that you are working with chemicals that could be hazardous.
2. Never smell any chemical directly from its container. Always use your hand to waft some of the odors from the top of the container toward your nose—and only when instructed to do so.
3. Never mix chemicals unless instructed to do so.
4. Never touch or taste any chemical unless instructed to do so.
5. Keep all lids closed when chemicals are not in use. Dispose of all chemicals as instructed by your teacher.
6. Immediately rinse with water any chemicals, particularly acids, that get on your skin and clothes. Then notify your teacher.

Eye and Face Safety

1. Whenever you see this symbol, you will know that you are performing an experiment in which you must take precautions to protect your eyes and face by wearing safety goggles.
2. When you are heating a test tube or bottle, always point it away from you and others. Chemicals can splash or boil out of a heated test tube.

Sharp Instrument Safety

1. Whenever you see this symbol, you will know that you are working with a sharp instrument.
2. Always use single-edged razors; double-edged razors are too dangerous.
3. Handle any sharp instrument with extreme care. Never cut any material toward you; always cut away from you.
4. Immediately notify your teacher if your skin is cut.

Electrical Safety

1. Whenever you see this symbol, you will know that you are using electricity in the laboratory.
2. Never use long extension cords to plug in any electrical device. Do not plug too many appliances into one socket or you may overload the socket and cause a fire.
3. Never touch an electrical appliance or outlet with wet hands.

Animal Safety

1. Whenever you see this symbol, you will know that you are working with live animals.
2. Do not cause pain, discomfort, or injury to an animal.
3. Follow your teacher's directions when handling animals. Wash your hands thoroughly after handling animals or their cages.

Apéndice B

PRECAUCIONES EN EL LABORATORIO

Normas y símbolos

¡Cuidado con los recipientes de vidrio!

1. Este símbolo te indicará que estás trabajando con recipientes de vidrio que pueden romperse. Procede con mucho cuidado al manejar esos recipientes. Y nunca uses vasos rotos ni cascados.
2. Nunca pongas al calor recipientes húmedos. Nunca tomes ningún recipiente si está caliente. Si lo está, usa guantes resistentes al calor.
3. Siempre limpia bien un recipiente de vidrio antes de guardarlo.

¡Cuidado con el fuego!

1. Este símbolo te indicará que estás trabajando con fuego. Nunca uses algo que produzca llama sin ponerte gafas protectoras.
2. Nunca calientes nada a menos que te digan que lo hagas.
3. Nunca calientes nada en un recipiente cerrado.
4. Nunca extiendas el brazo por encima de una llama.
5. Usa siempre una grapa, pinzas o guantes resistentes al calor para manipular algo caliente.
6. Procura tener un área de trabajo vacía y limpia, especialmente si estás usando una llama.

¡Cuidado con el calor!

Este símbolo te indicará que debes ponerte guantes resistentes al calor para no quemarte las manos.

¡Cuidado con los productos químicos!

1. Este símbolo te indicará que vas a trabajar con productos químicos que pueden ser peligrosos.
2. Nunca huelas un producto químico directamente. Usa siempre las manos para llevar las emanaciones a la nariz y hazlo solo si te lo dicen.
3. Nunca mezcles productos químicos a menos que te lo indiquen.
4. Nunca toques ni pruebes ningún producto químico a menos que te lo indiquen.
5. Mantén todas las tapas de los productos químicos cerradas cuando no los uses. Deséchalos según te lo indiquen.
6. Enjuaga con agua cualquier producto químico, en especial un ácido. Si se pone en contacto con tu piel o tus ropas, comunícaselo a tu profesor o profesora.

¡Cuidado con los ojos y la cara!

1. Este símbolo te indicará que estás haciendo un experimento en el que debes protegerte los ojos y la cara con gafas protectoras.
2. Cuando estés calentando un tubo de ensayo, pon la boca en dirección contraria a ti y a los demás. Los productos químicos pueden salpicar o derramarse de un tubo de ensayo caliente.

¡Cuidado con los instrumentos afilados!

1. Este símbolo te indicará que vas a trabajar con un instrumento afilado.
2. Usa siempre hojas de afeitar de un solo filo. Las hojas de doble filo son muy peligrosas.
3. Maneja un instrumento afilado con sumo cuidado. Nunca cortes nada hacia ti, sino en dirección contraria.
4. Notifica inmediatamente a tu profesor o profesora si te cortas.

¡Cuidado con la electricidad!

1. Este símbolo te indicará que vas a usar electricidad en el laboratorio.
2. Nunca uses cables de prolongación para enchufar un aparato eléctrico. No enchufes muchos aparatos en un enchufe porque puedes recargarlo y provocar un incendio.
3. Nunca toques un aparato eléctrico o un enchufe con las manos húmedas.

¡Cuidado con los animales!

1. Este símbolo, te indicará que vas a trabajar con animales vivos.
2. No causes dolor, molestias o heridas a un animal.
3. Sigue las instrucciones de tu profesor o profesora al tratar a los animales. Lávate las manos bien después de tocar los animales o sus jaulas.

Appendix C SCIENCE SAFETY RULES

One of the first things a scientist learns is that working in the laboratory can be an exciting experience. But the laboratory can also be quite dangerous if proper safety rules are not followed at all times. To prepare yourself for a safe year in the laboratory, read over the following safety rules. Then read them a second time. Make sure you understand each rule. If you do not, ask your teacher to explain any rules you are unsure of.

Dress Code

1. Many materials in the laboratory can cause eye injury. To protect yourself from possible injury, wear safety goggles whenever you are working with chemicals, burners, or any substance that might get into your eyes. Never wear contact lenses in the laboratory.

2. Wear a laboratory apron or coat whenever you are working with chemicals or heated substances.

3. Tie back long hair to keep it away from any chemicals, burners and candles, or other laboratory equipment.

4. Remove or tie back any article of clothing or jewelry that can hang down and touch chemicals and flames.

General Safety Rules

5. Read all directions for an experiment several times. Follow the directions exactly as they are written. If you are in doubt about any part of the experiment, ask your teacher for assistance.

6. Never perform activities that are not authorized by your teacher. Obtain permission before "experimenting" on your own.

7. Never handle any equipment unless you have specific permission.

8. Take extreme care not to spill any material in the laboratory. If a spill occurs, immediately ask your teacher about the proper cleanup procedure. Never simply pour chemicals or other substances into the sink or trash container.

9. Never eat in the laboratory.

10. Wash your hands before and after each experiment.

First Aid

11. Immediately report all accidents, no matter how minor, to your teacher.

12. Learn what to do in case of specific accidents, such as getting acid in your eyes or on your skin. (Rinse acids from your body with lots of water.)

13. Become aware of the location of the first-aid kit. But your teacher should administer any required first aid due to injury. Or your teacher may send you to the school nurse or call a physician.

14. Know where and how to report an accident or fire. Find out the location of the fire extinguisher, phone, and fire alarm. Keep a list of important phone numbers—such as the fire department and the school nurse—near the phone. Immediately report any fires to your teacher.

Heating and Fire Safety

15. Again, never use a heat source, such as a candle or burner, without wearing safety goggles.

16. Never heat a chemical you are not instructed to heat. A chemical that is harmless when cool may be dangerous when heated.

17. Maintain a clean work area and keep all materials away from flames.

18. Never reach across a flame.

19. Make sure you know how to light a Bunsen burner. (Your teacher will demonstrate the proper procedure for lighting a burner.) If the flame leaps out of a burner toward you, immediately turn off the gas. Do not touch the burner. It may be hot. And never leave a lighted burner unattended!

20. When heating a test tube or bottle, always point it away from you and others. Chemicals can splash or boil out of a heated test tube.

21. Never heat a liquid in a closed container. The expanding gases produced may blow the container apart, injuring you or others.

Apéndice C

MEDIDAS DE PRECAUCIÓN

Una de las primeras cosas que aprende un científico es que trabajar en el laboratorio es muy interesante. Pero el laboratorio puede ser un lugar muy peligroso si no se respetan las reglas de seguridad apropiadas. Para prepararte para trabajar sin riesgos en el laboratorio, lee las siguientes reglas una y otra vez. Debes comprender muy bien cada regla. Pídele a tu profesor(a) que te explique si no entiendes algo.

Vestimenta adecuada

1. Muchos materiales del laboratorio pueden ser dañinos para la vista. Como precaución, usa gafas protectoras siempre que trabajes con productos químicos, mecheros o una sustancia que pueda entrarte en los ojos. Nunca uses lentes de contacto en el laboratorio.

2. Usa un delantal o guardapolvo siempre que trabajes con productos químicos o con algo caliente.

3. Si tienes pelo largo, átatelo para que no roce productos químicos, mecheros, velas u otro equipo del laboratorio.

4. No debes llevar ropa o alhajas que cuelguen y puedan entrar en contacto con productos químicos o con el fuego.

Normas generales de precaución

5. Lee todas las instrucciones de un experimento varias veces. Síguelas al pie de la letra. Si tienes alguna duda, pregúntale a tu profesor(a).

6. Nunca hagas nada sin autorización de tu profesor(a). Pide permiso antes de "experimentar" por tu cuenta.

7. Nunca intentes usar un equipo si no te han dado permiso para hacerlo.

8. Ten mucho cuidado de no derramar nada en el laboratorio. Si algo se derrama, pregunta inmediatamente a tu profesor(a) cómo hacer para limpiarlo.

9. Nunca comas en el laboratorio.

10. Lávate las manos antes y después de cada experimento.

Primeros auxilios

11. Por menos importante que parezca un accidente, informa inmediatamente a tu profesor(a) si ocurre algo.

12. Aprende qué debes hacer en caso de ciertos accidentes, como si te cae ácido en la piel o te entra en los ojos. (Enjuágate con muchísima agua.)

13. Debes saber dónde está el botiquín de primeros auxilios. Pero es tu profesor(a) quien debe encargarse de dar primeros auxilios. Puede que él o ella te envíe a la enfermería o llame a un médico.

14. Debes saber dónde llamar si hay un accidente o un incendio. Averigua dónde está el extinguidor, el teléfono y la alarma de incendios. Debe haber una lista de teléfonos importantes—como los bomberos y la enfermería—cerca del teléfono. Avisa inmediatamente a tu profesor(a) si se produce un incendio.

Precauciones con el calor y con el fuego

15. Nunca te acerques a una fuente de calor, como un mechero o una vela sin ponerte las gafas protectoras.

16. Nunca calientes ningún producto químico si no te lo indican. Un producto inofensivo cuando está frío puede ser peligroso si está caliente.

17. Tu área de trabajo debe estar limpia y todos los materiales alejados del fuego.

18. Nunca extiendas el brazo por encima de una llama.

19. Debes saber bien cómo encender un mechero Bunsen. (Tu profesor(a) te indicará el procedimiento apropiado.) Si la llama salta del mechero, apaga el gas inmediatamente. No toques el mechero. ¡Nunca dejes un mechero encendido sin nadie al lado!

20. Cuando calientes un tubo de ensayo, apúntalo en dirección contraria. Los productos químicos pueden salpicar o derramarse al hervir.

21. Nunca calientes un líquido en un recipiente cerrado. Los gases que se producen pueden hacer que el recipiente explote y te lastime a ti y a tus compañeros.

22. Before picking up a container that has been heated, first hold the back of your hand near it. If you can feel the heat on the back of your hand, the container may be too hot to handle. Use a clamp or tongs when handling hot containers.

Using Chemicals Safely

23. Never mix chemicals for the "fun of it." You might produce a dangerous, possibly explosive substance.

24. Never touch, taste, or smell a chemical unless you are instructed by your teacher to do so. Many chemicals are poisonous. If you are instructed to note the fumes in an experiment, gently wave your hand over the opening of a container and direct the fumes toward your nose. Do not inhale the fumes directly from the container.

25. Use only those chemicals needed in the activity. Keep all lids closed when a chemical is not being used. Notify your teacher whenever chemicals are spilled.

26. Dispose of all chemicals as instructed by your teacher. To avoid contamination, never return chemicals to their original containers.

27. Be extra careful when working with acids or bases. Pour such chemicals over the sink, not over your workbench.

28. When diluting an acid, pour the acid into water. Never pour water into an acid.

29. Immediately rinse with water any acids that get on your skin or clothing. Then notify your teacher of any acid spill.

Using Glassware Safely

30. Never force glass tubing into a rubber stopper. A turning motion and lubricant will be helpful when inserting glass tubing into rubber stoppers or rubber tubing. Your teacher will demonstrate the proper way to insert glass tubing.

31. Never heat glassware that is not thoroughly dry. Use a wire screen to protect glassware from any flame.

32. Keep in mind that hot glassware will not appear hot. Never pick up glassware without first checking to see if it is hot. See #22.

33. If you are instructed to cut glass tubing, fire-polish the ends immediately to remove sharp edges.

34. Never use broken or chipped glassware. If glassware breaks, notify your teacher and dispose of the glassware in the proper trash container.

35. Never eat or drink from laboratory glassware. Thoroughly clean glassware before putting it away.

Using Sharp Instruments

36. Handle scalpels or razor blades with extreme care. Never cut material toward you; cut away from you.

37. Immediately notify your teacher if you cut your skin when working in the laboratory.

Animal Safety

38. No experiments that will cause pain, discomfort, or harm to mammals, birds, reptiles, fishes, and amphibians should be done in the classroom or at home.

39. Animals should be handled only if necessary. If an animal is excited or frightened, pregnant, feeding, or with its young, special handling is required.

40. Your teacher will instruct you as to how to handle each animal species that may be brought into the classroom.

41. Clean your hands thoroughly after handling animals or the cage containing animals.

End-of-Experiment Rules

42. After an experiment has been completed, clean up your work area and return all equipment to its proper place.

43. Wash your hands after every experiment.

44. Turn off all burners before leaving the laboratory. Check that the gas line leading to the burner is off as well.

22. Antes de tomar un recipiente que se ha calentado, acerca primero el dorso de tu mano. Si puedes sentir el calor, el recipiente está todavía caliente. Usa una grapa o pinzas cuando trabajes con recipientes calientes.

Precauciones en el uso de productos químicos

23. Nunca mezcles productos químicos para "divertirte". Puede que produzcas una sustancia peligrosa tal como un explosivo.
24. Nunca toques, pruebes o huelas un producto químico si no te indican que lo hagas. Muchos de estos productos son venenosos. Si te indican que observes las emanaciones, llévalas hacia la nariz con las manos. No las aspires directamente del recipiente.
25. Usa sólo los productos necesarios para esa actividad. Todos los envases deben estar cerrados si no están en uso. Informa a tu profesor(a) si se produce algún derrame.
26. Desecha todos los productos químicos según te lo indique tu profesor(a). Para evitar la contaminación, nunca los vuelvas a poner en su envase original.
27. Ten mucho cuidado cuando trabajes con ácidos o bases. Viértelos en la pila, no sobre tu mesa.
28. Cuando diluyas un ácido, viértelo en el agua. Nunca viertas agua en el ácido.
29. Enjuágate inmediatamente la piel o la ropa con agua si te cae ácido. Notifica a tu profesor(a).

Precauciones con el uso de vidrio

30. Para insertar vidrio en tapones o tubos de goma, deberás usar un movimiento de rotación y un lubricante. No lo fuerces. Tu profesor(a) te indicará cómo hacerlo.
31. No calientes recipientes de vidrio que no estén secos. Usa una pantalla para proteger el vidrio de la llama.
32. Recuerda que el vidrio caliente no parece estarlo. Nunca tomes nada de vidrio sin controlarlo antes. Véase # 22.
33. Cuando cortes un tubo de vidrio, lima las puntas inmediatamente para alisarlas.
34. Nunca uses recipientes rotos ni astillados. Si algo de vidrio se rompe, notifícalo inmediatamente y desecha el recipiente en el lugar adecuado.
35. Nunca comas ni bebas de un recipiente de vidrio del laboratorio. Limpia los recipientes bien antes de guardarlos.

Uso de instrumentos afilados

36. Maneja los bisturíes o las hojas de afeitar con sumo cuidado. Nunca cortes nada hacia ti sino en dirección contraria.
37. Notifica inmediatamente a tu profesor(a) si te cortas.

Precauciones con los animales

38. No debe realizarse ningún experimento que cause dolor, incomodidad o daño a los animales en la escuela o en la casa.
39. Debes tocar a los animales sólo si es necesario. Si un animal está nervioso o asustado, preñado, amamantando o con su cría, se requiere cuidado especial.
40. Tu profesor(a) te indicará cómo proceder con cada especie animal que se traiga a la clase.
41. Lávate bien las manos después de tocar los animales o sus jaulas.

Al concluir un experimento

42. Después de terminar un experimento limpia tu área de trabajo y guarda el equipo en el lugar apropiado.
43. Lávate las manos después de cada experimento.
44. Apaga todos los mecheros antes de irte del laboratorio. Verifica que la línea general esté también apagada.

Appendix D

THE MICROSCOPE

The microscope is an essential tool in the study of life science. It enables you to see things that are too small to be seen with the unaided eye. It also allows you to look more closely at the fine details of larger things.

The microscope you will use in your science class is probably similar to the one illustrated on the following page. This is a compound microscope. It is called compound because it has more than one lens. A simple microscope would contain only one lens. The lenses of the compound microscope are the parts that magnify the object being viewed.

Typically, a compound microscope has one lens in the eyepiece, the part you look through. The eyepiece lens usually has a magnification power of 10X. That is, if you were to look through the eyepiece alone, the object you were viewing would appear 10 times larger than it is.

The compound microscope may contain one or two other lenses. These two lenses are called the low- and high-power objective lenses. The low-power objective lens usually has a magnification of 10X. The high-power objective lens usually has a magnification of 40X. To figure out what the total magnification of your microscope is when using the eyepiece and an objective lens, multiply the powers of the lenses you are using. For example, eyepiece magnification (10X) multiplied by low-power objective lens magnification (10X) = 100X total magnification. What is the total magnification of your microscope using the eyepiece and the high-power objective lens?

To use the microscope properly, it is important to learn the name of each part, its function, and its location on your microscope. Keep the following procedures in mind when using the microscope:

1. Always carry the microscope with both hands. One hand should grasp the arm, and the other should support the base.

2. Place the microscope on the table with the arm toward you. The stage should be facing a light source.

3. Raise the body tube by turning the coarse adjustment knob.

4. Revolve the nosepiece so that the low-power objective lens (10X) is directly in line with the body tube. Click it into place. The low-power lens should be directly over the opening in the stage.

5. While looking through the eyepiece, adjust the diaphragm and the mirror so that the greatest amount of light is coming through the opening in the stage.

6. Place the slide to be viewed on the stage. Center the specimen to be viewed over the hole in the stage. Use the stage clips to hold the slide in position.

7. Look at the microscope from the side rather than through the eyepiece. In this way, you can watch as you use the coarse adjustment knob to lower the body tube until the low-power objective almost touches the slide. Do this slowly so you do not break the slide or damage the lens.

8. Now, looking through the eyepiece, observe the specimen. Use the coarse adjustment knob to raise the body tube, thus raising the low-power objective away from the slide. Continue to raise the body tube until the specimen comes into focus.

9. When viewing a specimen, be sure to keep both eyes open. Though this may seem strange at first, it is really much easier on your eyes. Keeping one eye closed may create a strain, and you might get a headache. Also, if you keep both eyes open, it is easier to draw diagrams of what you are observing. In this way, you do not have to turn your head away from the microscope as you draw.

10. To switch to the high-power objective lens (40X), look at the microscope from the side. Now, revolve the nosepiece so that the high-power objective lens clicks into place. Make sure the lens does not hit the slide.

Apéndice D

EL MICROSCOPIO

El microscopio es un instrumento esencial en las ciencias de la vida. Con él puedes ver cosas que no se pueden ver a simple vista. También te ayuda a observar los detalles de las cosas más grandes.

El microscopio que vas a usar en la clase de ciencias es probablemente similar al que se ve en la página siguiente. Es un microscopio compuesto. Se llama así porque tiene más de una lente. Un microscopio simple tiene sólo una. Las lentes son las partes que magnifican las cosas que se miran.

Un microscopio compuesto tiene generalmente una lente en el ocular, la parte por donde miras. Comúnmente esta lente tiene un poder de magnificación de 10×. Es decir que, si sólo usaras el ocular, verías el objeto aumentado 10 veces.

El microscopio compuesto puede tener una o dos lentes más. Son las lentes objetivo de gran y de baja potencia. La de baja potencia tiene generalmente un aumento de 10×. El aumento de la lente de gran potencia es de 40×. Para calcular cuál es el poder total de magnificación del microscopio cuando usas el ocular y el objetivo a la vez, multiplica la potencia de las lentes que estás usando. Por ejemplo, la magnificación del ocular (10×), multiplicada por la de la lente objetivo de baja potencia (10×) = 100 × de magnificación. ¿Cuál será el aumento total del microscopio si usas la lente ocular y la lente objetivo de gran potencia?

Para usar bien el microscopio, es importante saber el nombre de cada parte, su función y su posición. Cuando uses el microscopio, recuerda lo siguiente.

1. Siempre lleva el microscopio con las dos manos. Soporta la base con una y el brazo con la otra.

2. Coloca el microscopio sobre la mesa. El brazo debe estar frente a ti y la platina debe estar frente a la luz.

3. Usando el tornillo de ajuste inicial, eleva el tubo.

4. Haz rotar el portaobjetivos, para que la lente de baja potencia (10×) quede alineada con el tubo. Ajústalo en la posición adecuada. La lente debe estar sobre la abertura de la platina.

5. Mientras miras por el ocular, ajusta el diafragma y el espejo para que pase la mayor luz posible por la abertura de la platina.

6. Coloca el portaobjetos sobre la platina. Lo que vas a observar debe estar directamente sobre la abertura. Sujeta la placa con los enganches.

7. Mira el microscopio de costado. Así podrás ver, al dar vuelta el ajuste inicial para bajar el tubo, que la lente de menor poder llega casi hasta el portaobjetos. Haz esto lentamente y con cuidado para que no se rompa el portaobjetos ni se dañe la lente.

8. Mira por el ocular y observa la muestra. Usa el ajuste inicial para elevar el tubo hasta que la muestra quede bien enfocada.

9. Mantén los dos ojos abiertos cuando mires una muestra. Hay dos razones para esto: si cierras un ojo, puedes esforzar la vista y terminar con un dolor de cabeza. Si mantienes los dos ojos abiertos es más fácil dibujar lo que observas porque no necesitas dejar el microscopio para hacerlo.

10. Mira el microscopio de costado para observar usando la lente objetivo más potente (40×). Haz rotar el portaobjetivos para que la lente quede en posición. Asegúrate de que la lente no toque el portaobjetos.

11. Looking through the eyepiece, use only the fine adjustment knob to bring the specimen into focus. Why should you not use the coarse adjustment knob with the high-power objective?

12. Clean the microscope stage and lens when you are finished. To clean the lenses, use lens paper only. Other types of paper may scratch the lenses.

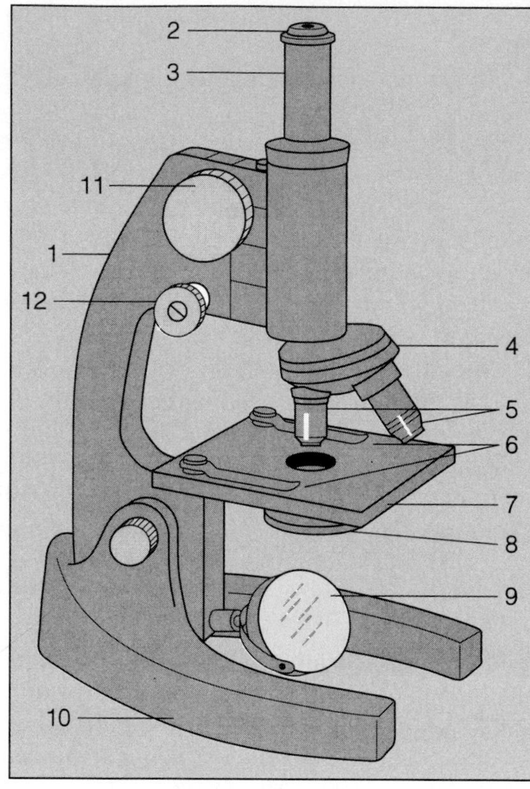

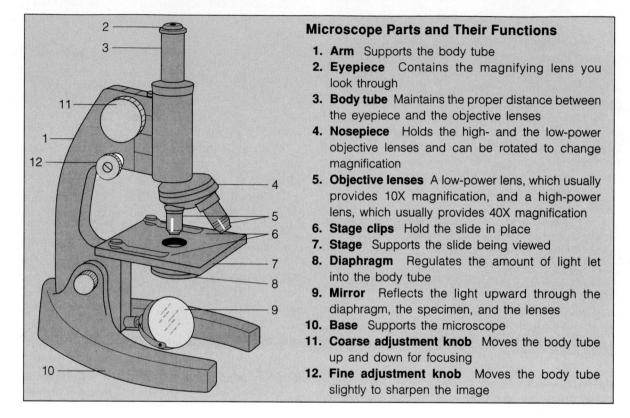

Microscope Parts and Their Functions

1. **Arm** Supports the body tube
2. **Eyepiece** Contains the magnifying lens you look through
3. **Body tube** Maintains the proper distance between the eyepiece and the objective lenses
4. **Nosepiece** Holds the high- and the low-power objective lenses and can be rotated to change magnification
5. **Objective lenses** A low-power lens, which usually provides 10X magnification, and a high-power lens, which usually provides 40X magnification
6. **Stage clips** Hold the slide in place
7. **Stage** Supports the slide being viewed
8. **Diaphragm** Regulates the amount of light let into the body tube
9. **Mirror** Reflects the light upward through the diaphragm, the specimen, and the lenses
10. **Base** Supports the microscope
11. **Coarse adjustment knob** Moves the body tube up and down for focusing
12. **Fine adjustment knob** Moves the body tube slightly to sharpen the image

11. Mirando a través del ocular, usa sólo el enfoque preciso para enfocar la muestra. ¿Por qué no se usará el ajuste inicial con la lente de más poder?

12. Cuando termines, limpia la platina y las lentes. Para limpiar las lentes y evitar que se rayen, usa sólo papel especial para lentes.

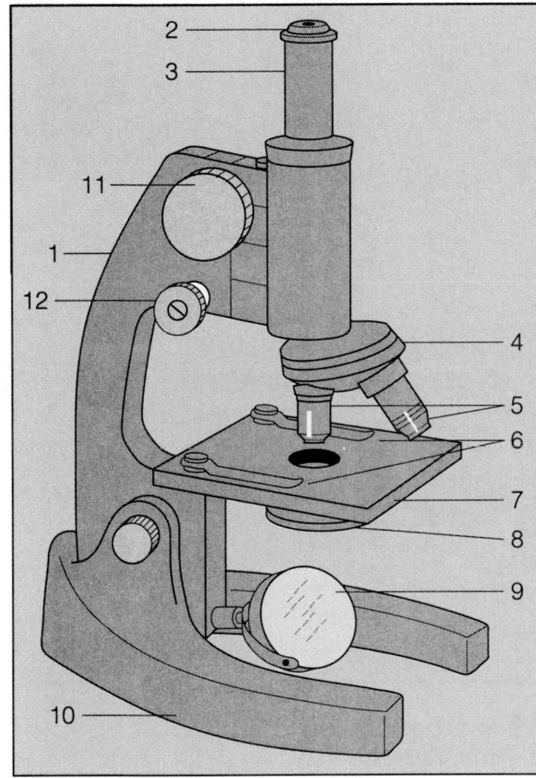

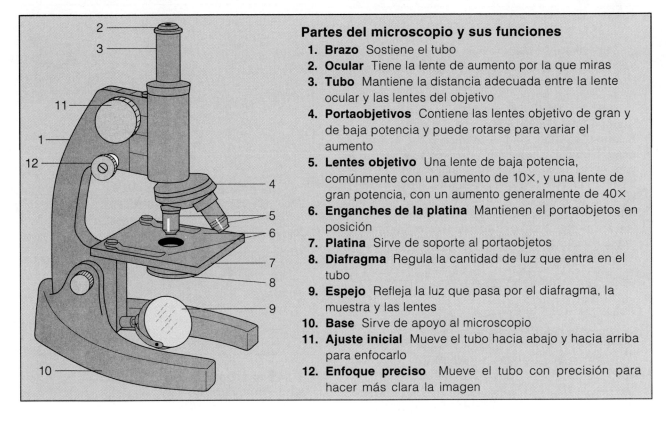

Partes del microscopio y sus funciones

1. **Brazo** Sostiene el tubo
2. **Ocular** Tiene la lente de aumento por la que miras
3. **Tubo** Mantiene la distancia adecuada entre la lente ocular y las lentes del objetivo
4. **Portaobjetivos** Contiene las lentes objetivo de gran y de baja potencia y puede rotarse para variar el aumento
5. **Lentes objetivo** Una lente de baja potencia, comúnmente con un aumento de 10×, y una lente de gran potencia, con un aumento generalmente de 40×
6. **Enganches de la platina** Mantienen el portaobjetos en posición
7. **Platina** Sirve de soporte al portaobjetos
8. **Diafragma** Regula la cantidad de luz que entra en el tubo
9. **Espejo** Refleja la luz que pasa por el diafragma, la muestra y las lentes
10. **Base** Sirve de apoyo al microscopio
11. **Ajuste inicial** Mueve el tubo hacia abajo y hacia arriba para enfocarlo
12. **Enfoque preciso** Mueve el tubo con precisión para hacer más clara la imagen

Appendix E

LABORATORY BALANCES

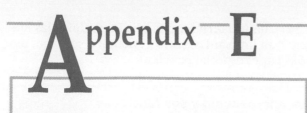

The laboratory balance is an important tool in scientific investigations. You can use the balance to determine the mass of materials that you study or experiment with in the laboratory.

Different kinds of balances are used in the laboratory. One kind of balance is the double-pan balance. Another kind of balance is the Triple-beam balance. The balance that you may use in your science class is probably similar to one of the balances illustrated in this Appendix. To use the balance properly, you should learn the name, function, and location of each part of the balance you are using. What kind of balance do you have in your science class?

DOUBLE-PAN BALANCE

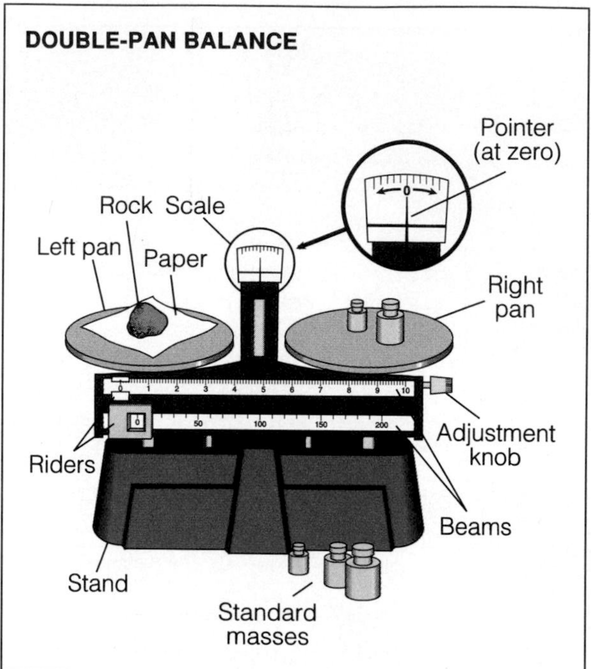

The Double-Pan Balance

The double-pan balance shown in this Appendix has two beams. Some double-pan balances have only one beam. The beams are calibrated, or marked, in grams. The upper beam is divided into ten major units of 1 gram each. Each of these units is further divided into units of 1/10 of a gram. The lower beam is divided into twenty units, and each unit is equal to 10 grams. The lower beam can be used to find the masses of objects up to 200 grams. Each beam has a rider that is moved to the right along the beam. The rider indicates the number of grams needed to balance the object in the left pan. What is the total mass the balance can measure?

Before using the balance, you should be sure that the pans are empty and both riders are pointing to zero. The balance should be on a flat, level surface. The pointer should be at the zero point. If your pointer does not read zero, slowly turn the adjustment knob so that the pointer does read zero.

The following procedure can be used to find the mass of an object with a double-pan balance:

1. Place the object whose mass is to be determined on the left pan.

2. Move the rider on the lower beam to the 10-gram notch.

3. If the pointer moves to the right of the zero point on the scale, the object has a mass less than

Parts of a Double-Pan Balance and Their Functions

Pointer Indicator used to determine when the mass being measured is balanced by the riders or masses of the balance

Scale Series of marks along which the pointer moves

Zero Point Center line of the scale to which the pointer moves when the mass being measured is balanced by the riders or masses of the balance

Adjustment Knob Knob used to set the balance at the zero point when the riders are all on zero and no masses are on either pan

Left Pan Platform on which an object whose mass is to be determined is placed

Right Pan Platform on which standard masses are placed

Beams Horizontal strips of metal on which marks, or graduations, appear that indicate grams or parts of grams

Riders Devices that are moved along the beams and used to balance the object being measured and to determine its mass

Stand Support for the balance

Apéndice E BALANZAS DE LABORATORIO

La balanza de laboratorio es un instrumento importante en las investigaciones científicas. Se puede usar para determinar la masa de los materiales que estudias o con los que experimentas en el laboratorio.

En el laboratorio se usan diferentes clases de balanzas. Una es la de dos platillos. Otra es la de tres brazos. La que se usa en tu clase de ciencias es probablemente similar a una de las que se ven aquí. Para usarla correctamente, debes aprender el nombre, la función y el lugar que ocupa cada parte. ¿Qué clase de balanza hay en tu clase de ciencias?

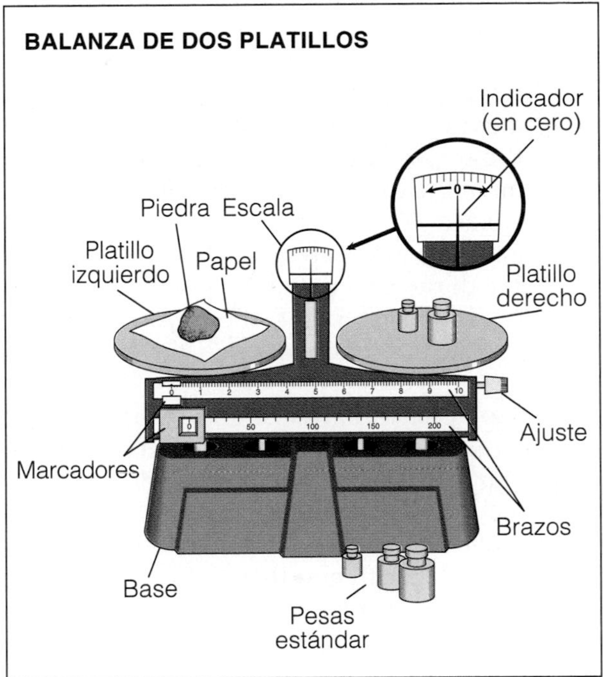

La balanza de dos platillos

La balanza de dos platillos que se ve en este Apéndice tiene dos brazos. Algunas balanzas de dos platillos tienen sólo uno. Los brazos están calibrados, o marcados, en gramos. El brazo superior está dividido en diez unidades de 1 gramo. Cada una de éstas está dividida en unidades de 1/10 de gramo. El brazo inferior tiene 20 unidades, cada una de ellas igual a 10 gramos. Este brazo puede usarse para objetos con una masa de hasta 200 gramos. Cada brazo tiene un marcador que puede deslizarse hacia la derecha a lo largo del brazo. El marcador indica el número de gramos que se necesita para equilibrar el objeto del platillo izquierdo. ¿Cuál es la masa total que puede medir esta balanza?

Antes de usar la balanza, los platillos deben estar vacíos y ambos marcadores deben estar en cero. La balanza debe estar sobre una superficie plana y lisa. El indicador debe estar en cero. Si no, haz rotar el ajuste lentamente hasta que el indicador esté en cero.

Para averiguar la masa de un objeto con una balanza de dos platillos:

1. Coloca en el platillo izquierdo el objeto cuya masa debe determinarse.

2. Mueve el marcador del brazo inferior hasta la muesca de 10 gramos.

3. Si el indicador se desplaza a la derecha del punto cero de la escala, el objeto tiene una masa

Partes de una balanza de dos platillos y sus funciones

Indicador Se usa para indicar si los marcadores o masas de la balanza corresponden a la masa que se mide

Escala Serie de marcas a lo largo de las cuales se mueve el indicador

Punto cero Línea del medio de la escala hacia la cual se mueve el indicador cuando la masa que se mide corresponde a los marcadores o masas de la balanza

Adjuste Sirve para poner la balanza en cero cuando los marcadores están en cero y no hay nada en los platillos

Platillo izquierdo Plataforma en la cual se pone el objeto cuya masa se va a determinar

Platillo derecho Plataforma en la cual se ponen las pesas estándar

Brazos Varas horizontales de metal con muescas, o graduaciones, que indican gramos o partes del gramo

Marcadores Deslizadores que se mueven a lo largo de los brazos para establecer su correspondencia con el objeto y determinar su masa

Base Apoyo de la balanza

10 grams. Return the rider on the lower beam to zero. Slowly move the rider on the upper beam until the pointer is at zero. The reading on the beam is the mass of the object.

4. If the pointer did not move to the right of the zero, move the rider on the lower beam notch by notch until the pointer does move to the right. Move the rider back one notch. Then move the rider on the upper beam until the pointer is at zero. The sum of the readings on both beams is the mass of the object.

5. If the two riders are moved completely to the right side of the beams and the pointer remains to the left of the zero point, the object has a mass greater than the total mass that the balance can measure.

The total mass that most double-pan balances can measure is 210 grams. If an object has a mass greater than 210 grams, return the riders to the zero point.

The following procedure can be used to find the mass of an object greater than 210 grams:

1. Place the standard masses on the right pan one at a time, starting with the largest, until the pointer remains to the right of the zero point.

2. Remove one of the large standard masses and replace it with a smaller one. Continue replacing the standard masses with smaller ones until the pointer remains to the left of the zero point. When the pointer remains to the left of the zero point, the mass of the object on the left pan is greater than the total mass of the standard masses on the right pan.

3. Move the rider on the lower beam and then the rider on the upper beam until the pointer stops at the zero point on the scale. The mass of the object is equal to the sum of the readings on the beams plus the mass of the standard masses.
ance at the zero point when the riders are all on zero and no masses are on either pan

The Triple-Beam Balance

The Triple-beam balance is a single-pan balance with three beams calibrated in grams. The front, or 100-gram, beam is divided into ten units of 10 grams each. The middle, or 500-gram, beam is divided into five units of 100 grams each. The back, or 10-gram is divided into ten major units of 1 gram each. Each of these units is further divided into units of 1/10 of a gram. What is the largest mass you could find with a triple-beam balance?

The following procedure can be used to find the mass of an object with a triple-beam balance:

1. Place the object on the pan.

2. Move the rider on the middle beam notch by notch until the horizontal pointer drops below zero. Move the rider back one notch.

3. Move the rider on the front beam notch by notch until the pointer again drops below zero. Move the rider back one notch.

4. Slowly slide the rider along the back beam until the pointer stops at the zero point.

5. The mass of the object is equal to the sum of the readings on the three beams.

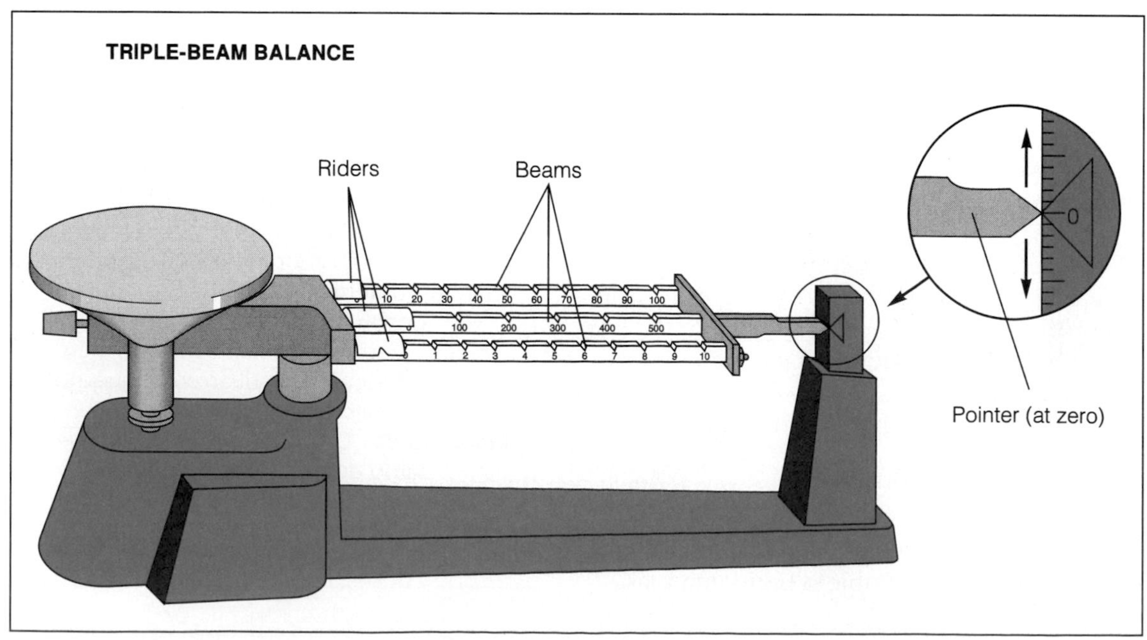

de menos de 10 gramos. Pon el marcador del brazo inferior en cero. Mueve el marcador del brazo superior hasta que el indicador llegue al cero. La medida indicada por el brazo es la masa del objeto.

4. Si el marcador no se desplazó a la derecha del cero, mueve el del brazo inferior muesca por muesca hasta que llegue a la derecha. Muévelo una muesca para atrás. Lleva el marcador superior hasta el cero. La suma total de lo que indiquen ambos brazos es la masa del objeto.

5. Si se mueven los dos marcadores hasta el extremo derecho de los brazos y el indicador sigue a la izquierda del cero, la masa del objeto sobrepasa la que puede medir la balanza.

210 gramos es la masa total que pueden medir la mayoría de las balanzas de este tipo. Si la masa del objeto es mayor, vuelve los marcadores al cero.

Para averiguar la masa de un objeto de más de 210 gramos, debes hacer lo siguiente:

1. Pon las pesas una por una en el platillo derecho comenzando por la mayor, hasta que el indicador permanezca a la derecha del cero.

2. Saca una de las pesas grandes y reemplázala por una más pequeña. Continúa así hasta que el indicador vaya a la izquierda. Cuando el indicador se queda a la izquierda del cero, la masa del objeto en el platillo de la izquierda es mayor que la masa total de las pesas en el de la derecha.

3. Mueve el marcador del brazo inferior y luego el del superior hasta que el indicador llegue al cero. La masa del objeto es igual a la suma de lo que indican los brazos más la masa de las pesas.

La balanza de tres brazos

La balanza de tres brazos es una balanza de un solo platillo con tres brazos calibrados en gramos. El del frente, o brazo de 100 gramos, está dividido en diez unidades de 10 gramos. El del medio, o brazo de 500 gramos, está dividido en cinco unidades de 100 gramos. El de atrás, o brazo de de 10 gramos, está dividido en diez unidades principales de 1 gramo cada una. Cada una de estas unidades está dividida además en unidades de 1/10 de gramos. ¿Cuál será la masa más grande que puedes determinar con una balanza de tres brazos?

Para averiguar la masa de un objeto con una balanza de tres brazos, debes:

1. Colocar el objeto en el platillo

2. Mover el marcador del brazo del medio muesca por muesca hasta que el indicador esté abajo del cero. Mueve el marcador hasta la muesca anterior.

3. Repetir con el marcador del brazo del frente lo mismo que has hecho con el del brazo del medio.

4. Mover lentamente el marcador del brazo de atrás hasta que el indicador llegue a cero.

5. La masa del objeto es igual a la suma de lo indicado por los tres brazos.

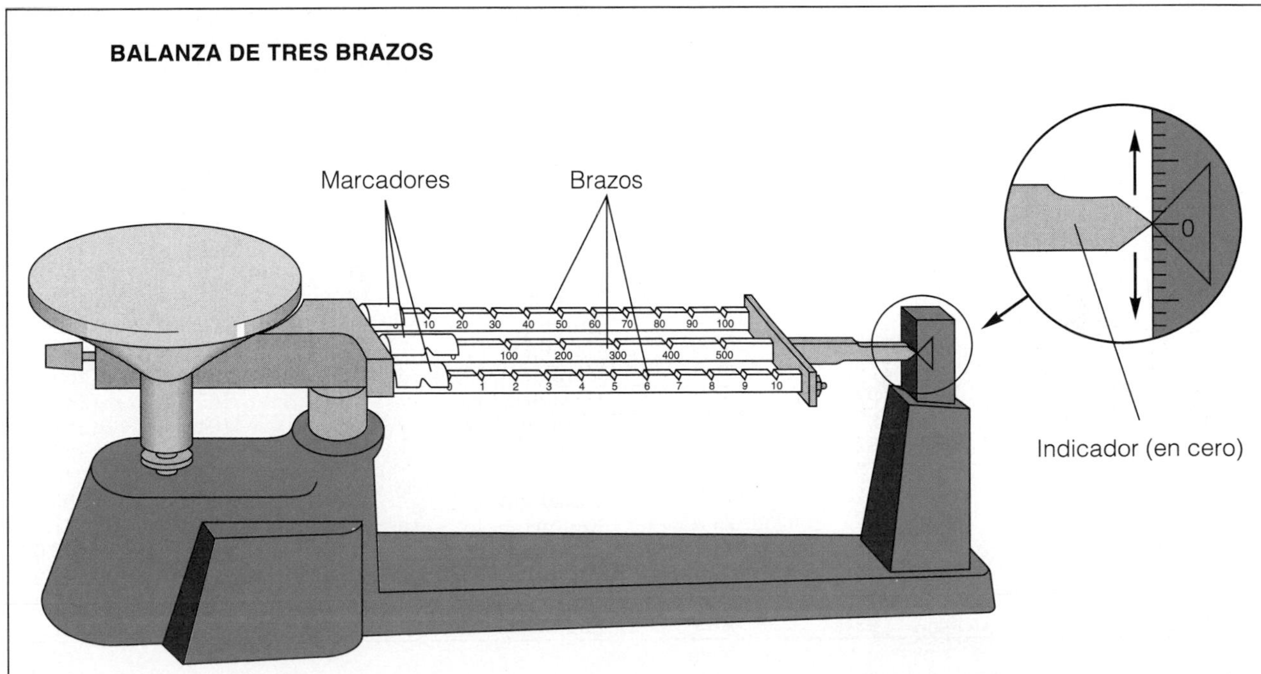

Appendix F THE CHEMICAL ELEMENTS

NAME	SYMBOL	ATOMIC NUMBER	ATOMIC MASS†
Actinium	Ac	89	(227)
Aluminum	Al	13	27.0
Americium	Am	95	(243)
Antimony	Sb	51	121.8
Argon	Ar	18	39.9
Arsenic	As	33	74.9
Astatine	At	85	(210)
Barium	Ba	56	137.3
Berkelium	Bk	97	(247)
Beryllium	Be	4	9.01
Bismuth	Bi	83	209.0
Boron	B	5	10.8
Bromine	Br	35	79.9
Cadmium	Cd	48	112.4
Calcium	Ca	20	40.1
Californium	Cf	98	(251)
Carbon	C	6	12.01
Cerium	Ce	58	140.1
Cesium	Cs	55	132.9
Chlorine	Cl	17	35.5
Chromium	Cr	24	52.0
Cobalt	Co	27	58.9
Copper	Cu	29	63.5
Curium	Cm	96	(247)
Dysprosium	Dy	66	162.5
Einsteinium	Es	99	(254)
Erbium	Er	68	167.3
Europium	Eu	63	152.0
Fermium	Fm	100	(257)
Fluorine	F	9	19.0
Francium	Fr	87	(223)
Gadolinium	Gd	64	157.2
Gallium	Ga	31	69.7
Germanium	Ge	32	72.6
Gold	Au	79	197.0
Hafnium	Hf	72	178.5
Helium	He	2	4.00
Holmium	Ho	67	164.9
Hydrogen	H	1	1.008
Indium	In	49	114.8
Iodine	I	53	126.9
Iridium	Ir	77	192.2
Iron	Fe	26	55.8
Krypton	Kr	36	83.8
Lanthanum	La	57	138.9
Lawrencium	Lr	103	(256)
Lead	Pb	82	207.2
Lithium	Li	3	6.94
Lutetium	Lu	71	175.0
Magnesium	Mg	12	24.3
Manganese	Mn	25	54.9
Mendelevium	Md	101	(258)
Mercury	Hg	80	200.6
Molybdenum	Mo	42	95.9
Neodymium	Nd	60	144.2
Neon	Ne	10	20.2
Neptunium	Np	93	(237)
Nickel	Ni	28	58.7
Niobium	Nb	41	92.9
Nitrogen	N	7	14.01
Nobelium	No	102	(255)
Osmium	Os	76	190.2
Oxygen	O	8	16.00
Palladium	Pd	46	106.4
Phosphorus	P	15	31.0
Platinum	Pt	78	195.1
Plutonium	Pu	94	(244)
Polonium	Po	84	(210)
Potassium	K	19	39.1
Praseodymium	Pr	59	140.9
Promethium	Pm	61	(145)
Protactinium	Pa	91	(231)
Radium	Ra	88	(226)
Radon	Rn	86	(222)
Rhenium	Re	75	186.2
Rhodium	Rh	45	102.9
Rubidium	Rb	37	85.5
Ruthenium	Ru	44	101.1
Samarium	Sm	62	150.4
Scandium	Sc	21	45.0
Selenium	Se	34	79.0
Silicon	Si	14	28.1
Silver	Ag	47	107.9
Sodium	Na	11	23.0
Strontium	Sr	38	87.6
Sulfur	S	16	32.1
Tantalum	Ta	73	180.9
Technetium	Tc	43	(97)
Tellurium	Te	52	127.6
Terbium	Tb	65	158.9
Thallium	Tl	81	204.4
Thorium	Th	90	232.0
Thulium	Tm	69	168.9
Tin	Sn	50	118.7
Titanium	Ti	22	47.9
Tungsten	W	74	183.9
Unnilennium	Une	109	(266?)
Unnilhexium	Unh	106	(263)
Unniloctium	Uno	108	(265)
Unnilpentium	Unp	105	(262)
Unnilquadium	Unq	104	(261)
Unnilseptium	Uns	107	(262)
Uranium	U	92	238.0
Vanadium	V	23	50.9
Xenon	Xe	54	131.3
Ytterbium	Yb	70	173.0
Yttrium	Y	39	88.9
Zinc	Zn	30	65.4
Zirconium	Zr	40	91.2

†Numbers in parentheses give the mass number of the most stable isotope.

Apéndice F ELEMENTOS QUÍMICOS

NOMBRE	SÍMBOLO	NÚMERO ATÓMICO	MASA ATÓMICA†
Actinio	Ac	89	(227)
Aluminio	Al	13	27.0
Americio	Am	95	(243)
Antimonio	Sb	51	121.8
Argón	Ar	18	39.9
Arsénico	As	33	74.9
Astatinio	At	85	(210)
Bario	Ba	56	137.3
Berilio	Be	4	9.01
Berkelio	Bk	97	(247)
Bismuto	Bi	83	209.0
Borón	B	5	10.8
Bromo	Br	35	79.9
Cadmio	Cd	48	112.4
Calcio	Ca	20	40.1
Californio	Cf	98	(251)
Carbono	C	6	12.01
Cerio	Ce	58	140.1
Cesio	Cs	55	132.9
Circonio	Zr	40	91.2
Cloro	Cl	17	35.5
Cobalto	Co	27	58.9
Cobre	Cu	29	63.5
Criptón	Kr	36	83.8
Cromo	Cr	24	52.0
Curio	Cm	96	(247)
Disprosio	Dy	66	162.5
Einstenio	Es	99	254
Erbio	Er	68	167.3
Escandio	Sc	21	45.0
Estaño	Sn	50	118.7
Estroncio	Sr	38	87.6
Europio	Eu	63	152.0
Fermio	Fm	100	(257)
Flúor	F	9	19.0
Fósforo	P	15	31.0
Francio	Fr	87	(223)
Gadolinio	Gd	64	157.2
Galio	Ga	31	69.7
Germanio	Ge	32	72.6
Hafnio	Hf	72	178.5
Helio	He	2	4.00
Hidrógeno	H	1	1.008
Hierro	Fe	26	55.8
Holmio	Ho	67	164.9
Indio	In	49	114.8
Iridio	Ir	77	192.2
Iterbio	Yb	70	173.0
Itrio	Y	39	88.9
Lantano	La	57	138.9
Laurencio	Lr	103	(256)
Litio	Li	3	6.94
Lutecio	Lu	71	175.0
Magnesio	Mg	12	24.3
Manganeso	Mn	25	54.9
Mendelevio	Md	101	(258)
Mercurio	Hg	80	200.6
Molibdeno	Mo	42	95.9
Neodimio	Nd	60	144.2
Neón	Ne	10	20.2
Neptunio	Np	93	237
Niobio	Nb	41	92.9
Níquel	Ni	28	58.7
Nitrógeno	N	7	14.01
Nobelio	No	102	(255)
Oro	Au	79	197.0
Osmio	Os	76	190.2
Oxígeno	O	8	16.00
Paladio	Pd	46	106.4
Plata	Ag	47	107.9
Platino	Pt	78	195.1
Plomo	Pb	82	207.2
Plutonio	Pu	94	(244)
Polonio	Po	84	(210)
Potasio	K	19	39.1
Praseodimio	Pr	59	140.9
Promecio	Pm	61	145
Protactinio	Pa	91	231
Radio	Ra	88	(226)
Radón	Rn	86	222
Renio	Re	75	186.2
Rodio	Rh	45	102.9
Rubidio	Rb	37	85.5
Rutenio	Ru	44	101.1
Samario	Sm	62	150.4
Selenio	Se	34	79.0
Silicio	Si	14	28.1
Sodio	Na	11	23.0
Sulfuro	S	16	32.1
Talio	Tl	81	204.4
Tantalio	Ta	73	180.9
Tecnecio	Tc	43	(97)
Telurio	Te	52	127.6
Terbio	Tb	65	158.9
Titanio	Ti	22	47.9
Torio	Th	90	232.0
Tulio	Tm	69	168.9
Tungsteno	W	74	183.9
Unnilquadium	Unq	104	(261)
Unilenio	Une	109	(266?)
Unilexio	Unh	06	(263)
Uniloctio	Uno	108	(265)
Unilpencio	Unp	105	(262)
Unilsepcio	Uns	107	(262)
Uranio	U	92	238.0
Vanadio	V	23	50.9
Xenón	Xe	54	131.3
Yodo	I	53	126.9
Zinc	Zn	30	65.4

† Los números entre paréntesis indican el número de masa del isótopo más estable.

Appendix G WEATHER MAP SYMBOLS

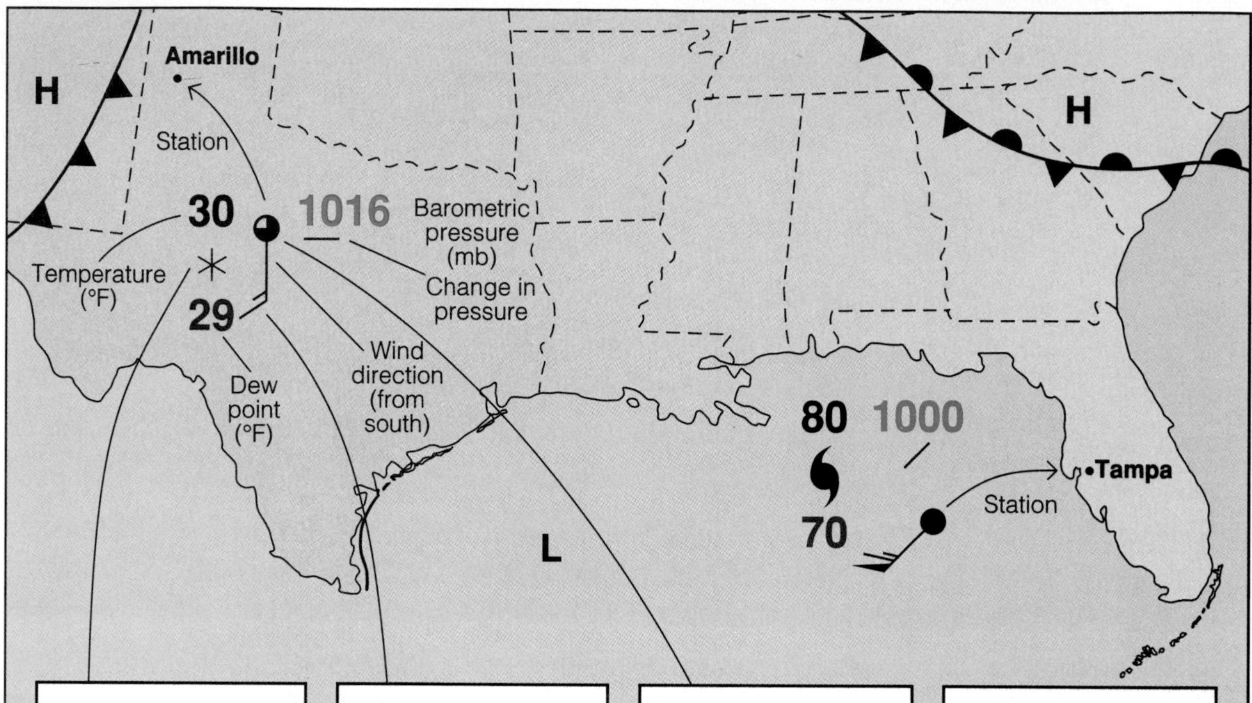

Weather	Symbol
Drizzle	
Fog	
Hail	
Haze	
Rain	
Shower	
Sleet	
Smoke	
Snow	
Thunderstorm	
Hurricane	

Wind Speed (mph)	Symbol
1–4	
5–8	
9–14	
15–20	
21–25	
26–31	
32–37	
38–43	
44–49	
50–54	
55–60	
61–66	
67–71	
72–77	

Cloud Cover (%)	Symbol
0	
10	
20–30	
40	
50	
60	
70–80	
90	
100	

Fronts and Pressure Systems	Symbol
Cold front	
Warm front	
Stationary front	
Occluded front	
High pressure	H
Low pressure	L
Rising	/
Steady	—
Falling	\

Apéndice G

MAPAS METEREOLÓGICOS

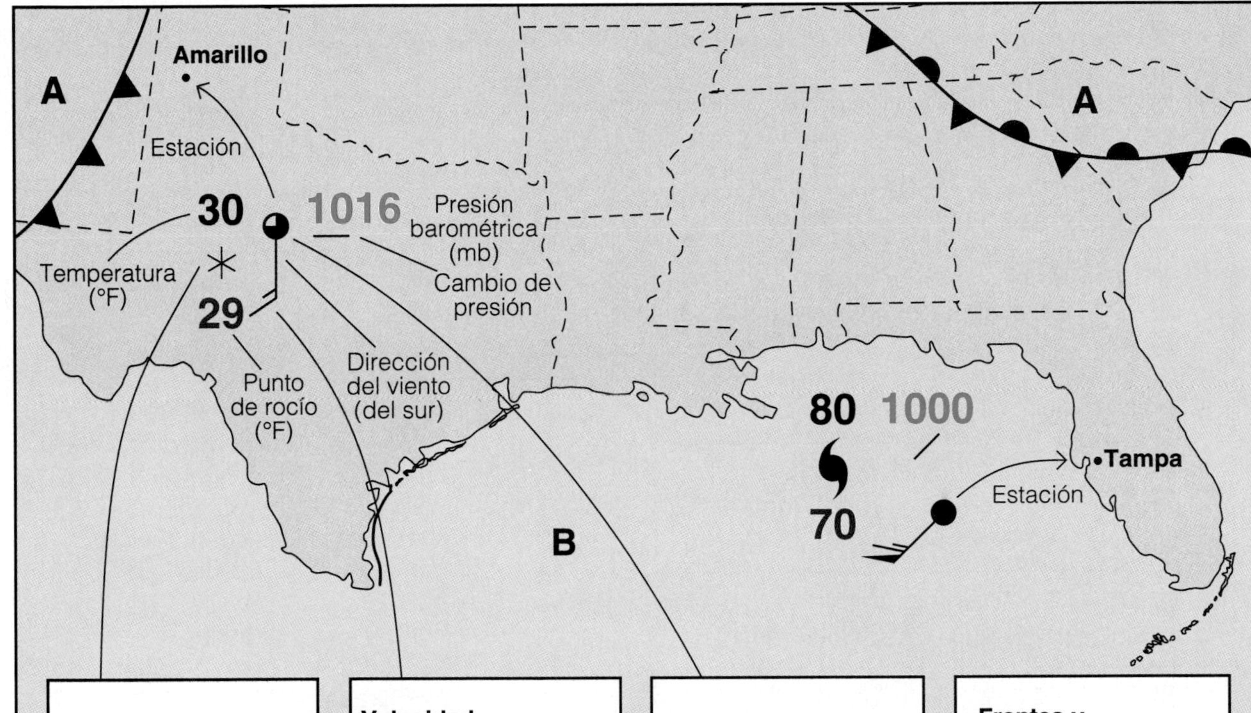

Tiempo	Símbolo
Llovizna	
Niebla	
Granizo	
Neblina	
Lluvia	
Chaparrón	
Aguanieve	
Humo	
Nieve	
Tormenta	
Huracán	

Velocidad del viento (mph)	Símbolo
1–4	
5–8	
9–14	
15–20	
21–25	
26–31	
32–37	
38–43	
44–49	
50–54	
55–60	
61–66	
67–71	
72–77	

Nubosidad (%)	Símbolo
0	
10	
20–30	
40	
50	
60	
70–80	
90	
100	

Frentes y sistemas de presión	Símbolo
Frente frío	
Frente cálido	
Frente estacionario	
Frente ocluído	
Alta presión	A
Baja presión	B
En ascenso	/
Estacionario	—
En descenso	\

Glossary

Pronunciation Key

When difficult names or terms first appear in the text, they are respelled to aid pronunciation. A syllable in SMALL CAPITAL LETTERS receives the most stress. The key below lists the letters used for respelling. It includes examples of words using each sound and shows how the words would be respelled.

Symbol	Example	Respelling
a	hat	(hat)
ay	pay, late	(pay), (layt)
ah	star, hot	(stahr), (haht)
ai	air, dare	(air), (dair)
aw	law, all	(law), (awl)
eh	met	(meht)
ee	bee, eat	(bee), (eet)
er	learn, sir, fur	(lern), (ser), (fer)
ih	fit	(fiht)
igh	mile, sigh	(mighl), (sigh)
oh	no	(noh)
oi	soil, boy	(soil), (boi)
oo	root, rule	(root), (rool)
or	born, door	(born), (dor)
ow	plow, out	(plow), (owt)

Symbol	Example	Respelling
u	put, book	(put), (buk)
uh	fun	(fuhn)
yoo	few, use	(fyoo), (yooz)
ch	chill, reach	(chihl), (reech)
g	go, dig	(goh), (dihg)
j	jet, gently, bridge	(jeht), (JEHNT-lee), (brihj)
k	kite, cup	(kight), (kuhp)
ks	mix	(mihks)
kw	quick	(kwihk)
ng	bring	(brihng)
s	say, cent	(say), (sehnt)
sh	she, crash	(shee), (krash)
th	three	(three)
y	yet, onion	(yeht), (UHN-yuhn)
z	zip, always	(zihp), (AWL-wayz)
zh	treasure	(TREH-zher)

barometer: instrument that measures air pressure

bathyscaph (BATH-ih-skaf): self-propelled submarine observatory

bathysphere (BATH-ih-sfeer): small, sphere-shaped diving vessel used for underwater research

Celsius: temperature scale in which there are 100 degrees between the freezing and boiling points of water

centimeter: one-hundredth of a meter

control: an experiment run without a variable in order to show that any data from the experimental setup was due to the variable being tested

compound light microscope: microscope having more than one lens and that uses a beam of light to magnify objects

conversion factor: fraction that always equals one, which is used for dimensional analysis

cubic centimeter: metric unit used to measure the volume of solids; equal to a milliliter

data: recorded observations and measurements

density: mass per unit volume of a substance

dimensional analysis: method of converting one unit to another

electromagnetic spectrum: arrangement of electromagnetic waves that includes visible light, ultraviolet light, infrared light, X-rays, and radio waves

electron microscope: microscope that uses a beam of electrons to magnify an object

gram: one-thousandth of a kilogram

Glosario

Clave de pronunciación

Cuando nombres o términos difíciles aparecen por primera vez en el texto inglés, se los deletrea para facilitar su pronunciación. La sílaba que está en MAYUSCULAS PEQUEÑAS es la más acentuada. En la clave de abajo hay una lista de las letras usadas en nuestro deletreo. Incluye ejemplos de las palabras que usan cada sonido y muestra cómo se

Símbolo	Ejemplo	Redeletreo
a	hat	(hat)
ay	pay, late	(pay), (layt)
ah	star, hot	(stahr), (haht)
ai	air, dare	(air), (dair)
aw	law, all	(law), (awl)
eh	met	(meht)
ee	bee, eat	(bee), (eet)
er	learn, sir, fur	(lern), (ser), (fer)
ih	fit	(fiht)
igh	mile, sigh	(mighl), (sigh)
oh	no	(noh)
oi	soil, boy	(soil), (boi)
oo	root, rule	(root), (rool)
or	born, door	(born), (dor)
ow	plow, out	(plow), (owt)

Símbolo	Ejemplo	Redeletreo
u	put, book	(put), (buk)
uh	fun	(fuhn)
yoo	few, use	(fyoo), (yooz)
ch	chill, reach	(chihl), (reech)
g	go, dig	(goh), (dihg)
j	jet, gently, bridge	(jeht), (JEHNT-lee), (brihj)
k	kite, cup	(kight), (kuhp)
ks	mix	(mihks)
kw	quick	(kwihk)
ng	bring	(brihng)
s	say, cent	(say), (sehnt)
sh	she, crash	(shee), (krash)
th	three	(three)
y	yet, onion	(yeht), (UHN-yuhn)
z	zip, always	(zihp), (AWL-wayz)
zh	treasure	(TREH-zher)

análisis dimensional: método para convertir una unidad en otra

año luz: distancia que la luz atraviesa en un año

barómetro: instrumento que mide la presión del aire

batiesfera: embarcación esférica sumergible que se usa para la observación submarina

batíscafo: observatorio submarino autodirigido

Celsio: escala de temperatura que tiene 100 grados entre el punto de congelación y el punto de ebullición del agua

centímetro: un centésimo de un metro

centímetro cúbico: unidad métrica que se usa para medir el volumen de los sólidos; es igual a un mililitro

control: un experimento realizado sin ninguna variable para demostrar que cualquier dato del montaje experimental resulta de la variable introducida

datos: observaciones y medidas registradas

densidad: masa por la unidad de volumen de una sustancia

espectro electromagnético: disposición de ondas electromagnéticas que incluye la luz visible, la luz ultravioleta, la luz infrarroja, los rayos X y las ondas radioeléctricas.

factor de conversión: fracción que siempre es igual a 1, usada en el análisis dimensional

gramo: un milésimo de un kilogramo

hipótesis: una solución que se propone para un

hypothesis (high-PAHTH-uh-sihs): a proposed solution to a scientific problem

infrared telescope: telescope that gathers infrared light from distant objects in order to produce an image of that object

kilogram: basic unit of mass in the metric system

kilometer: one thousand meters

law: a basic scientific theory that has been tested many times and is generally accepted as true by the scientific community

lens: any transparent material that bends light passing through it

light-year: distance light travels in a year

liter: basic unit of volume in the metric system

meter: basic unit of length in the metric system

metric system: standard system of measurement used by all scientists

milligram: one-thousandth of a gram

milliliter: one-thousandth of a liter

millimeter: one-thousandth of a meter

newton: basic unit of weight in the metric system

radio telescope: telescope that gathers radio waves from distant objects in order to produce an image of that object

reflecting telescope: telescope that uses a series of mirrors to gather and focus visible light from distant objects

refracting telescope: telescope that uses a series of lenses to gather and focus visible light from distant objects

scientific method: a systematic approach to problem solving

seismograph (SIGHZ-muh-grahf): instrument that detects and measures earthquake waves

theory: a logical, time-tested explanation for events that occur in the natural world

ultraviolet telescope: telescope that gathers ultraviolet light from distant objects in order to produce an image of the object

variable: the factor being tested in an experimental setup

weight: measure of the gravitational attraction between objects

X-ray telescope: telescope that gathers X-rays from distant objects in order to produce an image of that object

kilogramo: unidad básica de masa del sistema métrico

kilómetro: mil metros

lente: cualquier material transparente que curva la luz que lo atraviesa

ley: teoría científica básica que ha sido comprobada muchas veces y que la comunidad científica acepta como verdadera

litro: unidad básica de volumen del sistema métrico

método científico: una aproximación sistemática a la resolución de problemas

metro: unidad básica de longitud del sistema métrico

microscopio compuesto: microscopio que tiene más de una lente y que usa un rayo de luz para aumentar el tamaño de los objetos

microscópico electrónico: microscopio que emplea un rayo de electrones para aumentar el tamaño de un objeto

miligramo: un milésimo de un gramo

mililitro: un milésimo de un litro

milímetro: un milésimo de un metro

newton: unidad básica de peso del sistema métrico

peso: medida de la atracción gravitacional entre los objetos

radiotelescopio: telescopio que recoge ondas radioeléctricas de un objeto distante y produce una imagen del objeto

sismógrafo: aparato que detecta y mide las ondas de un terremoto

sistema métrico: sistema estándar de medidas usado por todos los científicos

telescopio de rayos X: telescopio que recoge rayos X de objetos distantes y produce una imagen de ese objeto

telescopio de reflexión: telescopio que usa una serie de espejos para recoger y enfocar luz visible de objetos distantes

telescopio de refracción: telescopio que usa una serie de lentes para recoger y enfocar luz visible de objetos distantes

telescopio infrarrojo: telescopio que recoge la luz infrarroja de un objeto distante y produce una imagen del objeto

telescopio ultravioleta: telescopio que recoge luz ultravioleta de un objeto distante y produce una imagen del objeto

teoría: una explicación lógica y comprobada de los sucesos que ocurren en el mundo natural

variable: el factor a comprobar en un montaje experimental

Index

Índice

Cover Background: Ken Karp
Photo Research: Natalie Goldstein
Contributing Artists: Ray Smith; Ames and Zak; Don Martinetti; David Biedrzycki
Photographs: 4 left: NASA; right: Robert Essel/Stock Market; **5** top: Larry J. Pierce/Stockphotos, Inc./Image Bank; center: R. Feldmann/Dan McCoy/Rainbow; bottom: Zig Leszczynski/Animals Animals/EarthScenes; **6** top: Lefever/Grushow/Grant Heilman Photography; center: Index Stock Photography, Inc.; bottom: Rex Joseph; **8** top: Srulik Haramaty/Phototake; bottom: Jeffrey D. Smith/ Woodfin Camp & Associates; **9** Stephen J. Krasemann/DRK Photo; **12** left: Reichel/Black Star; right: Thomas Ives/Stock Market; **13** Kim Newton/Woodfin Camp & Associates; **14** top: Lockheed Missiles and Space Co., Inc.; bottom: Tom McHugh/Photo Researchers, Inc.; **15** top: NASA; bottom: Grant V. Faint/Image Bank; **16** David M. Phillips/Visuals Unlimited; **17** top: Ken Sakamoto/Black Star; bottom: Michael Melford/Image Bank; **19** Stephen J. Krasemann/DRK Photo; **20** Robert Holland/DRK Photo; **24** John Eastcott/Yva Momatiuk/DRK Photo; **25** Zig Leszczynski/Animals Animals/Earth Scenes; **26** Kjell B. Sandved; **29** top: Robert Essel/Stock Market; bottom: AT&T Bell Laboratories; **32** left and right: Ken Karp; **37** Michael P. Gadomski/Photo Researchers, Inc.; **38** and **39** NASA/Smithsonian Institution/Lockheed Corporation; **42** top left: Breck P. Kent; top right: Stockphotos, Inc./Image Bank; bottom left: IBM; bottom right: David M. Phillips/Visuals Unlimited; **43** Loren McIntyre/Woodfin Camp & Associates; **44** Photo Researchers, Inc.; **45** Kjell B. Sandved/Photo Researchers, Inc.; **46** left: Stephen Dalton/Photo Researchers, Inc.; right: Joe Bator/Stock Market; **47** and **48** top and bottom: NASA; **49** top: Larry Lipsky/DRK Photo; bottom: Frans Lanting/Minden Pictures, Inc.; **50** Ken Karp; **54** top: Ken Karp; bottom: Yoav Levy/Phototake; **56** left: Ken Karp; right: Johnny Johnson/DRK Photo; **57** top: Michael Holford/Michael Holford Photographs; bottom: Scala/Art Resource; **61** Christina Thomson/Woodfin Camp & Associates; **62** and **63** David L. Brill; **64** left: David M. Phillips/Visuals Unlimited; right: CNRI/Science Photo Library/Photo Researchers, Inc.; **65** D. Cavagnaro/DRK Photo; **67** top left: R. Feldmann/Dan McCoy/Rainbow; top right: Will and Deni McIntyre/Photo Researchers, Inc.; bottom: Dr. Ann Smith/Science Photo Library/Photo Researchers, Inc.; **68** top left: Science Photo Library/Photo Researchers, Inc.; bottom left: Dr. Jeremy Burgess/Science Photo Library/Science Photo Library Photo Researchers, Inc.; right: Brain/Parker/Science Photo Library/Photo Researchers, Inc.; **69** top: Eric Kamp/Phototake; center: P. Dayanandan/Photo Researchers, Inc.; bottom: Dr. Jeremy Burgess, John Innes Institute/Science Photo Library/Photo Researchers, Inc.; **70** top: Science VU-IBMRL/Visuals Unlimited; bottom: CNRI/Science Photo Library/Photo Researchers, Inc.; **71** top and bottom: G. Conroy/Washington Medical School; **72** Visuals Unlimited; **73** and **74** Roger Ressmeyer/Starlight; **75** E. Brinks, Leiden Observatory/Science Photo Library/Photo Researchers, Inc.; **76** Roger Ressmeyer/Starlight; **77** top left: NASA; top right: NASA's Goddard Space Flight Center; bottom: Max-Planck Institut/Science Photo Library/Photo Researchers, Inc.; **78** NASA; **79** S. Frederick Grassle/Woods Hole Oceanographic Institution; **80** Woods Hole Oceanographic Institution; **81** Paul X. Scott/Sygma; **83** left and right: NASA; **84** left: Maximum, Inc.; right: Tom Bean/DRK Photo; **85** top: Rienzi and Rienzi Communications, Inc.; bottom: Mike Yamashita/Woodfin Camp & Associates; bottom insert: William Campbell/Sygma; **89** Larry J. Pierce/Stockphotos, Inc./Image Bank; **90** Homer Sykes/Woodfin Camp & Associates; **91** Abe Frajndlich/Sygma; **92** ACS-Bakker/ Marine Mammal Images; **94** top: Al Giddings/Ocean Images/Image Bank; bottom: Superstock; **98** top: Maximum, Inc.; bottom: Frans Lanting/Minden Pictures, Inc.; **120** Dr. Ann Smith/Science Photo Library/Photo Researchers, Inc.; **122** Tom McHugh/Photo Researchers, Inc.

Cover Background: Ken Karp
Photo Research: Natalie Goldstein
Contributing Artists: Ray Smith; Ames and Zak; Don Martinetti; David Biedrzycki
Photographs: 4 left: NASA; right: Robert Essel/Stock Market; **5** top: Larry J. Pierce/Stockphotos, Inc./Image Bank; center: R. Feldmann/Dan McCoy/Rainbow; bottom: Zig Leszczynski/Animals Animals/EarthScenes; **6** top: Lefever/Grushow/Grant Heilman Photography; center: Index Stock Photography, Inc.; bottom: Rex Joseph; **8** top: Srulik Haramaty/Phototake; bottom: Jeffrey D. Smith/ Woodfin Camp & Associates; **9** Stephen J. Krasemann/DRK Photo; **12** left: Reichel/Black Star; right: Thomas Ives/Stock Market; **13** Kim Newton/Woodfin Camp & Associates; **14** top: Lockheed Missiles and Space Co., Inc.; bottom: Tom McHugh/Photo Researchers, Inc.; **15** top: NASA; bottom: Grant V. Faint/Image Bank; **16** David M. Phillips/Visuals Unlimited; **17** top: Ken Sakamoto/Black Star; bottom: Michael Melford/Image Bank; **19** Stephen J. Krasemann/DRKPhoto; **20** Robert Holland/DRK Photo; **24** John Eastcott/Yva Momatiuk/DRK Photo; **25** Zig Leszczynski/Animals Animals/Earth Scenes; **26** Kjell B. Sandved; **29** top: Robert Essel/Stock Market; bottom: AT&T Bell Laboratories; **32** left and right: Ken Karp; **37** Michael P. Gadomski/Photo Researchers, Inc.; **38** and **39** NASA/Smithsonian Institution/Lockheed Corporation; **42** top left: Breck P. Kent; top right: Stockphotos, Inc./Image Bank; bottom left: IBM; bottom right: David M. Phillips/Visuals Unlimited; **43** Loren McIntyre/Woodfin Camp & Associates; **44** Photo Researchers, Inc.; **45** Kjell B. Sandved/Photo Researchers, Inc.; **46** left: Stephen Dalton/Photo Researchers, Inc.; right: Joe Bator/Stock Market; **47** and **48** top and bottom: NASA; **49** top: Larry Lipsky/DRK Photo; bottom: Frans Lanting/Minden Pictures, Inc.; **50** Ken Karp; **54** top: Ken Karp; bottom: Yoav Levy/Phototake; **56** left: Ken Karp; right: Johnny Johnson/DRK Photo; **57** top: Michael Holford/Michael Holford Photographs; bottom: Scala/Art Resource; **61** Christina Thomson/ Woodfin Camp & Associates; **62** and **63** David L. Brill; **64** left: David M. Phillips/Visuals Unlimited; right: CNRI/Science Photo Library/Photo Researchers, Inc.; **65** D. Cavagnaro/DRK Photo; **67** top left: R. Feldmann/Dan McCoy/Rainbow; top right: Will and Deni McIntyre/Photo Researchers, Inc.; bottom: Dr. Ann Smith/Science Photo Library/Photo Researchers, Inc.; **68** top left: Science Photo Library/Photo Researchers, Inc.; bottom left: Dr. Jeremy Burgess/Science Photo Library/Science Photo Library Photo Researchers, Inc.; right: Brain/Parker/Science Photo Library/Photo Researchers, Inc.; **69** top: Eric Kamp/Phototake; center: P. Dayanandan/Photo Researchers, Inc.; bottom: Dr. Jeremy Burgess, John Innes Institute/Science Photo Library/Photo Researchers, Inc.; **70** top: Science VU-IBMRL/Visuals Unlimited; bottom: CNRI/Science Photo Library/Photo Researchers, Inc.; **71** top and bottom: G. Conroy/Washington Medical School; **72** Visuals Unlimited; **73** and **74** Roger Ressmeyer/Starlight; **75** E. Brinks, Leiden Observatory/Science Photo Library/Photo Researchers, Inc.; **76** Roger Ressmeyer/Starlight; **77** top left: NASA; top right: NASA's Goddard Space Flight Center; bottom: Max-Planck Institut/Science Photo Library/Photo Researchers, Inc.; **78** NASA; **79** S. Frederick Grassle/Woods Hole Oceanographic Institution; **80** Woods Hole Oceanographic Institution; **81** Paul X. Scott/Sygma; **83** left and right: NASA; **84** left: Maximum, Inc.; right: Tom Bean/DRK Photo; **85** top: Rienzi and Rienzi Communications, Inc.; bottom: Mike Yamashita/Woodfin Camp & Associates; bottom insert: William Campbell/Sygma; **89** Larry J. Pierce/Stockphotos, Inc./Image Bank; **90** Homer Sykes/Woodfin Camp & Associates; **91** Abe Frajndlich/Sygma; **92** ACS-Bakker/ Marine Mammal Images; **94** top: Al Giddings/Ocean Images/Image Bank; bottom: Superstock; **98** top: Maximum, Inc.; bottom: Frans Lanting/Minden Pictures, Inc.; **120** Dr. Ann Smith/Science Photo Library/Photo Researchers, Inc.; **122** Tom McHugh/ Photo Researchers, Inc.